Io vi ho portato la corona di fiori promessa e ogni tanto mi reco a vedermi morto e sepolto là. Qualche curioso mi segue da lontano; poi, al ritorno, s'accompagna con me, sorride e – considerando la mia condizione – mi domanda:

– Ma voi, insomma, si può sapere chi siete?

Mi stringo nelle spalle, socchiudo gli occhi e gli rispondo:

– Eh, caro mio... Io sono il fu Mattia Pascal.

LUIGI PIRANDELLO

1.

Lella Canton staccò il naso dal finestrino e controllò le foto appena scattate sul telefono. Ce n'erano un paio che su Instagram avrebbero fatto schiattare d'invidia tutte le sue colleghe. Cielo terso, nessuna nuvola, orizzonte perfetto. Negli ultimi dieci minuti sotto i suoi occhi erano passati prima le isole Eolie, poi lo stretto di Sicilia, infine lo scenario piú fantastico che le fosse mai capitato davanti. La montagna maestosa, la roccia nera spruzzata di neve e il pennacchio di fumo sulla sommità. Metteva quasi soggezione.

L'aereo era decollato da Milano Malpensa alle sei e trenta, e ora volteggiava intorno al vulcano, sballottato dalle raffiche di vento che stavano rallentando la sua discesa verso l'aeroporto di Catania Fontanarossa. A ogni virata la visuale dal finestrino cambiava: mare, montagna, di nuovo mare, ancora montagna.

Il pilota avvertí che entro pochi minuti sarebbero atterrati, il tempo era sereno e la temperatura di 6 gradi centigradi.

Lella soppesò il cappottino leggero che aveva portato come unico soprabito per quella prima trasferta, scartando con decisione tutte le alternative piú pesanti – tanto in Sicilia è sempre primavera! –, e si diede dell'idiota.

Attese che l'aereo toccasse terra e si fiondò sull'applicazione del meteo sperando in notizie piú confortanti, quasi certa che durante il giorno la temperatura si sarebbe alzata. E invece: minima 4, massima 9. Con aggiunta di nubi in avvicinamento e possibili piovaschi.

L'azienda farmaceutica per cui lavorava da dieci anni come informatrice scientifica nella sua regione, cioè il Veneto, l'aveva appena promossa capo area e le aveva assegnato l'unica zona in quel momento disponibile: Sud e isole. Un cambiamento pressoché radicale, che Lella aveva accettato obtorto collo ma senza nessuna esitazione. In tempi di vacche magre, rifiutare una promozione con tanto di aumento di stipendio solo perché implicava un cambio di zona le sembrava quasi immorale.

Antonino Falsaperla, l'informatore scientifico siciliano con cui aveva viaggiato, si svegliò per lo scossone dell'atterraggio.

Si sganciò la cintura fulmineo. – Eccoci qua! Vado a recuperare i bagagli, – disse, alzandosi subito per fregare sul tempo i vicini e accedere per primo alla cappelliera.

Lella guardò fuori. Erano parcheggiati di fianco a un altro aereo e una navetta era lí già pronta. Lella non capiva il motivo di tanta fretta.

– Dovremo aspettare comunque, – osservò. – Non credo che quel bus partirà con solo noi a bordo.

– Almeno saliamo sul primo autobus –. Antonino controllò l'orologio con disappunto. Erano in ritardo di mezz'ora sulla tabella di marcia. – Se s'annacano ad aprire le porte, forse riusciamo a fare pure colazione.

Lella si soffermò sul termine *annacarsi* e dedusse che doveva significare piú o meno sbrigarsi.

Antonino tirò giú i due trolley e s'infilò il giubbotto: un parka superimbottito dotato di pelliccia sul cappuccio, lo stesso con cui per tre giorni aveva affrontato il profondo Nord. Le cedette il passo verso l'uscita.

Il vento era talmente teso da far ballare la scaletta sotto di loro, e cosí freddo e umido che bastarono pochi passi perché Lella iniziasse a sentirsi gelare la testa. Invano frugò nella borsa in cerca del berretto di lana che di solito teneva lí per ogni evenienza, sperando di non averlo eliminato quando aveva riorganizzato il bagaglio in modalità Sud. Ma il suo lavoro era stato rigoroso.

D'altronde l'unica versione della Sicilia che Lella Canton avesse mai conosciuto era quella estiva. Sette giorni di mare in zona Trapani, con relativa gita alle Egadi. Trentacinque gradi fissi e un sole che spaccava le pietre. Novembre a rigor di logica doveva essere una sorta di mezza stagione.

– Comunque 'sto freddo non è normale, – si scusò Antonino, quasi costernato. Quando si dice la sfiga: arrivava la nuova capa e la sua città come l'accoglieva? Un gelo che manco a gennaio. Peggio che in Brianza.

Il bus navetta, stipato all'inverosimile, partí con un sobbalzo e in pochi minuti scaricò metà dei passeggeri di quel volo davanti al varco degli arrivi nazionali.

Lella allungò il passo dietro Antonino, che zigzagava lungo il corridoio. Gigantografie di monumenti barocchi e di baie meravigliose si alternavano lungo le pareti a display pubblicitari. In fondo, un cartellone con foto di Pirandello e immancabile citazione.

Fuori dall'area sbarchi, nonostante fossero appena le otto del mattino, c'era già un delirio. Decine di autisti muniti di cartelli e tour operator se ne stavano a destra, sotto la scala mobile che portava alle partenze, mentre davanti alle vetrate si estendeva uno schieramento di parenti in trepida attesa. Famiglie intere, bambini e anziani compresi. Un senso di calore umano che, suo malgrado, nemmeno la riservata dottoressa Lella Canton poté fare a meno di percepire.

Il Falsaperla trangugiò due brioche e due caffè in cinque minuti, il tempo che la sua capa impiegò a sorseggiare una spremuta d'arancia. Poi fece strada verso l'uscita in direzione del posteggio in cui aveva lasciato l'auto tre giorni prima.

Una folata di vento freddo schiaffeggiò Lella, che cercò di avvolgersi meglio l'unica sciarpa che aveva con sé.

– È molto lontano? – chiese, mentre trottavano lungo un marciapiede largo costeggiato da una parete piena di gigantografie che in confronto quelle dentro l'aerostazione sembravano poster. Ragusa, Noto, Taormina…

– No, siamo quasi arrivati, – rispose Antonino, indicando un parcheggio a due piani.

Pagò e precedette la capa verso un varco con una sbarra. Si fermò e si guardò intorno.

– Fammi ricordare dove l'ho messa… Mizzica, col fatto che nell'ultimo periodo sono stato in aeroporto un giorno sí e l'altro pure, ogni volta che devo andare a recuperare la macchina mi confondo! Però mi pare di qua.

Lella lo guardò male. Lei iniziava a battere i denti dal freddo e quello perdeva tempo. Del resto, per com'era bardato, avrebbe potuto tranquillamente affrontare il polo Nord. Meno male che erano al coperto. Infilarono un corridoio e lo percorsero fino in fondo per raggiungere una Renault Scénic grigia.

Mentre Antonino esultava per aver ritrovato l'auto al primo colpo e sistemava i bagagli nel baule posteriore, l'attenzione di Lella fu catturata da una grossa berlina scura con le luci accese, piazzata di sbieco davanti a loro.

– Ma guarda un po' questi come hanno parcheggiato, – borbottò. Roba che solo al Sud.

Si avvicinò incuriosita al lato del passeggero, abbagliata dai fari, e sbirciò all'interno.

L'urlo che cacciò si sentí fino alla sommità dell'Etna.

2.

Salvatore Fratta, detto Bazzuca, se l'era data a gambe. Quando gli uomini della sezione Catturandi della Mobile di Palermo avevano fatto irruzione nel covo in cui il latitante s'era nascosto negli ultimi tempi, di lui non c'era piú traccia.

Il vicequestore aggiunto Giovanna Guarrasi, detta Vanina, di regola non avrebbe dovuto prendere parte a quell'azione. Da quasi quattro anni ormai, e per sua libera scelta, quello di Palermo non era piú il suo territorio di competenza. Cosí come, sempre per sua libera scelta, non lo era piú nemmeno la sezione Criminalità organizzata.

Adesso Vanina dirigeva la sezione Reati contro la persona – ovvero quella che una volta si chiamava «Omicidi» – alla squadra Mobile di Catania. Il giorno del blitz, avvertita per tempo dal suo ex braccio destro Angelo Manzo, s'era presentata nel suo vecchio ufficio e aveva chiesto di partecipare all'operazione, provocando le ire di mezza questura palermitana. Alla fine, però, c'era riuscita.

E ora era lí, distaccata da due settimane alla sezione Catturandi della Mobile di Palermo, su formale richiesta del questore e con una motivazione piú che legittima: quella di aver dedicato sei anni della sua vita alla ricerca e alla cattura di Salvatore Fratta detto Bazzuca e di tutta la sua cricca. Finché la morte inscenata da quest'ultimo, cui lei sola aveva continuato sempre e contro ogni evidenza a non credere, aveva messo fine alle indagini. Gli ultimi sviluppi, però, le avevano dato ragione. Il bagaglio d'informazioni che Vanina Guarrasi possedeva, impresso a fuoco nella sua mente, era tale da renderla indispensabile ai suoi colleghi che si trovavano a dover riannodare i fili e organizzare nuovamente la caccia al latitante.

Le due settimane di Vanina alla Catturandi scadevano quel giorno. Se lei avesse voluto, il questore di Palermo – che di cattura dei latitanti se ne intendeva, e pure assai – avrebbe prolungato il periodo di distaccamento della Guarrasi che anche il dirigente Corrado Ortès caldeggiava.

Ma Vanina non sembrava intenzionata a restare.

La riunione era iniziata nell'ufficio di Ortès, una stanza con vista su piazza della Vittoria e sull'adiacente Villa Bonanno, le cui pareti erano tappezzate di cimeli rappresentativi dei latitanti arrestati negli anni. Una teca conteneva un bastone, un'altra una maglia, un'altra ancora un fucile. Su una libreria, in alto, un casco da moto. Reperti dei quali chi era stato impegnato in quelle operazioni andava fiero. Poco dopo, il gruppo s'era trasferito al piano inferiore, nella stanza del capo della Mobile.

La squadra che si occupava di stanare Bazzuca era formata da cinque elementi, piú ovviamente il dirigente. Tra loro, oltre a due agenti scelti e due ispettori uno dei quali donna, c'era anche Angelo Manzo, l'ex collaboratore di Vanina che le era rimasto sempre affezionato, fresco di promozione a viceispettore.

Vanina assisteva a quella riunione consapevole che probabilmente sarebbe stata la sua ultima lí. Nelle due settimane precedenti aveva ripreso in mano fascicoli che non avrebbe mai immaginato di dover rileggere. Sei anni di indagini e numerosi arresti, tre dei quali per lei avevano rappresentato una gigantesca rivalsa personale, anche se si sarebbe fatta staccare un braccio piuttosto che ammetterlo.

– Quindi, – ricapitolò il capo della Mobile, – è confermato che Fratta fosse in quella casa.

– Sí, capo. Il grosso era stato ripulito e oggetti personali non ne abbiamo trovati, ma la collega della Scientifica è riuscita a estrarre il Dna da un cracker rimasto incastrato tra i cuscini di una poltrona. Corrisponde con quello di Fratta che era stato archiviato durante le indagini precedenti alla sua presunta morte. Questo prova che Bazzuca è stato lí. Sul materasso c'era anche un capello lungo. Hanno estratto il Dna anche di quello, ed è femminile.

– E ovviamente non sappiamo a chi appartenga.

– Purtroppo no.

– Però la casa è stata abitata fino a poche ore prima della nostra irruzione, – concluse il capo.

Ortès confermò.

La villetta che un collaboratore di giustizia aveva indicato come il covo in cui Bazzuca si nascondeva faceva parte di una sorta di residence estivo all'apparenza disabitato. L'appartamento che il latitante avrebbe dovuto occupare sembrava in ordine. Nonostante la corrente fosse staccata, però, lo scaldabagno era ancora tiepido. E l'ambiente stesso della casa era troppo poco freddo e umido rispetto agli standard del periodo. Era stata Vanina la prima a sgamare il sacchetto d'immondizia che giaceva solitario nell'unico cassonetto vicino. Conteneva residui di pollo arrosto non decomposti, pezzi di lattuga ancora fresca, un torsolo di mela che non poteva risalire a troppo tempo prima. Nascosta tra gli scarti alimentari una pillola, che la Scientifica aveva identificato come un farmaco ipoglicemizzante. Gli altri forse non avevano avuto il tempo di scoprirlo, ma Vanina se lo ricordava benissimo: Salvatore Fratta era diabetico.

Questo libro è stampato su carta certificata FSC®
e con fibre provenienti da altre fonti controllate.

Stampato per conto della Casa editrice Einaudi
presso ELCOGRAF S.p.A. - Stabilimento di Cles (Tn)

C.L. 24607

Edizione	Anno
5 6 7 8 9 10 11	2020 2021 2022 2023

– Corrado, lo sai questo che significa, vero? – disse il primo dirigente.

Ortès annuí.

Lo sapevano tutti, cosa significava. E non faceva piacere a nessuno.

Il telefono di Vanina iniziò a vibrare mostrando il primo piano risolente dell'ispettore capo Carmelo Spanò. Il miglior braccio destro che potesse capitarle alla Mobile etnea.

– Spanò, – rispose a voce bassa, uscendo dalla stanza.

– Dottoressa, buongiorno. È ancora a Palermo?

– Sí, perché?

– Ci arrivò tra capo e collo una camurría di quelle belle pesanti.

Vanina socchiuse la porta e si allontanò.

– Che è successo?

– Stamattina presto, in uno dei parcheggi dell'aeroporto hanno trovato un cadavere. Quelli della polizia di Frontiera ci chiamarono un attimo fa, che a quanto pare è cosa per noi.

– Come l'hanno ammazzato? – andò al sodo il vicequestore.

– Arma da fuoco. Era dentro la sua macchina. Per ora non sappiamo altro.

– Macchia che dice?

Il primo dirigente Tito Macchia, per il periodo in cui Vanina sarebbe stata assente, aveva formalmente affidato la sezione Reati contro la persona al dirigente della sezione Criminalità organizzata. Ma poi di fatto se n'era occupato lui personalmente.

– Ha detto di andare avanti, tra poco ci raggiunge. Consideri che all'andatura della Bonazzoli, noi tra cinque mi-

nuti siamo lí. Sempre se sopravviviamo, che a Fragapane lo vedo tanticchia teso.

Vanina sorrise. Se lo figurava come se l'avesse davanti agli occhi, il vicesovrintendente Fragapane alla mercé di Marta Bonazzoli e della sua guida disinvolta. Seduto al centro del sedile posteriore, braccia spalancate come un Cristo in croce e mani ancorate alle maniglie per tollerare meglio il ballonzolio dell'auto di servizio lungo una strada dall'asfalto piú dissestato di una trazzera.

– Chiamatemi appena siete lí. Io torno a Catania oggi, nel primo pomeriggio.

Dall'auto si sentí un'ovazione con tanto di applauso.

– Scusi, capo, siamo in vivavoce, – specificò Spanò.

– Questo l'avevo intuito. Ma per caso lí dentro c'è anche Lo Faro?

– Sí, cap... dottoressa, – rispose l'agente, che la confidenza di chiamarla «capo» continuava da piú di un anno a inseguirla senza mai riuscire a guadagnarsela, per un motivo o per un altro.

Vanina scosse la testa. Quando uno è demente...

– Lo Faro, tu lo sai che sei un autolesionista, vero?

– Ma perché, che ho fatto?

– Dieci passi indietro.

Dal silenzio capí che la battuta era stata abbastanza sibillina da mettere fuori gioco il mononeurone del ragazzo.

– Vedi di finirla con le minchiate e ringrazia che non sono là, se no a quest'ora saresti già fuori dalla macchina. Ma che siamo a una gita scolastica? C'è stato un omicidio, e dei colleghi caritatevoli ti hanno dato la possibilità di intervenire insieme a loro. Perciò vedi di non giocartela.

– Certo, dottoressa, mi scusi.

– Spanò?

– Sí, capo.

– Avete già avvertito il magistrato?

– Ciao Vanina. L'ho chiamato io. È Terrasini, – emerse Marta. Per fortuna almeno quel caso iniziava col piede giusto. Il pm Terrasini era uno con cui si lavorava bene e in sintonia, il che non era del tutto scontato.

– La Scientifica la chiamai io. Sta venendo Pappalardo, – comunicò Fragapane.

E anche quella era una buona notizia. Il sovrintendente capo Pappalardo valeva dieci volte il suo superiore.

– Tenetemi aggiornata, – concluse Vanina, chiudendo la telefonata.

Pochi minuti di conversazione con Spanò l'avevano riportata alla sua vita reale.

La decisione di tornarsene a Catania non era mai stata in discussione, ma quella telefonata ci aveva messo il carico da undici.

Si guardò intorno, ripassando tutti i volti che se ne stavano appesi alle pareti dell'anticamera. Volti passati alla storia per aver perso la vita nell'adempimento del proprio dovere. Gli stessi i cui nomi erano incisi sulla lapide commemorativa all'ingresso della Mobile. D'istinto Vanina si diresse verso la foto che di solito evitava di guardare. Suo padre, l'ispettore Giovanni Guarrasi, pareva fissarla.

Era il momento di levare le tende.

L'ispettore capo Carmelo Spanò non riusciva a biasimare l'agente Lo Faro. Con un fervore del tutto fuori luogo, e verosimilmente mosso dalla sua incoercibile natura di leccapiedi, il ragazzo aveva però manifestato un sentimento che in realtà li accomunava tutti. Le due settimane senza la Guarrasi erano state dure, soprattutto per Carmelo. Il dirigente che faceva le veci di Vanina si rivolgeva a lui per ogni cosa, e lo stesso faceva il Grande Capo.

Non era stato facile, soprattutto in un periodo come quello, in cui Spanò non riusciva a trovare pace.

L'entrata del parcheggio multipiano era stata già bloccata da una transenna. L'auto di servizio con a bordo mezza sezione Reati contro la persona della squadra Mobile etnea oltrepassò la sbarra del piano terra e si diresse verso la piccola folla che s'era creata alla fine del primo corridoio.

Il pm Terrasini era già arrivato. Mani in tasca, collo incassato nel bavero del cappotto, cercava di difendersi come poteva dal vento insidioso che pareva infilarsi attraverso i piloni del parcheggio mirando dritto dritto verso il suo naso. L'area piú estesa della sua faccia. Accanto a lui c'era il dirigente della polizia di Frontiera, che nel frattempo aveva provveduto a delimitare la zona e stava tentando di sedare gli animi di quelli che s'erano trovati nel parcheggio e ora pretendevano di sapere cos'era successo e per quale motivo erano rimasti intrappolati lí.

Il magistrato estrasse la mano dalla tasca e si affrettò a stringere quella di Marta. Poi si rivolse a Spanò, che stava trattenendo a stento un sorriso: persino Terrasini, ritratto di correttezza e serietà, davanti alla poliziotta bresciana s'incantava.

– Ho chiamato il medico legale, sarà qui a momenti, – comunicò il pm.

– Chi è? – s'informò Spanò.

– Il dottore Calí.

La Guarrasi ne sarebbe stata felice, Adriano Calí era uno dei suoi amici piú cari.

Spanò e Marta passarono sotto il nastro che delimitava l'area e si avvicinarono alla Mercedes nera. L'ispettore infilò la testa nell'auto dal lato del passeggero reggendosi allo sportello aperto per evitare di toccare il sedile, e si trovò faccia a faccia col morto. Seduto al posto di gui-

da, lievemente voltato verso di lui, gli occhi sbarrati. Una chiazza di sangue allargata sulla camicia bianca all'altezza del cuore, sotto la giacca blu. Cravatta bordeaux abbinata alla pochette che usciva dal taschino, entrambe immacolate. Bracciale d'oro al polso destro. Orologio, anch'esso d'oro, al sinistro. Le spalle erano poggiate indietro, la sinistra sul finestrino e la destra a metà tra il bordo del sedile di pelle e la portiera.

– Pare scantato, – constatò l'ispettore, ritraendosi e lasciando che anche la Bonazzoli si sporgesse nell'auto.

– Forse lo era, – disse Marta.

Spanò s'infilò i guanti e aprí la portiera posteriore. Sul sedile, mezzo coperto da un impermeabile beige, c'era un trolley ventiquattrore con la zip aperta per metà.

Mentre allungava la mano per afferrarlo, il telefono prese a squillargli in tasca. Rispose alla Guarrasi.

– Capo.

– Allora, Spanò, che mi dice?

– Un uomo, di una settantina d'anni. A occhio gli hanno sparato al cuore.

– Chi l'ha trovato?

– A quanto mi disse il collega della Frontiera, lo trovarono un uomo e una donna che erano appena atterrati e stavano riprendendo la macchina al parcheggio, – si guardò intorno, – ma non li ho ancora visti.

– Il medico legale che dice?

– Sta per arrivare. È l'amico suo, il dottore Calí.

– Bene. Stavolta mi sembra che la squadra sia ben selezionata.

Marta tamburellò sulla spalla del collega indicandogli con lo sguardo un gruppo di nuovi arrivati.

– Dottoressa, aspittassi a dirlo, – fece Spanò.

– Perché? – chiese Vanina, allarmata.

L'ispettore si limitò a portare in avanti la mano col telefono, inclinandolo in modo da scoprire bene il microfono.

Alla testa di un piccolo esercito di scafandrati, il vicedirigente della polizia Scientifica Cesare Manenti avanzava schiamazzando a voce di testa per fermarsi deferente davanti al pm Terrasini.

– Lo sentí? – chiese Spanò, di nuovo col telefono all'orecchio.

Lo sbuffo della Guarrasi gli arrivò forte e chiaro. Inequivocabile. – Minchia che camurría!

Aveva sentito. E considerata la scarsissima simpatia tra lei e il collega della Scientifica, come minimo ora stava santiando in turco. Carmelo già se la figurava.

S'affrettò a completare l'apertura del trolley prima di doverlo cedere al videofotosegnalatore che si stava avvicinando a passo di carica. Ci pensò Marta a bloccare l'agente, mentre lui esaminava velocemente il contenuto.

Il vicequestore Guarrasi era sempre all'altro capo del telefono. – Spanò? Dove se ne andò?

– Qua sono, dottoressa. Scusi un attimo, do un'occhiata alla borsa del morto prima che se la fregano.

– Che cosa contiene?

– Indumenti. Arriminati come se la valigetta fosse stata svacantata sul sedile e poi riempita di nuovo, alla meno peggio. Una camicia, un paio di boxer di cotone, una busta trasparente con dentro creme e rasoio. Una cravatta, e ovviamente il fazzoletto analogo. Un tipo pretenzioso, doveva essere.

– Tasche laterali non ce ne sono?

– Sono aperte, e vuote.

– Documenti? Telefoni?

– Per ora non ne abbiamo trovati. Vediamo che cosa esce dal sopralluogo della Scientifica.

– E vediamo. Ma almeno Pappalardo c'è? – s'informò la Guarrasi.

Spanò si voltò a controllare.

– Non mi pare.

Il vicequestore imprecò tra sé e sé.

– Ma come si fa a essere cosí bastardi! – sbottò. – 'Sa quanto gli deve rodere che nella sua squadra c'è qualcuno piú bravo di lui.

Era la solita storia: piú lei mostrava stima nei confronti di quel gran bravo picciotto che era il sovrintendente capo Pappalardo, e piú Manenti lo escludeva di proposito. A maggior ragione adesso che a momenti doveva arrivare un nuovo dirigente a soffiargli l'agognato posto di capo della Scientifica. Se le voci erano confermate, si trattava persino di uno con le palle e per di piú grande amico della Guarrasi. Peggio di cosí non gli sarebbe potuta finire, a quella nullità di Cesare Manenti.

Questo pensava Vanina, quando chiuse la telefonata con Spanò e salí in macchina. S'era congedata dai colleghi palermitani, che non avevano piú cercato di trattenerla lí come era accaduto inizialmente. La caccia al latitante non era piú cosa per lei, come non era cosa per lei restare a Palermo. Operazioni come quella potevano avere una durata indefinita. Fino a qualche anno prima in un'impresa simile ci si sarebbe buttata a capofitto, ma adesso non se la sentiva piú. Sapeva bene che piazzarsi in prima linea, anche ammesso che ne avesse avuta la forza, non sarebbe stata una buona idea. Come non lo sarebbe stato trovarsi di fronte all'ultimo superstite del commando di cosa nostra che venticinque anni prima aveva ucciso suo padre, l'ispettore Giovanni Guarrasi, sotto gli occhi terrorizzati di una figlia che a soli

quattordici anni aveva giurato a tutti loro che non l'avrebbero fatta franca.

Se già quando aveva arrestato gli altri tre, non appena aveva raggiunto un grado di polizia che gliene desse la possibilità, aveva dovuto combattere con sé stessa per non farli fuori prima ancora di ammanettarli, non immaginava quanto sangue alla testa le avrebbe fatto salire trovarsi a tu per tu con quel bossetto dalla faccia tagliata alla cui morte, anni prima, non aveva voluto credere. Solo lei, unica voce fuori dal coro, era sicura che un fango come quello non potevano averlo eliminato senza un preciso motivo e, soprattutto, senza scatenare reazioni all'interno delle *famiglie*. Ora sapeva che la sua voce non era rimasta inascoltata, e che qualcuno – o forse piú di qualcuno – non aveva mai smesso di verificare se il suo dubbio fosse fondato. A loro doveva tutta la sua gratitudine: Angelo Manzo, il piú fidato tra i suoi uomini palermitani, che non s'era mai rassegnato; Corrado Ortès, il dirigente che negli ultimi quattro anni aveva guidato la sezione Catturandi.

E infine lui. Sempre lui. Il sostituto procuratore Paolo Malfitano. Il magistrato piú minacciato e detestato dai criminali di Sicilia, e non solo. L'unico uomo cui fosse mai stata davvero legata e dal quale era scappata via, convinta che abbandonare lui, oltre che Palermo e l'antimafia, bastasse a farla campare piú tranquilla. Non era andata davvero cosí, o quantomeno non del tutto. Specie poi negli ultimi tempi, in cui l'equilibrio creato nei quattro anni di lontananza pareva essersi sovvertito e il passato tornava a invadere la sua vita.

Doveva dire a Paolo che stava per rientrare a Catania, ma non aveva voglia di farlo per telefono. Guardò l'orologio: a quell'ora doveva essere in ufficio.

Si accese una Gauloises e partí. Uscí dal cortile della

questura e s'immise in piazza della Vittoria. Prese via Vittorio Emanuele e poi svoltò. Lasciò alla sua destra la Cattedrale e costeggiò il quartiere – o meglio il *mandamento* – Monte di Pietà. Stava girando intorno alla piazza per entrare nel parcheggio sotterraneo del tribunale quando sul telefono che squillava comparve il solito numero che ormai conosceva a memoria, ma che si ostinava a non voler memorizzare in rubrica. Come se questo servisse a garantirne la transitorietà.

Rispose dal bluetooth della macchina.

– Ciao Paolo.

– Non è che te ne andasti senza salutarmi, vero?

Le sarebbe piaciuto sapere chi era la spia che lo notiziava in tempo reale di tutti i suoi spostamenti. Un sospetto in realtà ce l'aveva.

– Ma che gli promettesti a Manzo, che manco il tempo di comunicargli le cose e già si precipita a condividerle con te? – la buttò lí. E ci azzeccò.

Paolo rise. – Dài, non t'incazzare. Mi sono fatto un alleato. Angelo ti vuole bene, lo sai.

Lo sapeva. E sapeva anche che il neo viceispettore avrebbe fatto di tutto per rivederla alla Mobile di Palermo. Dare man forte a Paolo doveva essergli parsa una buona strategia.

– Comunque no, non me ne sono ancora andata. E stavo giusto per passare in procura a salutarti.

– Bello. Un saluto veloce, nel mio ufficio, magari con un carabiniere davanti –. Il tono era sarcastico, ma odorava di amarezza.

– Meglio un poliziotto. Sai, per campanilismo.

Pausa di silenzio.

– Ma sí, hai ragione: sdrammatizziamo. Tanto la sostanza delle cose resta uguale.

Vanina non raccolse la provocazione.

– Arrivo. Il tempo di parcheggiare.

– Guarda che non sono in ufficio. Sono a casa.

– Come mai a casa? – s'allarmò Vanina.

Paolo fece una mezza risata. – Minchia quanto mi fai impazzire, vicequestore! Ti scanti a morte che qualcuno possa farmi del male, e poi sei la prima a farmene.

Vanina incassò il colpo.

– Mi dici che è successo? – insisté.

– Niente, Vani, che dev'essere successo? Ho mal di gola, un po' di febbre e fuori c'è un freddo assurdo che pare gennaio. Ho preferito restare a lavorare a casa, tanto ho una montagna di camurríe da scrivere.

Era arrabbiato, questo Vanina l'aveva messo in conto. Quel periodo sotto lo stesso cielo non aveva fatto bene a nessuno dei due. A lei, perché la frequenza con cui s'era ritrovata a passare ore – e notti – con lui le aveva confermato quanto fosse necessario allontanarsi da Palermo. A lui, perché quel breve riavvicinamento aveva gettato alcol sul fuoco della speranza di riconquistare il suo posto accanto a lei.

Fuoco che ora di punto in bianco si stava riducendo di nuovo a brace. Accesa, certo, ma pur sempre brace.

– Passo da te, – concluse Vanina.

Marta Bonazzoli era stata pressoché requisita dalla dottoressa Lella Canton che, appena intercettato l'accento bresciano della poliziotta, s'era aggrappata a lei come un naufrago a uno scoglio. La donna, riavutasi dallo svenimento che la vista del cadavere le aveva provocato, se ne stava seduta in uno degli uffici di polizia aeroportuale, insieme al collega Falsaperla che continuava a guardare l'orologio, preoccupatissimo del ritardo accumulato sulla tabella di marcia.

Spanò si sedette di fronte a loro e rivolse alla Canton qualche domanda.

– Roba da rimanerci secchi, ispettore! Trovarsi davanti agli occhi un uomo con un buco in petto… è un'esperienza che non auguro a nessuno, – cercò con lo sguardo il conforto di Marta, la quale annuí.

– Lo immagino, signora, lo immagino, – la assecondò Spanò. – Provi a raccontarmi cos'ha visto, nel modo piú dettagliato possibile.

– C'era quest'auto ferma, con i fari accesi, che ingombrava in parte la corsia. Mentre Antonino metteva via le valigie mi sono avvicinata per dire all'uomo che era alla guida di spostarsi per consentirci di uscire dal parcheggio. Dava le spalle al finestrino e, siccome non si accorgeva di me, ho fatto il giro e sono andata dal lato del passeggero. Da quel momento in poi è tutto confuso, ma quel buco sul petto, ispettore, chi lo dimentica piú?

– I fari erano accesi, perciò.

– Sí, sí. Belli forti –. Si piegò in avanti, sulla scrivania. Abbassò il tono. – Se posso chiedere, ispettore, pensate che sia un delitto… di mafia? – Già solo il pronunciare quella parola l'aveva fatta impallidire.

– Ti fissasti, Lella! Ma perché dev'essere omicidio di mafia? – intervenne Falsaperla.

La Canton lo guardò senza replicare, ma i pensieri le si leggevano in faccia: siamo in Sicilia. In Sicilia c'è la mafia.

– È un po' presto per fare un'ipotesi, signora, – rispose Spanò.

– Mi scusi, eh, ma non vorrei trovarmi impelagata in qualcosa di pericoloso.

– In che senso, signora? – chiese Marta.

– Sa com'è: se quelli pensano che hai visto troppo, in un attimo finisci nei guai!

Falsaperla la guardò come se fosse una marziana.

– Non mi sembra il caso di preoccuparsi, signora, mi creda, – la rassicurò Marta.

Spanò annuí, piú serio del dovuto per dissimulare meglio il divertimento. Peccato che la Guarrasi se lo stesse perdendo!

– Ricorda altri dettagli? – chiese la Bonazzoli.

La Canton scosse la testa.

Spanò si rivolse a Falsaperla: – Lei per caso si ricorda se lungo la strada a piedi verso la macchina ha visto qualcuno? Anche di sfuggita.

– Come si fa a dirlo, ispettore? A quell'ora, gente che entra nel parcheggio ce n'è assai. Sinceramente manco ci ho fatto caso. Ma telecamere non ce ne sono?

Ecco un altro patito di *Csi*.

– Stiamo verificando, – tagliò corto l'ispettore.

Aveva spedito Lo Faro a occuparsi della questione, mentre Fragapane piantonava la scena del delitto, sciroppandosi Manenti in attesa del medico legale. Che nel frattempo doveva essere arrivato.

– Va bene. Direi che a questo punto potete andare. Mi raccomando, lasciate i vostri recapiti all'ispettore Bonazzoli. Probabilmente la dottoressa Guarrasi nei prossimi giorni vorrà incontrarvi, – disse, alzandosi in piedi.

– Ah, perciò è lei che si occupa di questo caso! – Falsaperla pareva contento.

I due poliziotti lo guardarono perplessi.

– È lei la dirigente, – spiegò Spanò, col tono da maestro di scuola elementare.

– Certo, certo. Si sa –. Si sfregò le mani. – Chi me lo doveva dire che l'avrei conosciuta di persona!

Marta iniziava a perdere la pazienza. Quella che pareva il prototipo della settentrionale stile Novecento; quell'al-

tro poi, che prima sembrava quasi indifferente e ora si ringalluzziva all'idea che aver trovato un morto ammazzato gli avrebbe permesso di conoscere Vanina. Neanche fosse una rockstar cui chiedere l'autografo.

Forse era meglio ristabilire un equilibrio.

– Dottor Falsaperla, lo vuole un consiglio? – disse.

– Mi dica.

– Si auguri che il vicequestore Guarrasi non voglia vederla, – bluffò.

Non dovette aggiungere altro.

La faccia pietrificata dell'uomo parlava da sola.

Vanina s'era fumata due sigarette mentre faceva tre volte il giro largo dell'isolato, attenta a evitare la Ztl e setacciando tutte le strade lí intorno in cerca di un buco dove incastrare la Mini. Alla fine, esasperata, aveva ceduto e aveva preso via Cavour diretta al garage sotto casa di sua madre.

Depositò la macchina nel posto auto di Federico, il marito, che a quell'ora sicuramente era in piena seduta operatoria. E se anche fosse rientrato...

Mentre arrancava lungo i seicento metri scarsi che le toccava farsi a piedi per raggiungere casa di Paolo, Vanina immaginò la faccia felice che il professor Calderaro avrebbe fatto se si fosse accorto della Mini bianca che se ne stava placidamente piazzata al posto della sua Jaguar. L'avrebbe presa come una vittoria. Una piccola soddisfazione nel mare magnum di delusioni che la sua figliastra tanto amata gli aveva inflitto da ventitre anni a quella parte. Un passo avanti nel tentativo di farle accettare che tutto quello che era suo apparteneva anche a lei nella stessa misura in cui apparteneva a Costanza, la figlia che sua madre aveva avuto da lui.

Vanina non l'avrebbe mai ammesso, ma la smania di vedere Paolo la stava mangiando viva. Succedeva sempre cosí, del resto. Giorni e giorni passati a ripristinare la giusta distanza e poi d'un tratto… *zac!* Una telefonata, due parole, e il meccanismo infernale si rimetteva in moto.

Quando s'era separato dalla moglie, sposata appena due anni prima e dalla quale aveva avuto una figlia, Paolo era tornato a vivere nel vecchio appartamento di via Mariano Stabile. Lo stesso che lui e Vanina avevano condiviso per tanto tempo e nel quale lei l'aveva abbandonato per fuggire via senza dargli nessuna spiegazione. A Milano era finita, pur di allontanarsi da lui. Due anni assurdi, come fuori dalla realtà. E poi a Catania.

A rigor di logica, ora che si erano riavvicinati, ritrovarlo in quella casa avrebbe dovuto farle piacere.

E invece le dava angoscia.

Ogni volta che Vanina percorreva quei pochi metri di marciapiede, un macigno le si posizionava sul petto e le toglieva il respiro. Ogni volta che l'occhio le cadeva nella galleria dirimpetto, le sembrava di rivivere di nuovo tutto, momento per momento. I due bastardi che spuntano a sorpresa, il primo che spara, un uomo della scorta che cade a terra. Gli altri che cercano di proteggere Paolo, il proiettile che lo raggiunge e gli buca la coscia. Era stato un attimo: il posto giusto al momento giusto. Senza nemmeno rendersene conto s'era ritrovata la pistola d'ordinanza in mano e aveva sparato. Sparato finché non era stata sicura che gli attentatori di Paolo fossero neutralizzati e che non ce ne fossero altri nei paraggi. Sarebbe bastato un minuto in piú: il tempo di una sosta alla cassetta della posta, di una sigaretta accesa, di una scarpa da riallacciare. Se lei non fosse stata lí, se non avesse aperto il portone in quell'istante, di Paolo e della sua scorta non sareb-

be rimasta che una lapide. Una delle tante di cui Palermo era disseminata.

La seconda della sua vita.

E lei non avrebbe avuto la forza per affrontarla. Cosí era e cosí sarebbe stato sempre. Inutile prendersi in giro.

3.

Dal momento in cui era uscita da casa di Paolo, non aveva fatto altro che correre. Correre per tornare a casa, per chiudere in fretta il bagaglio nonostante la presenza ingombrante di sua madre e di sua sorella che si agitavano a vuoto, e che avevano preteso di pranzare insieme. Alla signora Marianna non poteva pace che nessuno dei suoi sforzi, nemmeno lo stratagemma di aver invitato Paolo Malfitano alla festa di Federico, fosse servito a riavvicinare la figlia maggiore a Palermo. Neanche il tempo di riabituarsi ad averla intorno – e a lei ne bastava veramente poco – la vedeva ripartire alla stessa velocità con cui un paio di settimane prima le era piombata in casa all'improvviso, agguerrita come non mai.

Adriano Calí la chiamò che era già arrivata a metà dell'autostrada Palermo-Catania.

– Guarrasi, dove sei? – fece il medico legale.

– Sto per fermarmi all'autogrill vicino Enna.

– Oh, ma sempre là ti becco!

Vanina rise. – Vero è. Ogni volta che mi fermo qua tu mi chiami. Tanto per mandarmi di traverso il caffè –. L'ultima era stata quando, un paio di mesi prima, era dovuta andare a Palermo per sentire un pentito domiciliato all'Ucciardone. Era stato allora che aveva rincontrato Paolo, per caso, dopo anni di contumacia.

– Ma quale pausa caffè! Se ti conosco bene come mi-

nimo ti fai fuori un cappuccino, un muffin alla nutella e una sigaretta. E non ti rimetti in macchina se prima non hai fatto scorta di cioccolata per tutta la settimana –. Lo sentí sghignazzare.

– Calí, lo sai dove te ne devi andare?

– Miii che permalosa sei!

– Me lo vuoi dire perché mi chiamasti?

– Ragione hai. Ti chiamai io, per ragguagliarti sul morto dell'aeroporto. Ho già anticipato tutto a Spanò, ma preferisco riferirti di persona le prime impressioni che ho avuto.

– Dimmi.

– È morto all'incirca verso le sette di stamattina. Con un colpo d'arma da fuoco al cuore, attinto verosimilmente da destra.

– Che significa?

– Che l'assalitore con ogni probabilità si trovava al posto del passeggero.

– Come fai a dirlo?

– Ovvio che prima dell'autopsia non posso essere sicuro di niente. Ma in base alla posizione di quiete del cadavere e a un primo esame della ferita, il proiettile sembra essere entrato di sbieco e sparato dalla sua destra.

– Quando ci lavorerai?

– Oggi pomeriggio stesso.

– Troppa grazia!

– Lo sai che i cadaveri tuoi sono raccomandati. Per loro nella mia clinica non c'è mai lista d'attesa.

– Grazie, amico mio.

– E poi prima mi sbrigo e prima mi levo il pensiero. Che i cadaveri tuoi, Vaninuzza mia, sono sempre una…

– Una rogna, lo so, – l'anticipò Vanina. – Meglio che non aggiungi altro. Non ti conviene. M'avevi quasi convinto che mi stavi facendo una cortesia. Se ancora con-

tinuiamo finisce che quasi quasi preferisci non lavorare con me.

– Questo non è vero! Però devi ammettere che ultimamente mi procurasti pazienti che manco in cinquant'anni di carriera mi sarebbe capitato di vedere. E prima il cadavere mummificato da mezzo secolo; e dopo... vabbe', va. Non è colpa tua: è che quando uno è capace di risolvere cose grosse, gli capitano sempre cose grosse. Succede anche ai medici.

– Sí, ma i medici – a parte quelli come te – vengono scelti volontariamente dai pazienti. I vicequestori invece i casi se li trovano tra le mani per caso.

– Sei sicura? – fece Adriano, dubitativo.

Vanina ci rifletté sopra un momento. Le venne in mente il recente caso di una ragazza scomparsa in mare. Non se l'era forse ritrovato per le mani solo perché qualcuno l'aveva cercata personalmente e aveva voluto a tutti i costi che fosse lei a occuparsene?

– No, non ne sono sicura. Ma vale per questa volta.

– E non direi.

– Perché?

– Perché stai tornando da Palermo apposta per assumerne la titolarità.

– Adriano, sei uno scassaminchia.

Mentre parlava col medico, senza neanche accorgersene, s'era riempita le mani di qualunque prodotto che contenesse abbastanza zuccheri da scongiurare un eventuale dimagrimento: biscotti, wafer, sfoglie. E cioccolata, di tutte le forme e con tutte le percentuali di cacao esistenti. Fece una cernita tra quello che le serviva e quello che invece doveva aver preso per distrazione. Le rimase solo la cioccolata, e una confezione di quei bastoncini di biscot-

to, anche loro ricoperti di cioccolato, che altrove non le sarebbe mai venuto per testa di comprare.

Andò alla cassa e pagò. Aggiunse un cappuccino e un muffin alla nutella, alla faccia di Adriano e della sua ironia. Tanto non c'erano testimoni.

Si gustò la sua merenda sostanziosa e poi, rinfrancata, ripartí.

Un'ora piú tardi era a Catania.

Trovò parcheggio in piazza Pietro Lupo, proprio dirimpetto al portone verde sprangato, sormontato dalla scritta blu: «Questura di Catania – Squadra Mobile».

Quasi quasi si emozionò: quel posto le era mancato. Grave ammetterlo per una palermitana, ma l'aria di Catania al suo umore faceva piú effetto di un antidepressivo. Un altro paio di giorni a Palermo e ne avrebbe avuto bisogno per davvero.

Nella stanza che i due veterani Spanò e Fragapane avevano battezzato «dei carusi» s'era radunata tutta la sezione Reati contro la persona in attesa del capo. I quattro appena rientrati dall'aeroporto stavano mettendo a conoscenza il sovrintendente Nunnari, l'unico che era rimasto in ufficio, di quello che erano riusciti a racimolare sul nuovo omicidio.

Vanina infilò il corridoio proprio mentre il primo dirigente Tito Macchia usciva dalla sua stanza.

– Spanò, la Guarrasi quando arriva? – stava chiedendo, stentoreo, prima di accorgersi di lei.

– Ciao, capo, – fece Vanina.

L'uomo l'accolse con un sorriso. Barba scura piú ordinata del solito, sigaro immancabilmente spento tra le labbra. Stazza degna di Gulliver quando sbarca a Lilliput.

– Bentornata.

– Grazie.

Vanina entrò nel suo ufficio e andò subito ad aprire le imposte.

Macchia la seguí. – Mi dispiace per la mancata cattura del latitante. So quanto ci tenevi, forse piú di qualunque collega palermitano.

Vanina alzò le mani in segno di stop mentre riprendeva possesso della sua poltrona, dietro la scrivania.

– Grazie, Tito. Dispiace anche a me, però preferirei non parlarne. Adesso vorrei tornare alla vita reale.

Macchia annuí.

– Hai saputo del cadavere all'aeroporto? – cambiò argomento.

– Sí, mi sono tenuta in contatto con Spanò tutta la mattina.

– A naso, non credo che sarà un caso semplice.

– Si è scoperto chi è? Anzi, chi era.

– Ci sono risaliti dai documenti dell'auto in cui l'hanno trovato. Uno straniero, con un nome spagnolo che ora non mi ricordo. Marta me l'ha raccontato per telefono mentre ero in riunione con quelli della sezione Criminalità organizzata. Non ho ancora avuto il tempo di informarmi bene.

Nel giro di mezzo minuto dalla stanza dei carusi partí una processione.

Spanò e Marta si presentarono alla Guarrasi per primi, poi Nunnari e infine Fragapane con Lo Faro alle calcagna. La Bonazzoli la baciò e l'abbracciò.

– Allora, picciotti miei, che mi raccontate? – fece Vanina, adagiandosi sullo schienale e tirando fuori una sigaretta. Macchia, che s'era accomodato su una sedia davanti a lei, alzò il sopracciglio.

– Tito, perché non ti accendi il sigaro anche tu? – gli propose.

Il dirigente si rassegnò. Accese il sigaro, ma chiese a Lo Faro di aprire i vetri del balconcino.

– Ti vorrei far notare che fuori s'appiddica dal freddo, – rilevò Vanina.

– Mo pretendi troppo, Guarra'.

Quando a Macchia usciva il napoletano voleva dire che non si discuteva piú.

Spanò partí con la relazione della mattinata. – Perciò, dottoressa: il morto si chiamava Esteban Torres, nato a L'Avana il 3 febbraio del 1942 –. Le passò il telefono con le foto che aveva scattato. Vanina ingrandí l'immagine sulla faccia del morto. Anthony Quinn nella parte di Tiburon Mendez in *Revenge*. Chissà se anche lui aveva avuto una moglie fedifraga da sfregiare e ridurre in fin di vita.

– Prosegua, Spanò.

– Doppia cittadinanza, americana e italiana, ma residente in Svizzera. Ad Ascona, per la precisione. Coniugato con un'italiana, niente figli. La Mercedes nella quale è stato ucciso era sua. Per qualche giorno alloggiò all'*Hotel Palace*, poi lasciò la stanza e da quel momento si perdono le tracce. Fino a stamattina, quando doveva imbarcarsi sul volo delle otto e mezzo per Malpensa. E aveva un volo di ritorno prenotato per dopodomani, da Malpensa per Catania. Questo è quanto siamo riusciti a sapere finora.

– Cuba, Stati Uniti, Svizzera... Te l'avevo detto, Vani', che 'st'omicidio non mi pareva una cosa semplice, – chiosò il Grande Capo, avvolto nella nube di fumo che il suo toscano stava producendo.

– Il cellulare l'abbiamo trovato? – chiese Vanina.

– Purtroppo no, – rispose Spanò, – mancavano sia il telefono che i documenti. E macari il computer portatile, che sicuramente doveva essere in una delle tasche laterali

del trolley. Un ragazzo della Scientifica mi disse che c'è l'impronta precisa.

– Secondo il dottore Calí la morte sarebbe avvenuta piú o meno alle sette di stamattina, – disse il vicequestore. – Abbiamo qualche testimone che era nel parcheggio a quell'ora?

– Un bel po'. Se testimoni si possono chiamare, visto e considerato che la maggior parte di loro andava di corsa

e manco taliò chi c'era e chi non c'era.

– C'è stato uno sparo. A meno che la pistola non avesse il silenziatore, qualcuno deve pur averlo sentito. Telecamere?

Lo Faro si fece avanti, intimorito come non gli succedeva mai con nessun altro, nemmeno col Grande Capo.

– Ho acquisito io tutti i filmati, dottoressa.

– E te li stai guardando?

– Ancora no…

Vanina si rivolse a Nunnari, quello che se ne intendeva di piú di filmati e registrazioni. – Nunnari, dàgli una mano. Quattro occhi sono meglio di due.

Lo Faro ci rimase male, e il vicequestore se ne accorse.

– Non è mancanza di fiducia, Lo Faro, credimi. Meglio che quel lavoro lo facciate in due –. Invece era proprio mancanza di fiducia.

La presenza di Macchia trattenne Nunnari dal portare due dita alla fronte in preda a quella che Vanina aveva battezzato «sindrome del marine», e che gli derivava da un amore sfegatato per qualunque film americano il cui protagonista fosse un soldato, un guardiamarina, o giú di lí. Ultimamente aveva preso perfino a vestirsi con magliette camouflage stile tuta mimetica. Che sul suo fisico pingue non facevano un bell'effetto.

– Signorsí, – gli sfuggí.

– Come signorsí? – rise Macchia.

Vanina tagliò corto.

– Dei due che hanno rinvenuto il cadavere che mi dite?

Spanò guardò la Bonazzoli, che ormai della signora Lella Canton conosceva persino i dettagli privati.

Marta raccontò in breve quello che la donna aveva riferito, svenimento compreso.

– Perciò i fari dell'auto alle otto erano ancora cosí forti da abbagliare la signora, e questo avvalora l'ipotesi dell'orario indicato da Calí, – disse Vanina.

Il Grande Capo si alzò dalla sedia.

– Va bene, tenetemi informato, – disse, mentre tornava nel suo ufficio.

Vanina sbirciò l'espressione di Marta, tanto per capire se in sua assenza fosse cambiato qualcosa. La forzata indifferenza dell'ispettore Bonazzoli escludeva che la relazione tra lei e Tito avesse intrapreso una qualche strada verso l'ufficialità, come invece il dirigente avrebbe gradito.

Il vicequestore puntò i gomiti sulla scrivania e tirò in avanti la poltrona. – Allora, picciotti: cerchiamo di scoprire qualcosa di piú su Torres. Attività, proprietà, contatti personali. Recuperiamo il suo numero telefonico, se era un numero italiano, e analizziamo tutti gli ultimi movimenti. Dobbiamo capire che ci faceva questo tizio a Catania.

– Avverto il consolato americano, dottoressa? – chiese Spanò. Il morto era anche cittadino statunitense, quindi il consolato doveva essere avvertito dell'omicidio.

– No. A questo ci pensa Fragapane. Lei invece viene con me al *Palace*. Vediamo di iniziare a capirci qualcosa –. Si alzò, recuperò la giacca. Si mise in tasca sigarette e iPhone, aggiustò la fondina che s'era allentata. – Marta, tu rintraccia la moglie di Torres. Visto che è italiana non

dovresti avere difficoltà –. Si diresse verso il corridoio. Spanò le andò dietro.

Manco il tempo di arrivare e Vanina era già in movimento. Di corsa, per giunta, come piaceva a lei. Aveva ragione Adriano: per entusiasmarla veramente, per sentirselo suo, un caso doveva avere un indice di «rognosità» tale da occuparle la mente per giorni, fino alla sua totale risoluzione. L'omicidio di Esteban Torres, a occhio e croce, prometteva bene.

Baldassarre Culicchia, il direttore dell'albergo, li aveva fatti accomodare in un salottino un po' appartato e aveva chiesto di portare dell'acqua. Per sé stesso, piú che per offrirla a loro. Quando, al secondo tentativo di resistenza da lui posto a salvaguardia della privacy, il vicequestore Guarrasi gli aveva comunicato senza giri di parole che Esteban Torres era stato ammazzato, a Culicchia era preso un mezzo colpo. Ma come? Ma perché?

– Il signor Torres era un ottimo cliente. A detta dei camerieri anche molto generoso.

– Veniva spesso qui? – chiese Vanina.

– Tre o quattro volte l'anno. Stava qualche giorno e poi se ne ripartiva. Penso che avesse degli affari a Catania.

– E questa volta?

– Anche questa volta fece come sempre. Arrivò, restò tre giorni, e poi se ne andò. Però, ora che ci penso, mi sembrò un po' diverso...

– Cioè?

– Fece il check-in di notte, perciò io non lo vidi. L'indomani mattina, quando lo incrociai, a stento mi salutò. Pareva distratto, – rifletté un attimo, scosse la testa: – No, distratto non è la parola giusta: pareva preoccupato.

– E poi, nei giorni successivi, ha notato altre anomalie?

– Mah, non mi pare. Come al solito chiese un posto nel nostro parcheggio. Aveva un machinune nero che ogni volta ci volevano dieci manovre per farlo entrare in garage! Un Mercedes.

– Era solo?

Culicchia non capí. – Chi?

– Torres. Era sempre solo, o veniva con qualcuno ogni tanto. Magari la moglie.

– No, la signora non l'ho mai vista. So che vive in Svizzera, il signor Torres mi aveva raccontato che curava il loro allevamento di cavalli.

– E quando era qui capitava che lui ricevesse visite femminili?

– Be', non saprei... Oddio, mi è successo di vederlo accompagnato, ma non ospitava mai nessuno nella sua stanza, se è questo che vuole sapere.

Una ragazza in divisa da receptionist li raggiunse. Piccola, cicciottella, capelli neri, pelle candida. Occhialoni sul naso.

Il direttore sembrò sollevato. – Ma ecco Samantha, lei sicuramente da questo punto di vista ne sa molto piú di me. Io ho contezza solo dei registri ufficiali. Lei invece assiste a quello che accade ogni giorno nella hall.

La ragazza si sedette dove Vanina le aveva fatto cenno.

– Lei ha visto il signor Torres nei tre giorni in cui è stato qui? – le chiese il vicequestore.

– Sí, certo. C'ero io, assieme al mio collega, quando fece il check-in. E poi fui io a preparargli il conto alla fine.

– Ha notato qualche strano movimento, intorno a lui. Facce nuove, gente strana?

– No, dottoressa, niente. Manco l'amica sua venne a cercarlo.

Culicchia sbiancò. Samantha si bloccò di colpo.

– Chi sarebbe quest'amica sua?

La ragazza annaspò. – Non saprei. Una signora che veniva a trovarlo sempre quand'era qui. Ma nella hall stavano, eh! Bevevano, mangiavano.

– E lei non conosce il nome della signora?

La ragazza si strinse nelle spalle, come a dire che non poteva aiutarli. Vanina e Spanò fissarono Culicchia, che scuoteva energicamente la testa.

– E come facevamo a saperlo? – si giustificò. – Se la signora in questione non pernottava in albergo, non si registrava.

Spanò fece un mezzo sorriso, carico di sarcasmo. Vanina ne carpí il sottotesto: come se eludere la registrazione non fosse pratica comune per due amanti che non vogliono farsi sgamare. Una corda particolarmente sensibile per l'ispettore, ancora scottato dal tradimento e successivo abbandono da parte della moglie.

La Guarrasi si alzò in piedi. Per il momento non aveva nient'altro da chiedere.

Prima di andarsene rivolse ai due un'ultima domanda.

– Ah, dimenticavo: dopo che il signor Torres ha lasciato l'albergo è venuto a cercarlo qualcuno?

Samantha fece un no deciso con la testa. Anche Culicchia negò, ma stavolta né Vanina né Spanò ebbero la sensazione che stesse bluffando. Assicurò che avrebbe chiesto anche agli altri due addetti alla reception, che in quel momento non erano presenti.

S'era fatto buio. L'auto di servizio era posteggiata davanti all'hotel.

– Taliasse ddocu, dottoressa, – fece Spanò, indicando un punto sotto i portici.

Un ammasso di coperte lerce ammucchiato di lato dava un'idea precisa del genere di cliente che doveva occupare quell'angolo di portico.

– Sa quanti ce ne sono che s'arricampano qua la sera in cerca di riparo? – riferí l'ispettore, mentre metteva in moto.

– Lo immagino, – rispose Vanina.

Quando le capitava di riflettere su quelle vite condotte ai margini della società si riscuoteva sempre turbata. Forse perché una volta aveva letto un libro che raccontava di un uomo che, tradito da tutti e da tutto, decideva di sparire per sempre dal suo mondo e finiva a vivere sotto i ponti. Le aveva lasciato addosso un'amarezza tale che alla fine l'aveva eliminato fisicamente dalla sua libreria.

Vanina si accese una sigaretta e abbassò il finestrino. Tirò su la zip del giubbotto e si aggiustò la sciarpa. 'Sa il freddo polare che si sarebbe beccata quella sera tornando a casa. A Santo Stefano c'erano sempre almeno un paio di gradi in meno rispetto alla città.

– A lei che gliene parve di quei due? – chiese Spanò.

– Mah, mi sono sembrati molto piú preoccupati all'idea che volessimo indagare sulle mancate registrazioni dell'eventuale accompagnatrice. Le scarse informazioni che potevano darci ce le hanno date. Manca solo il nome della donna che veniva a trovare Torres, ma la prossima volta faremo in modo di averlo. Sempre che non riusciamo a scoprirlo prima noi.

In realtà Vanina aveva sparato le domande che la testa le aveva suggerito in quel momento, senza uno schema ben preciso. A braccio. O meglio a naso, com'era normale in quella fase dell'indagine, quando le strade da percorrere potevano essere centomila e non era arrivato nessun segnale che la portasse a imboccarne una invece che un'altra. La fase in cui l'indicazione giusta andava cercata col fiuto di un cane da caccia, sperando di non prendere cantonate che le facessero perdere troppo tempo. Dodici ore, diceva sempre il primo dei dirigenti con cui aveva lavorato. Quel-

lo che riesci a capire in quel lasso di tempo vale oro. Indizi che se non colti subito possono sfuggire per sempre. In dodici ore un criminale può far perdere le proprie tracce, può lasciare il Paese, può costruirsi un alibi.

L'assassino di Esteban Torres, nella sua mente, era ancora avvolto nel fumo piú nero. Lo stesso che un paio d'ore prima, dall'ultimo tratto di autostrada, Vanina aveva visto circondare la cima della Muntagna.

– Ma non è che per caso l'Etna si mise a eruttare di nuovo? – s'informò con Spanò.

– Non mi risulta.

Il vicequestore finí la sigaretta in silenzio. Poi afferrò il telefono. Le solite tre o quattro notifiche WhatsApp occupavano il display, nascondendo parte dello screensaver: una foto del mare dell'Addaura, scattata in un'estate talmente lontana da averne perso il ricordo. Sei, sette anni prima. Con Paolo.

Vanina ignorò i messaggi e chiamò la Bonazzoli.

– Marta, hai trovato la moglie di Torres?

– Sí. Si chiama Luisa Visconti. Arriverà domattina col primo aereo. Già che c'ero, le ho chiesto tutti i numeri di telefono di suo marito, metti caso che ne avesse anche uno svizzero.

– E ce l'aveva?

– Sí, ma l'aveva lasciato a casa quand'era partito per l'Italia.

– Perciò un numero telefonico italiano ce l'abbiamo?

– Sí.

– Dobbiamo tracciare tutte le telefonate.

– Ok. Chiamo il dottor Terrasini per l'autorizzazione?

Vanina guardò l'orologio. Erano le cinque e mezzo del pomeriggio.

– No, lascia stare, ci penso io. Cosí nel frattempo lo saluto.

Chiuse e cercò in rubrica il numero del pm. Con un titolare simile, quell'indagine avrebbe camminato senza intoppi, anzi, con un bel supporto dall'alto.

– *Dod* sa qua*l*to mi dispiace, dottoressa Guarrasi! – bisbigliò quasi afono e con voce nasale il sostituto procuratore Roberto Terrasini, manifestando la sua contrarietà per aver dovuto abbandonare un'indagine prima ancora di vederla avviata. – Sta*b*attina in quel parcheggio m'a*b*-*b*azzai! – Trentotto di febbre e i sintomi di un'influenza con tutti i crismi. Tossicchiò e trasse un sospiro, che pur nella sua lunghezza non s'avvicinò manco lontanamente a quello poderoso che sfuggí alla Guarrasi quando il pm le comunicò il nome del suo successore.

– Non sa quanto dispiace *a me*, dottore –. Era un eufemismo. Il solo sentir nominare Franco Vassalli le aveva procurato una crisi d'orticaria.

Piú detestava lavorare insieme a lui, con le sue lungaggini e la sua prudenza da far sfigurare il piú pavido dei conigli, e piú se lo ritrovava tra i piedi.

– Eh, pu*l*troppo so*d*o cose che posso*d*o accadere. L'altra volta fu al co*l*trario, si ricorda? S'a*bb*alò lui e gli sube*l*trai io.

Se lo ricordava eccome. Una malattia provvidenziale, arrivata giusto in tempo per salvare Vassalli dall'indagine piú spinosa mai capitatagli per le mani, che vedeva coinvolti papaveri dai nomi cosí roboanti da fargli tremare i polsi. Nomi di spicco, sui quali lei, il vicequestore aggiunto Giovanna Guarrasi, s'era avventata senza alcun riguardo. E ad assoluta ragione. Era abbastanza chiaro che l'intolleranza fosse in realtà reciproca.

Ma le regole della procura quelle erano. Il titolare dell'indagine sull'omicidio di Esteban Torres doveva essere Vassalli, e Vassalli sarebbe stato.

Vanina chiuse la telefonata con Terrasini e si rassegnò a chiamarlo.

Stranamente il magistrato non oppose alcuna resistenza. La sua richiesta di controllare il traffico telefonico di Esteban Torres fu autorizzata subito e senza problemi.

D'altronde era prevedibile. Al pm Vassalli quell'italo-americano di origini cubane doveva sembrare talmente lontano dalla Catania cui lui ambiva a rimanere saldamente legato, che quasi quasi stavolta andare dietro alla Guarrasi e alla sua corsa incontenibile verso la risoluzione gli sarebbe persino convenuto.

Nunnari e Lo Faro avevano guardato e riguardato i filmati, senza però trovare niente di utile. La prima telecamera era rivolta a destra della zona in cui era avvenuto il fatto, e la seconda molto piú a sinistra. Con quelle dell'entrata e dell'uscita, invece, c'era da perdersi.

– Dottoressa, posso dire come la penso? – osò Nunnari, appoggiato alla parete vicino alla scrivania della Guarrasi. Nell'ufficio della capa era in corso una riunione di fine giornata con tutta la squadra, compreso Lo Faro, cui non pareva vero di essere stato ammesso.

– Dimmi.

– Secondo me, se prima non abbiamo un'idea di chi dobbiamo cercare, quei filmati è inutile che ce li guardiamo.

E aveva ragione.

Fragapane aveva avvertito il consolato americano della dipartita di Mr Torres. Per tutta risposta s'era sentito replicare che sarebbe stato opportuno coinvolgere la polizia degli Stati Uniti.

– Scusasse, dottoressa, ma Torres non è macari cittadino italiano?

– Mi pare indubitabile.

– Oh, e perciò per quale caspita di motivo dobbiamo coinvolgere gli sceriffi?

Vanina sorrise. L'idea che Salvatore Fragapane aveva della polizia americana non doveva andare oltre la stelletta di latta attaccata al gilet di John Wayne. L'Interpol, il Servizio per la cooperazione internazionale, erano tutti concetti astratti con cui non gli era mai capitato di doversi misurare.

– Ma infatti, finché le indagini non ci portano dall'altro lato dell'oceano non c'è bisogno di coinvolgere nessuno, – lo rassicurò.

– Giacché avevo tempo, ho cercato tutte le informazioni possibili su Esteban Torres, – attaccò Marta, con due fogli caldi di stampante in mano. – Non sono riuscita a capire bene che lavoro facesse. Import-export, non meglio precisato. A giudicare dai soli immobili personali, in ogni caso, di soldi doveva averne un bel po'. Un appartamento a Milano, in corso Magenta. Una villa a Inverigo, cointestata con la moglie, e un'altra a Capri...

– Minchia, – si fece scappare Fragapane.

La Bonazzoli alzò gli occhi dal foglio che stava leggendo, poi aggiunse: – E una casa a Trecastagni.

Vanina si drizzò sulla poltrona, simultaneamente a Spanò sulla sediolina di legno che aveva occupato.

– A Trecastagni? – ripeté.

Marta annuí.

– Sull'Etna? – precisò Vanina.

– Esattamente.

– E l'indirizzo ce l'abbiamo?

L'ispettore sbirciò di nuovo le carte e lesse.

– Salita dei Saponari 183.

4.

Carmelo Spanò si strinse nel giubbotto e si accese una sigaretta. Vedi tu che a forza di stare appresso alla Guarrasi mi sto ripigliando il vizio di fumare. Se lo ripeteva spesso, ultimamente. Almeno una volta al giorno, quando la capa gli offriva una delle sue Gauloises e lui l'accettava. Pure se non della sua marca preferita, e nonostante il gusto non gli piacesse per niente, sempre sigaretta era. E lui un ex fumatore di dubbia decisione. Partiva con l'idea di farsi un tiro e poi se la fumava tutta. Fino al filtro.

Ma quella sera non era cosí.

Il pacchetto di Marlboro rosse – le *sue* sigarette – quella sera ce l'aveva in tasca piú per necessità che per piacere. Una valvola di sfogo per resistere meglio alla serata d'inferno che si stava autocondannando a trascorrere al freddo, chiuso nella sua auto a fari spenti e senza poter avviare il riscaldamento.

Quello che stava facendo non gli piaceva per niente, eppure non riusciva a evitarlo.

La posizione migliore per non essere scoperto se l'era studiata per mesi. Una volta per caso, un'altra per curiosità, fino al giorno in cui aveva preso coscienza che di casuale nei suoi giri solitari intorno a quel complesso di villette affacciate sulla Riviera dei Ciclopi non c'era assolutamente nulla. Si era ritrovato lí quasi ogni sera, come a un appuntamento segreto, inconfessabile anche a sé stesso.

Un suv nero accostò davanti al cancello automatico, che si aprí. Nascosto tra le frasche, Carmelo riusciva a vedere il vialetto e la porta d'ingresso. L'uomo scese dall'auto. Cappotto blu, borsa di cuoio in una mano, telefono stretto tra la spalla e l'orecchio. Si fermò al centro del giardino, concluse in fretta la telefonata e mise via il cellulare, prima che *lei* comparisse sulla soglia e gli si appiccicasse addosso con l'impeto di un'adolescente alla prima cotta.

Se non era masochismo quello...

Quando Vanina lo raggiunse al vecchio ospedale Garibaldi, Adriano Calí era ancora in sala settoria, in compagnia del solito tecnico e di una specializzanda in Medicina legale che il suo ex professore gli aveva messo alle calcagna e che lo stava straziando con una raffica di domande.

– Vanina! – quasi gridò il medico vedendola arrivare.

Il vicequestore carpí al volo la richiesta di soccorso.

– E meno male che dovevi chiamarmi appena finivi! – fece, seccata.

– Stavo per chiamarti, poi mi sono fermato a rispondere alle domande di Miriam. Si sta specializzando.

Subito la ragazza si presentò. – Miriam Torrisi.

Alta, giunonica, faccia simpatica.

Vanina le strinse la mano. Era gelata.

– Calí, 'sta ragazza è quasi a temperatura da cella frigorifera, – commentò.

Miriam sorrise.

– Vicequestore, forse lei non ha capito: in una sala settoria siamo, – replicò Adriano.

– A giudicare dalla puzza immonda, non penso che potremmo essere in un altro posto. L'alternativa sarebbe soltanto una discarica. Ma munnizza in giro non ne vedo, perciò...

Adriano s'infilò un cappotto cammello slim fit e si avvolse una sciarpa blu e beige intorno al collo. – I cadaveri devono stare al freddo. Lezione numero uno, Miriam.

La ragazza s'era impellicciata fino al collo, col risultato di sembrare ancora piú matronale. Vanina s'avvicinò al lettino.

– È Torres? – chiese.

– Sí.

– Posso vederlo?

Adriano fece un cenno al tecnico, che scostò il lenzuolo azzurro e scoprí il cadavere per metà. Vanina notò che aveva il collo abbronzato, con la tipica V da camicia aperta, interrotta da una striscia bianca.

– Portava una catena d'oro al collo, – l'anticipò il medico legale, – e un anello al mignolo. Ce li ha la Scientifica. Vedi il foro del proiettile? – indicò poi. – Non è circolare, questo significa che è stato colpito di sbieco. Il solco che vedi indica la direzione di provenienza, cioè da destra. Come ti avevo anticipato, il colpo è stato sparato dal posto del passeggero. Il fatto che l'uomo fosse girato dalla parte dell'assassino significa presumibilmente che stava parlando con lui, o con lei.

– Perciò non s'aspettava di essere colpito.

– Questo lo giudicherai tu. Analizzando la posizione del cadavere e la ferita, però, direi di no.

– Il proiettile?

– L'ho già mandato alla Scientifica. Ma il bossolo era nella macchina, un'idea del tipo di arma probabilmente se la saranno già fatta.

Peccato che lo stronzo di Manenti si guardò bene dal comunicarmelo, pensò Vanina.

– Altri dettagli che dovrei sapere?

– Poco. L'ora della morte, confermo, è intorno alle set-

te del mattino. Ah, l'uomo aveva un'ecchimosi sul volto, compatibile con un pugno.

– Aveva avuto rapporti sessuali?

– Non di recente.

Vanina s'allontanò. Il tecnico ricoprí il corpo di Torres.

– Ah, non so se la cosa sia rilevante, – la richiamò Adriano, alzando un lembo del lenzuolo sul braccio destro del cadavere, – ma sul deltoide aveva un tatuaggio. Una stella.

Il vicequestore diede un'occhiata veloce.

– Ora possiamo finalmente uscire di qui? – fece il medico legale.

Mezz'ora piú tardi, il tempo di uno spritz e di quattro chiacchiere extra professionali, Vanina lo depositò davanti al portone di casa, dove il suo decennale compagno Luca Zammataro lo stava aspettando.

– Dottoressa, c'eravamo preoccupati! Ma unni sinn'iu tutti 'sti iorna?

Sebastiano le strinse la mano da dietro il bancone della salumeria, mentre con l'altra le allungava un pezzo di cucciddatu di San Giovanni «cavuru, cavuru» imbottito di salame dei Nebrodi.

Uno «stuzzichino».

– Sebi, con gli stuzzichini tuoi, uno ci può fare cena! – commentò Vanina.

Di quella che doveva essere la vecchia *putía*, di cui manteneva il titolo, quella super gastronomia dotata di banco carni, pane, vini di ogni etichetta e tutti i prodotti Dop esistenti in Sicilia se non nel Paese intero, non conservava altro che il locale. Antico, probabilmente mai ristrutturato se non in minima parte, ma proprio per questo amato in modo speciale dal vicequestore Guarrasi, che ci si fermava quasi ogni sera. Il paese di Viagrande, dov'era la putía di

Sebastiano, distava meno di cinque minuti da Santo Stefano e dai tre vani vista Etna in cui Vanina viveva da un anno nella pace piú assoluta.

Stella, la sorella di Sebi, aveva appena tirato fuori dalla cucina sul retro un pentolone di sugo il cui profumo, che poteva risuscitare pure un morto, s'era sparso per tutto lo stanzone.

Vanina se ne fece dare una vaschetta, insieme a un pacco di busiate trapanesi di Tumminia che aveva assaggiato la volta prima e che con quel condimento si sposavano alla perfezione. D'altra parte, piú che scolare la pasta e condirla con un sugo già pronto, il vicequestore non era capace di fare.

Su consiglio di Sebi, ci aggiunse una *fascedda* di ricotta ragusana, che si distingueva da tutte le altre commercializzate nell'isola in quanto fatta con latte vaccino. Mentre c'era, ne prese una in piú da portare a Bettina, la sua vicina nonché proprietaria di casa, che era ragusana d'origine e saldamente ancorata alle tradizioni culinarie della sua città.

Prima di andarsene fece scorta di latte fresco e tre tipi diversi di biscotti. Pagò il tutto alla signora Santa, che presidiava la cassa, e si rimise in macchina alla volta di Santo Stefano.

Il paese era semideserto, a eccezione dello spiazzo davanti a casa sua, ingombro di auto che parevano uscite da una delle commedie d'epoca di cui la sua collezione personale di film abbondava. La Cinquecento di Bettina in prima fila, dietro una Centododici, accanto una Centoventisei e infine, dulcis in fundo, nientedimeno che una Bianchina. Era targata Palermo, il che significava che apparteneva a Luisa, una delle tre amiche del cuore della vicina. Tutte ultrasettantenni ma dotate di un'energia vitale da fare invidia a una teenager. Vanina le aveva battezzate «le vedove».

Aprí il portoncino di ferro e salí i pochi gradini che portavano nel giardino col trolley in una mano e la busta della putía nell'altra. La portafinestra della vicina era sprangata, ma la luce del soggiorno era accesa, e dall'interno si sentivano provenire voci. Valutò se fosse il caso di bussare, disturbando l'inesorabile partita di burraco, per consegnare a Bettina la ricotta che le aveva preso. Alla fine tirò dritto verso la sua dépendance.

Uno dei due gattini trovatelli che la vicina aveva adottato qualche mese prima, pasciuto che pareva un Budda, s'era messo a dormire sullo stuoino davanti alla sua porta. Vanina provò a farlo spostare, ma quello non si muoveva. Lo scavalcò ed entrò in casa.

La botta di freddo umido che l'assalí appena varcata la soglia era ambasciatrice di male notizie dall'impianto dei termosifoni. Abbandonò valigie e sacchetti nell'ingresso e andò a controllare il display del riscaldamento, che segnalava un codice d'errore incomprensibile. Le vennero fuori, una appresso all'altra, tutte le esclamazioni piú turpi che conosceva.

Senza neppure levarsi di dosso giacca e sciarpa, corse ad accendere il climatizzatore della camera da letto in modalità caldo e settò la temperatura a trenta gradi.

Sempre con la giacca addosso, tirò fuori quello che aveva comprato da Sebastiano e sistemò tutto sul ripiano della cucina. Riempí una pentola e la mise sul fuoco.

Fece un giro per le stanze e si fermò nel soggiorno. Le locandine appese alle pareti le ricordarono il dvd che Federico Calderaro le aveva regalato un paio di sere prima, per aggiungerlo alla sua collezione di film girati in Sicilia che s'andava accrescendo sempre di piú.

Vanina prese il dischetto dalla valigia e lo sistemò su una delle mensole adibite a cineteca. Il tizio che l'aveva

masterizzato aveva fatto le cose per bene: attorno alla custodia e sulla superficie del dvd aveva appiccicato persino una riproduzione della locandina originale. *Meglio vedova*, una commedia del 1968 pressoché introvabile. Non doveva essere un filmone, ma Vanina era sicura che Adriano Calí sarebbe stato felice di vederlo insieme a lei, in uno dei loro esclusivi cineforum a due a base di vecchie pellicole e cibo ipercalorico. In piú era stato girato quasi interamente a Noto, la città dove Adriano e Luca avevano realizzato il loro piccolo *buen retiro*.

Mise a posto alcuni dvd che s'erano spostati e alzò lo sguardo sull'unica foto incorniciata che possedeva. Gli occhi ridenti di suo padre ammiccarono da sotto il cappello della divisa.

Mentre aspettava che l'acqua bollisse recuperò il telefono dalla borsa e iniziò a scorrere i messaggi che aveva ricevuto.

Rispose velocemente a sua madre, che per tutto il pomeriggio aveva tentato invano di scoprire se fosse arrivata indenne a Catania.

La mittente piú ampiamente rappresentata era senz'altro Giuli. La sfilza di messaggi e di audio WhatsApp che comparivano sul display sotto il nome di Maria Giulia De Rosa era tale da esigere una risposta immediata. E siccome rispondere a Giuli avrebbe potuto anche significare rimanere incastrata in una conversazione epistolare infinita, Vanina tagliò la testa al toro e decise di chiamarla. Si accomodò sul divano e accese una sigaretta.

– Amica, t'arricampasti finalmente! – Il frastuono musicale che faceva da sottofondo alla sua voce suggeriva che l'avvocata fosse a una festa. Una delle centinaia alle quali era invitata quasi trecentosessantacinque giorni all'anno.

– M'arricampai. Ma, giusto per capire, tu come lo sapevi?

– Ma ciao, cara Giuli, come stai? Scusa se non ti chiamo da quindici giorni! – la provocò lei. – Certo che sei un'amica, ah! Che stavi per tornare da Palermo l'ho dovuto scoprire dal tuo ispettore... come si chiama? Il baffone, insomma.

– Spanò?

– Ecco, lui. L'ho incontrato stamattina davanti alla Mobile, e mi ha detto che saresti rientrata quasi sicuramente oggi. Poi ho saputo che hanno trovato un morto ammazzato in aeroporto, e ho fatto due piú due.

Vanina intuí che s'era spostata, perché il baccano era attutito.

– Hai ragione, sono due settimane che non mi faccio viva. Ti chiedo scusa. Ma non sono stata propriamente in vacanza, – si giustificò.

– Lo so. Ogni volta che vai a Palermo finisce sempre che sparisci. O è Malfitano che ti assorbe completamente? – insinuò Giuli.

– Ho lavorato, – la smontò Vanina.

– Come lavorato? E che hai fatto?

– Non posso dirtelo.

Giuli rimase zitta per un momento.

– Oh, non è che mi fai lo scherzo di tornartene a lavorare a Palermo, vero? Magari promossa dirigente di qualche sezione importante? Oppure è per Malfitano?

– Tranquillizzati, non ho nessuna intenzione di tornare a Palermo. Anzi, ti dirò di piú, non ci tornerei manco se la sezione importante me la dessero da dirigere davvero. E 'ste idee romantiche di me con Paolo levatele dalla testa.

– Meno male. Mi dispiace per Malfitano, che ogni volta viene abbandonato, ma tu mi servi qui.

Vanina rise. Giuli era la persona piú tornacontista che conosceva, ma con lei era sincera.

– Sentiamo, che devo fare? – chiese.

– Devi ascoltarmi! Sono settimane che ti rincorro. E prima la faccenda della ragazza scomparsa, e poi la tresca con il dottore...

– Ma quale tresca! – protestò Vanina.

– Ora dimmi che col pediatra, Manfredi comesichiama, non ci combinasti niente e ti chiudo il telefono in faccia.

– Monterreale, si chiama. E siamo amici.

– Vabbe', tanto con te s'appizzano tempo e parole. Comunque non è per parlare delle cose tue che voglio vederti. Che dici, domani me la riesci a dedicare mezz'ora o ti pare assai?

– Ok, ti prometto che faccio di tutto per riuscirci.

Giuli pareva soddisfatta.

– Ora vado, che la festeggiata sta spegnendo le candeline. Ti chiamo domani.

Vanina abbandonò il divano grigio su cui era rimasta seduta. Ancora insaccata nel caban blu andò a controllare l'acqua, che non solo bolliva ma s'era pure ritirata ed era diventata biancastra. Sbuffò.

– Com'è è, ormai la pasta ce la calo lo stesso, – si autoconvinse.

Prese il pacco delle busiate, lo aprí e ne versò quasi metà. S'accorse che piú o meno dovevano essere duecento grammi: il triplo esatto di quanto era indicato nella dieta che a intervalli regolari scaricava da internet per poi smarrirla puntualmente.

Aveva appena scolato la pasta, quando vide le vedove uscire da casa di Bettina. Fulminea afferrò il pacchetto con la ricotta e andò a bussarle alla portafinestra.

La vicina l'abbracciò. – Vannina! Bentornata –. Ormai Vanina non la correggeva piú. Pronunciare il suo nome con una *n* sola non era e non sarebbe stata mai cosa per lei.

– Trasisse! Ora ora se ne andarono le amiche mie. Ha cenato? Le preparo un piattuzzo di scacce? Oggi mi vinniru magnifiche.

– Veramente ho preso un po' di sugo da Sebastiano. Ho appena scolato la pasta.

Bettina ebbe un sobbalzo.

– Scolò la pasta? E la condí, prima di venire qua?

– No, l'ho lasciata nello scolapas...

La vicina non la fece finire, afferrò un cappotto e partí a razzo verso la dépendance. – Madunnuzza santa! Una colla addivintau, come minimo!

Vanina la seguí di corsa.

La vicina armeggiò con pentole e sugo finché non riuscí a staccare tutte le busiate, che avevano costituito un'unica massa.

– Se le mangiasse, prima che s'impicano di nuovo, – comandò.

Vanina ubbidí. Prese un piatto e lo riempí. Aggiunse una cucchiaiata di ricotta fresca, come le aveva suggerito Sebastiano.

– Chista della ricotta messa allato è abitudine catanese. Però, le cose giuste, ci sta benissimo, – commentò Bettina, che s'era seduta accanto a lei.

D'un tratto si drizzò.

– Ma che fu? Si ruppero i termosifoni?

Vanina le indicò il display col codice d'errore ancora scritto sopra.

Bettina si alzò sulle punte e buttò la testa indietro, in iperestensione, per leggerlo sfruttando il settore inferiore delle lenti progressive di cui decantava le lodi ogni giorno da quando le aveva adottate.

– Ahhh. Lo sa che fu? L'altro giorno saltò la luce e macari il riscaldamento mio s'aggrippò. Tanto sistemate eravamo

con la caldaia antica! Chista, con tutti 'sti codici elettronici, è 'na pena. Ora ci penso io –. Partí verso il contatore e staccò la corrente. Dopo pochi secondi la riattaccò. – Taliasse se ancora c'è scritto il codice! – gridò.

Vanina andò a guardare. Il codice d'errore era sparito e il simboletto del termosifone acceso era comparso.

Bettina tornò indietro trionfante.

– Come ha fatto? – chiese Vanina, quasi ammirata.

– Ca comu fici, – ripeté la vicina, – ci raggionai sopra. Se una botta di luce aveva scumminato tutto, capace che bastava un'altra botta di luce per arrinzittare le cose. E per fortuna c'anzirtai, perché macari a mmia 'sto problema mi capitò di sera, e mani nella caldaia non ce ne so mettere. Comunque, per sí e per no, domani chiamo il tecnico e ci faccio dare una controllata.

Mentre Vanina finiva di mangiare la pasta, che nonostante tutto era riuscita magnifica, Bettina andò a casa sua e tornò dopo un minuto con un piatto in mano.

– Si manciasse 'sto cannolo, che si rifà la bocca.

Rimase a tenerle compagnia finché non ebbe finito anche quello, raccontandole quattordici giorni di gesta della sua allegra comitiva di over settantacinque, cui incredibilmente s'era da poco aggregato un uomo.

Quando se ne andò, la casa s'era già riscaldata.

5.

La signora Luisa Visconti, da un giorno vedova Torres, aveva preso un volo da Malpensa ed era atterrata a Catania alle sette e trenta, proprio come i due che il giorno prima avevano trovato il cadavere di suo marito.

Marta Bonazzoli era andata a prenderla e l'aveva accompagnata prima in albergo – lo stesso in cui alloggiava sempre Esteban – e poi negli uffici della Mobile, dove il vicequestore Guarrasi era appena arrivata.

Vanina fece accomodare la vedova su una delle sedie davanti alla sua scrivania, mentre Marta prese posto sull'altra.

– Signora Torres, – iniziò il vicequestore.

– Visconti, signora Visconti. Non mi è mai piaciuto essere chiamata col cognome di mio marito.

– Va bene, come vuole. Signora Visconti.

Aveva gli occhi asciutti, ma le occhiaie mostravano tutte le venti ore di sofferenza che erano intercorse dal momento in cui un ispettore di polizia le aveva notificato l'omicidio di suo marito a quello in cui era atterrata a Catania.

– Posso vederlo? – chiese subito la donna.

– Naturalmente. L'ispettore Bonazzoli l'accompagnerà stamattina stessa.

La signora parve rasserenarsi per un momento.

Vanina riprese: – Abbiamo bisogno di sapere qualcosa su suo marito. Che lavoro faceva, perché era qui a Catania.

– Mio marito si occupava di finanza, e di import-export. Non mi chieda di preciso cosa esportasse e cosa importasse, perché non me ne sono mai interessata. So solo che molti dei suoi affari erano tra New York e l'Italia, e che a Catania aveva una rete di clienti.

– Ha mai avuto la sensazione che suo marito corresse dei pericoli? Non so, magari c'era qualcuno che lo minacciava, o che tentava di estorcergli dei soldi?

La donna parve divertita dalla domanda. – Estorcere soldi a Esteban? Non credo proprio, dottoressa. Non era uno che si faceva mettere i piedi in testa.

– Poteva avere qualche traffico illegale? – sparò Vanina. Se era uno che non si faceva mettere i piedi in testa, era probabile che fosse lui a metterli in testa agli altri.

– Non lo so, – rispose la donna, secca.

– Si sente di escluderlo?

– No.

La prima idea che Vanina s'era fatta si andava delineando sempre di piú.

– Posso chiederle com'erano i rapporti tra lei e suo marito, signora Visconti?

– Certo che può chiedermelo. Esteban e io vivevamo da tempo due vite pressoché parallele. Convivevamo, se uno dei due aveva bisogno di qualcosa l'altro c'era sempre, ma nulla di piú. Non mi fraintenda, eh: c'eravamo sposati per amore. Ci siamo conosciuti ventisei anni fa, lui era appena arrivato a Milano da New York. Un cubano che di Cuba rinnegava ogni cosa, anche lo stesso essere nato lí.

– Quando aveva lasciato il suo Paese? – chiese Vanina. Per qualche motivo la cosa la intrigava.

– Non lo so con precisione. Esteban preferiva non parlarne. Negli anni Sessanta, credo. Negli Stati Uniti era già

stato sposato due volte. La prima con una cubana, che non ho mai conosciuto. La seconda con Evelyn.

– Che invece lei conosce.

– Piuttosto bene.

L'ispettore Spanò entrò nella stanza della Guarrasi con dei fogli in mano. Si mise di lato ad ascoltare.

– Lei lo ha mai seguito qui a Catania?

– No. Ma del resto non lo seguivo neanche altrove. Mio marito non voleva nessuno intorno quando viaggiava per lavoro. A Catania soprattutto, si tratteneva a lungo.

– Come mai?

La signora ponderò la risposta.

– Non lo so.

– Quanto a lungo di preciso?

– Anche due mesi, a volte.

– E lei non sapeva per quale ragione?

– No. Glielo ripeto, dottoressa: Esteban non mi coinvolgeva nei suoi affari. E poi, proprio in questo caso... – Si fermò di nuovo.

– Proprio in questo caso? – la incalzò Vanina.

– Credo che lo raggiungesse una donna, – si rassegnò ad ammettere la signora.

– Ha qualche sospetto su chi possa essere questa donna?

– No, nessuno. Ma di sicuro era una che non vedeva a Milano, e nemmeno ad Ascona.

Vanina sviò il discorso.

– Come mai vivevate ad Ascona?

– A Esteban piaceva la Svizzera. Diceva che è un Paese civile. E aveva ragione.

– Aveva affari anche lí?

– Credo di sí.

– Conti correnti?

– Certo, com'era ovvio risiedendo lí. Scusi se glielo chiedo, ma cosa c'entra questo con un omicidio avvenuto a Catania?

La signora aveva iniziato a chiudersi a riccio.

– Il fatto che l'omicidio sia avvenuto a Catania non significa che sia maturato qui. E al momento non possiamo escludere nessuna possibilità. Dobbiamo indagare su suo marito a trecentosessanta gradi, e acquisire su di lui piú elementi possibile.

– Capisco.

Vanina si allontanò con la poltrona dalla scrivania.

– Per il momento può andare. Marta, accompagna la signora Visconti da suo marito.

La donna si alzò.

Vanina si alzò con lei e le tese la mano. Prima che uscisse, seguita dalla Bonazzoli, la richiamò.

– Un'ultima cosa: suo marito aveva altri parenti, a parte lei?

– A parte me e le sue ex mogli americane, nessuno. Esteban non ha avuto figli da nessuna delle due. Quanto alla vita precedente, cioè quella cubana, come le ho detto era impossibile parlarne.

Vanina la congedò.

– Mi piacerebbe capire pirchí s'o spusò, – commentò l'ispettore capo.

– Che vuole dire, Spanò?

– Questo non lo so, quest'altro non lo so, e di questo non me ne parlava, e di quest'altro non me ne interessavo... Ma che s'erano sposati a fare, 'sti due?

– Posso azzardare un'ipotesi, – gli rispose Vanina, la mano già pronta sul pacchetto delle sigarette.

– L'azzardi, vediamo se è la stessa mia.

Se ne accese una e ne offrí un'altra a Spanò.

– Potremmo immaginare, per esempio, che Esteban Torres abbia avuto bisogno di velocizzare, diciamo cosí, l'iter per acquisire la cittadinanza italiana.

– Perfetto. Ed è la stessa cosa che pensai io.

– Anche se di solito succede il contrario, – precisò Vanina.

– Ma quello in Italia s'è trasferito.

– Curioso 'sto fatto, vero? Uno che abbandona il suo Paese d'origine, riesce a diventare cittadino americano, poi a un certo punto decide di trasferirsi in Italia, ma la residenza se la fa in Svizzera.

Spanò storse il naso.

– Io sento puzza di soldi sporchi.

– Pure io, Spanò. Anche se per il momento resta solo una puzza. Piuttosto, che ha in quelle carte?

– Ah, me lo stavo scordando. La Scientifica mandò il rapporto. Guardi qua il proiettile da che pistola proviene, – indicò sul foglio.

Vanina lesse, aggrottò la fronte, rilesse.

– Una Makarov 9 mm?

Spanò annuí.

– Una pistola russa, – aggiunse Vanina.

– Chi può avere una pistola come quella? – chiese Spanò.

– Non ne ho idea, ispettore, – rifletté un momento. – Chi conosciamo alla Scientifica che si occupa di balistica? Vorrei evitare Manenti.

– Quello che conoscevo io se ne andò in pensione da poco. Ma Fragapane sicuramente qualcuno lo conosce.

– A proposito, ma del dottor Munzio, il nuovo dirigente della Scientifica, notizie non ne abbiamo? Non doveva arrivare nelle settimane in cui io non c'ero?

– Ritardò, ma oramai questione di giorni dovrebbe essere.

– Meno male.

Spanò partí a chiamare il vicesovrintendente, che arrivò di corsa.

– L'assistente capo Pappalardo, dottoressa, – rispose subito, appena Vanina glielo chiese.

– Pappalardo si occupa di balistica?

– Certo. Ed è macari bravo, – aggiunse Fragapane.

Una risorsa era, 'sto Pappalardo.

– Può chiamarlo sul telefono privato, e me lo passa? – chiese Vanina.

Fragapane tirò fuori il cellulare e fece il numero. Lo porse direttamente a Vanina.

– Oh, Salvatore, – rispose l'assistente capo.

– Pappalardo, sono il vicequestore Guarrasi.

– Dottoressa, buongiorno! Mi dispiace non essere venuto ieri all'aeroporto, ma il dottore Manenti mi bloccò qua.

– Non si preoccupi, conosco bene le dinamiche mentali di Manenti.

– Mi mise appresso a un furto in appartamento di cui si sta occupando il commissariato Centro. Ma mi dica, come posso esserle utile?

– Lei si occupa in particolar modo di balistica?

– In particolar modo no, però mi piace assai. Ho fatto parecchi corsi.

– Sa che pistola era quella che ha sparato all'uomo nel parcheggio dell'aeroporto?

– No, non me lo dissero.

– Una Makarov 9 mm.

– Gente dell'Est, perciò, – commentò l'assistente capo.

– Perché lo dice?

– Lo sa come la chiamavano una volta quella pistola, dottoressa? La «regina della guerra fredda», perché ce l'avevano in mano i sovietici durante quel periodo. Non è

facile trovarla in Italia, e non penso che a molta gente verrebbe in testa di scegliersela come arma personale.

– Quindi è piú probabile che chi ha ucciso Torres ce l'avesse da tempo.

– Direi di sí.

– Un russo, – ipotizzò Vanina.

– Un russo, certo. Ma anche un rumeno, un ucraino. Una persona che viene dall'Europa dell'Est, in generale.

Vanina meditò sulla cosa.

– La ringrazio, Pappalardo.

– E di che, dottoressa. Se ha bisogno, qua sono.

I due poliziotti che si autodefinivano «della vecchia guardia» s'erano seduti davanti al vicequestore e la guardavano col fiato sospeso.

– Secondo lei, in questo omicidio ci po' trasiri la mafia russa? – azzardò Fragapane, riprendendosi il telefonino.

– Purtroppo, per come la vedo in questo momento, potrebbe entrarci qualunque cosa.

Sul rapporto della Scientifica erano segnate varie impronte digitali reperite nell'auto, ma nessuna riconoscibile.

A Vanina venne in mente che ancora non erano stati trovati i documenti del morto.

– Mi piacerebbe capire perché l'assassino si fregò i documenti di Torres. Il telefono, posso capirlo. Ma i suoi documenti personali?

Spanò scosse la testa.

– Il traffico telefonico di Torres stiamo cercando di recuperarlo?

– Sí, ci sta pensando Nunnari.

– Ho paura che senza di quello non sapremo da dove cominciare.

Si alzò e i due fecero lo stesso.

Attraversò il corridoio e andò a bussare alla porta di Macchia.

Giustolisi, il dirigente della sezione Criminalità organizzata, era con lui. Le strinse la mano.

– Guarrasi, meno male che tornasti.

– Dimmi, Vanina, – disse Tito. Il vicequestore lo aggiornò sulle poche novità. Gli riferí della pistola. Gli comunicò le vie che intendeva intraprendere.

– Guarra', te l'avevo detto io che questo caso sarebbe stato una rogna.

Il commissario in pensione Biagio Patanè uscí dal barbiere rinato.

Pochi giorni a letto con l'influenza, e il suo aspetto aveva subito un crollo senza precedenti. A ottantatre anni uno ci deve stare attento, che basta mollare la presa un attimo per trasformarsi in vecchi decrepiti. Si aggiustò il nodo della cravatta, si sistemò la sciarpa, si abbottonò il cappotto doppiopetto fumo di Londra e calzò bene sulla testa il Borsalino grigio. Si avviò lentamente verso via Etnea.

Aveva smesso di piovere, e ora un barlume di sole stava uscendo a rischiarare la giornata.

Se sua moglie Angelina avesse sospettato dove se ne stava andando, fresco di barba e capelli, gli avrebbe fatto una scenata. Lo divertiva il pensiero che quella santa fimmina fosse ancora gelosa di lui, come se all'età che aveva Gino suo potesse combinare chissà che. Ma quello che sopra ogni cosa lo faceva sorridere era che la donna cui questa gelosia era indirizzata avrebbe potuto essergli non solo figlia, ma pure nipote.

Guardò l'orologio e affrettò il passo.

Quando arrivò al caffè in cui aveva appuntamento, Gino aveva il fiato grosso ma il sorriso felice.

Il vicequestore Vanina Guarrasi gli andò incontro a braccia aperte.

– Commissario!

Lo baciò e abbracciò. Si sedettero a un tavolino con vista sul palazzo dell'Università.

– Che bella 'sta città! – sospirò Patanè, con aria beata. Ogni tanto se lo scordava quant'era piacevole starsene seduti a contemplare gli splendori della sua Catania.

– Ragione ha, – concordò Vanina, – anche se ammetterlo mi costa assai, eh.

– Ci mancassi autru. Sempre palermitana è, non è che me lo scordo!

Era contento di vederla.

– Finalmente tornò. Stava incominciando a mancarmi troppo, – confessò. Subito temette di essersi fatto prendere dai sentimentalismi, e la buttò sul ridere. – Anche perché senza di lei m'attocca starmene in pensione veramente. E oramai, a rientrare in servizio di tanto in tanto, macari se è di sgamo, ci fici l'abitudine!

Ma Vanina aveva apprezzato.

– Anche lei mi è mancato, commissario. Piú di quanto possa immaginare.

Patanè era stato l'unica persona cui s'era ricordata di telefonare nelle ultime due settimane. Parlare con lui le aveva infuso una sicurezza impareggiabile.

Incredibile pensare che fino a qualche mese prima non si conoscevano neppure.

Da bravi cioccolato-dipendenti quali erano entrambi, invece che un caffè ordinarono due cioccolate calde.

– Perciò, manco il tempo di arrivare e già la misero al lavoro, – attaccò Patanè.

– Per fortuna sí.

Il commissario sorrise. – La capisco. Macari io all'età

sua con le mani in mano non ci sapevo stare –. A essere precisi, non ci sapeva stare nemmeno adesso, ma non lo specificò. Tanto la Guarrasi lo sapeva benissimo.

Vanina gli raccontò la faccenda del morto nel parcheggio.

– Imbrugghiata mi pare, 'sta storia, – commentò Patanè, subito coinvolto. – Che pensa di fare, mentre aspetta i tabulati del telefono?

– Oggi stesso contatto un mio ex collega di Milano che lavora al Servizio per la cooperazione internazionale, e gli chiedo di avviare una ricerca sulla vita precedente di Torres. Negli Stati Uniti e, se possibile, a Cuba.

– E che spera di trovare? – fece il commissario, dubbioso.

– Forse niente di utile. Ma lei lo sa meglio di me, se non si ha un identikit preciso del morto, indagare viene piú difficile.

– Certo che comunque 'st'amiricanu qualche traccheggio a Catania ce lo doveva avere per forza. Soprattutto se aveva macari una casa a Trecastagni.

– Piú tardi Spanò e io ci saliamo. È probabile che Torres dopo aver lasciato il *Palace* se ne sia andato a stare lí, anche perché non risulta che abbia soggiornato in nessun altro albergo.

– Le chiavi ce le avete? Perché se no vi tocca scassinare.

– Niente chiavi. Vuol dire che sfonderemo la porta. Tanto Vassalli oggi pare confessato: mi dice sempre di sí, e pure in fretta. L'autorizzazione a entrare in casa di Torres me la diede senza manco chiedermi spiegazioni.

Patanè fece un sorriso sornione. – Ca certo, tanto... – fu l'unico commento.

Ma con la Guarrasi si capirono al volo.

Si scolarono le due cioccolate e si alzarono. Bisticciarono come al solito per chi doveva pagare il conto e come al solito il commissario non volle sentire ragioni.

Erano già in piazza Duomo quando il telefono di Vanina squillò.

– Marta, dimmi.

– Vanina, dove sei?

– In via Etnea, ma sto tornando, perché?

– Nunnari ha appena comunicato che il cellulare di Torres si è acceso.

Il vicequestore smise di camminare.

– E l'hanno localizzato?

– Sí.

– Mi diresti pure dov'è, mentre ci siamo? – si spazientí. Marta era buona e cara, e persino brava, ma certe volte bisognava ammuttarla con tutte e due le mani.

– All'aeroporto. Ce l'ha un clochard che staziona lí. Spanò e Fragapane stanno andando a recuperarlo.

Vanina soppesò l'informazione per un attimo.

– Manda qualcuno a prendermi, sono a Porta Uzeda.

Di farsela a piedi fino all'ufficio, per giunta di corsa, non ne aveva nessuna intenzione. E Patanè meno che mai.

Bernardo Piscitello, il clochard che aveva avuto la sventura di imbattersi nel telefono di Esteban Torres, si guardava intorno smarrito.

Il tempo che il suo vicino di coperta, esperto di elettronica, l'aveva sbloccato e quell'arnese s'era messo a squillare. Bernardo aveva risposto. Da quel momento non aveva avuto piú pace. In men che non si dica gli erano piombati addosso quei due poliziotti e senza troppe spiegazioni l'avevano caricato in una macchina. Ora si ritrovava seduto in un ufficio pieno di sbirri, tra cui uno che pareva anziano assai, davanti a una donna che tutti chiamavano «capo», alla quale gli era toccato contare tutto dall'inizio. E che, a quanto pareva, non gli aveva creduto.

– Signor Piscitello, mi faccia capire: lei ha trovato questo telefonino in un angolo del piazzale di fronte agli arrivi?

– Sissignora. Stamattina presto.

– E sostiene di aver tentato di riattivarlo per poi cercare il proprietario e restituirglielo.

– Proprio accussí.

– E come mai non ha pensato di consegnarlo alla polizia di Frontiera?

Bernardo fece un sorriso che piú sgangherato non poteva essere, con gli unici quattro denti presenti tutti in bella mostra.

– Ca come perché, ispettrice…

– Vicequestore, Piscitello.

– Scusasse: vicequestora. Non è che uno come a me con le forze dell'ordine ha un rapporto proprio… diciamo cosí, tranquillo. Capace che poi pensavano che l'avevo rubbato…

– Dunque ha preferito tenerselo e ha chiesto a un suo amico di sbloccarlo. E poi? Che avrebbe fatto se il mio collaboratore non le avesse telefonato subito? – Il vicequestore indicò Nunnari, che se ne stava in piedi dietro di lei, quasi sull'attenti. L'idea che aveva avuto il sovrintendente di provare a chiamare il numero, quando i colleghi dell'aeroporto si trovavano già sul posto, s'era rivelata vincente.

– Rifacevo l'ultimo numero, e se qualcuno mi rispondeva gli dicevo che avevo trovato questo cellulare.

Macchia fece capolino dalla porta e ne occupò per intero la soglia. Diede una rapida occhiata all'ufficio sovraffollato, una un po' meno rapida alla Bonazzoli, che s'era imbambolata. Fermò lo sguardo incuriosito sull'uomo cencioso che se ne stava seduto davanti alla Guarrasi.

– Tito, non entri? – lo invitò Vanina.

Macchia fece segno che non ce n'era bisogno. Chiese a

Marta di passare da lui un momento appena si fosse liberata. La ragazza annuí.

Lo Faro fino a quel momento se n'era stato appoggiato alla parete, a debita distanza dall'interrogato, storcendo il naso per rimarcare il cattivo odore che sentiva. Appena il Grande Capo si allontanò, partí in quarta e lo seguí fuori dalla porta.

– Dottore, se ha bisogno di qualcosa… a disposizione.

Macchia lo rispedí dentro.

Fragapane alzò gli occhi al cielo scuotendo la testa con aria rassegnata.

La Guarrasi, invece, si limitò a congelarlo con uno sguardo grigio acciaio che prometteva male.

– Senta, signor Piscitello, – concluse, – si ricorda se per caso insieme al telefonino c'era qualcos'altro? Che ne so: documenti, oppure chiavi.

– No, c'era solo quello.

– Va bene. Per me può andare.

L'uomo si alzò. Le fece una specie di inchino.

– È successo qualche cosa di brutto al proprietario di quel telefono, vero? – chiese, prima di uscire.

– Purtroppo sí, – rispose Vanina. Il clochard non commentò. Infilò la porta trascinando le scarpe, evidentemente troppo grandi.

– Lo Faro, accompagnalo tu al portone, – ordinò il vicequestore. – E poi torna qua, che ci facciamo quattro chiacchiere.

L'agente obbedí. Spaventato.

Al minimo cenno di coinvolgimento che Vanina gli aveva rivolto, Patanè aveva preso la palla al balzo e s'era imbucato subito. Era rimasto seduto accanto a lei, dietro la scrivania che un tempo gli era appartenuta.

Spanò non lo aveva ancora salutato come si deve. Appena Lo Faro uscí appresso al clochard lo abbracciò.

– Commissario!

– Carmeluzzo mio.

Con questa storia che la Guarrasi era mancata, anche loro due non s'erano piú visti.

Vanina spalancò la finestra per far cambiare l'aria. – Poveraccio, – commentò.

– Comunque, dottoressa, sicunnu mia quel mischinazzu non c'entra veramente niente, – disse il commissario, quando si furono messi comodi tutti e tre. La Bonazzoli era andata con Nunnari a tirare fuori le prime informazioni dal telefono, e Fragapane era uscito dalla stanza appresso a Lo Faro.

S'erano accesi una sigaretta e stavolta Spanò aveva cavato di tasca le sue.

– Mi deve scusare, dottoressa, però preferisco le Marlboro.

Vanina s'era messa a ridere.

– La portai io sulla cattiva strada, ispettore, che ha ricominciato a comprarsi le sigarette? Oppure le Gauloises le fanno troppo schifo e non aveva il coraggio di dirmelo?

– Ma no, l'accattai una sera che ero schiffarato e m'andava di fumare. Ce l'ho da una settimana, s'immagini!

Non poteva certo confessarle che gli erano servite per ammazzare il tempo durante un appostamento non convenzionale.

Vanina si rivolse a Patanè.

– Anch'io sono sicura che quel poveraccio non c'entra niente. Anzi, sono convinta che abbia detto la verità. Infatti stamattina l'hanno beccato in un minuto. Pure quelli della polizia di Frontiera dicono che non ha mai fatto niente di male, a parte rovistare nella spazzatura e scroc-

care cibo a destra e a sinistra. E occupare abusivamente un angolo dell'aerostazione. L'amico suo, quello che ha sbloccato il telefono, nella sua *prima vita* dice che era un tecnico informatico.

– Pensa tu. Chissà come ci finí per la strada, – commentò Patanè.

– E comunque, – riprese Vanina, – il punto è che ora abbiamo almeno il traffico telefonico di Torres. Qualcosa da cui partire. E speriamo che le notizie uscite tra giornali, telegiornali e online servano a stanare qualche suo conoscente che possa dirci qualcosa in piú su di lui.

– E poi c'è la casa di Trecastagni, dove dovete andare, – le ricordò il commissario.

– Vero è, me lo stavo scordando –. Guardò l'orologio. Le due e un quarto. Ecco perché aveva fame.

In quell'istante rientrò Lo Faro. Vanina lo accolse con l'espressione del carceriere pronto a sferrare la prima scudisciata. Lo fissò.

– Capo, mi scusi. Pensavo che forse il dottore aveva bisogno…

– Di che cosa? Di un caffè?

– No… non lo so.

– Lo Faro, sentimi bene: la prossima volta che esci dalla stanza durante un interrogatorio finisci all'ufficio passaporti.

Il ragazzo si allarmò.

– E non t'azzardare a chiamarmi capo, che il permesso ancora non te l'ho dato.

Lo Faro calò la testa, mortificato.

– Mi scusi, dottoressa.

– Ora vattene a pranzo, possibilmente senza disturbare di nuovo il dottor Macchia.

Mentre l'agente usciva, Marta rientrò.

Vanina afferrò la giacca, se la infilò e aggiustò la fondina.

– Ora noi quattro ce ne andiamo *da Nino* a mangiare, che se no le forze per arrivare sull'Etna non ce le ho –. Cellulare in mano, sigaretta già tra le labbra ma ancora spenta.

Patanè controllò l'ora. – Madre santa! – sobbalzò. – Angilina a 'st'ura m'avrà dato per disperso!

Si fiondò sul telefono fisso dell'ufficio – il suo cellulare stile inizio millennio era perennemente scarico – e s'assuppò tutta la giaculatoria che sua moglie fece partire appena le comunicò dov'era, con chi, e soprattutto che non sarebbe rientrato per pranzo.

Alla trattoria casalinga di Nino quel giorno c'era meno gente del solito. Lui era ugualmente in moto perpetuo: controllava i tavoli, accoglieva gli avventori e dispensava abbracci e inchini agli habitué. Dopo aver riempito di affettuosità il commissario Patanè, e aver comunicato a Vanina che si era preoccupato per la sua sparizione, li fece sedere al tavolo piú appartato e in pochi minuti portò loro olive, formaggio primosale cunzato e pane. Poi prese le ordinazioni. Quattro paste alla Norma, quella di Marta rigorosamente senza ricotta salata.

– Ma perciò manco il formaggio mangia, ispettore? – s'informò Patanè, che il termine «vegano» continuava a non capire bene cosa significasse.

– No, commissario. Non mangio nessun derivato animale. Latte, latticini, uova… – rispose Marta.

– Piddaveru? – fece il commissario, costernato.

E di che campava 'sta carusa! Apposta era cosí magra. Bedda come il sole, non c'era che dire, ma troppo esile.

– Meno male che in Sicilia piatti tutti vegetali ce ne sono, – considerò. Iniziò a enumerare: – Caponatina, peperoni a ghiotta, cucuzza a minestrina, pasta alla Norma.

– Certo. Se si soprassiede sulla frittura... – commentò Marta.

– Ahhh, vabbe', allora persi siamo. Ma accussí che mangia?

Vanina intervenne nel dibattito, che per sua esperienza personale poteva andare avanti per ore senza che si riuscisse a cavare un ragno dal buco, e vi pose fine.

– Spanò, abbiamo notizie piú approfondite sulle proprietà immobiliari di Torres? – s'informò.

– Lo Faro ci lavorò stamattina. Pare che non ci sia niente di rilevante. La casa di Trecastagni, che è quella che ci interessa di piú, è sua dall'inizio degli anni Novanta.

– Abbiamo tracciato le carte di credito? – chiese Vanina. Col fatto che era rientrata a indagine già iniziata aveva sempre la sensazione di aver dimenticato di richiedere tutti i controlli possibili.

– Ci sta lavorando Fragapane.

Vanina meditò sulle dodici ore famose che erano già passate, mentre loro erano ancora quasi a zero. Questo non deponeva benissimo.

– Dobbiamo allargare il raggio delle indagini, – disse a un tratto, interrompendo il silenzio provocato dalla pasta alla Norma.

I tre rimasero in attesa, forchette in mano.

– All'America? – chiese Patanè, annuendo in segno d'intesa.

– All'America.

Spanò e Marta concordarono.

Per delicatezza nei confronti del commissario, che sempre ottantatre anni aveva anche se ne dimostrava dieci di meno, per andare in trattoria Spanò aveva preso un'auto di servizio. La Bonazzoli, che quella mattina a causa della pioggia non era riuscita a correre manco mezzo minuto,

ne approfittò per recuperare una minima parte del movimento perduto e andò via a piedi.

– Che ne dice, commissario: le va di salire a Trecastagni con noi? – propose Vanina.

Senza nemmeno rispondere Patanè partí di corsa verso la macchina, entrò e si piazzò sul sedile posteriore. Quando si accorse che la Guarrasi e Carmelo sorridevano si sentí scimunito.

– Fici la figura di Ridolini, – si canzonò da solo.

– Piú o meno, – confermò Vanina, tentando invano di farlo sedere avanti.

– Non babbiamo con le cose serie, – rispose Patanè.

Si sistemò meglio e allacciò la cintura di sicurezza. Pareva una pasqua.

– Ma per davvero lei sa chi era Ridolini, dottoressa? Cosa dell'epoca mia è!

– E perché, a lei risulta che io non conosca il cinema dell'epoca sua? Larry Semon, meglio noto come Ridolini.

– Ogni tanto me lo scordo che lei conosce gli stessi film che conosco io. Forse pirchí mi pare strano!

Prima di salire in macchina Vanina aveva adocchiato la Bonazzoli che girava l'angolo, già col telefono sull'orecchio. Quando se n'era andata a Palermo, la storia tra Marta e il Grande Capo stava attraversando un periodo difficile, e lei era l'unica con cui i due si fossero confidati. Ma c'era un particolare, che aveva intuito qualche giorno prima mettendo insieme un paio di indizi scoperti per caso, e che entrambi avevano omesso. E adesso era curiosa di scoprire se ci aveva azzeccato.

Intanto però una novità sulla questione ci pensò Spanò a rivelargliela.

– Meglio che faccio il giro largo, 'nsamai incrociamo Bonazzoli. Capace che s'imbarazza, – disse l'ispettore, risolente.

– Perché? – chiese Vanina.

Carmelo finse reticenza ma la sua faccia, un misto tra il divertito e il malizioso, dichiarava da sola che non vedeva l'ora di risponderle.

– L'altro giorno Nunnari e io abbiamo sgamato un gossip da fare tremare i muri della questura.

Patanè spuntò con la testa tra di loro.

– Ma su chi, sull'ispettrice? – domandò, curiosissimo.

Vanina capí che il momento tanto temuto da Marta era arrivato.

– Idda, – rispose criptico Carmelo.

– Avanti, Spanò, non faccia il picciriddo e ci conti il fatto. Con chi l'avete beccata? – accelerò il vicequestore.

– Col Grande Capo in persona, – annunciò Spanò, scandendo le parole.

– Minchia! – si lasciò sfuggire Patanè.

Vanina non fece una piega.

– E ne siete sicuri?

– Sicuri al cento per cento, dottoressa! Erano a San Giovanni Li Cuti, davanti alla casa della Bonazzoli, e lei stava scendendo dalla moto del capo.

– E questo che vuol dire? Magari le ha dato un passaggio, – replicò Vanina.

– Dottoressa, ascutasse a mmia, dubbi non ce ne sono. Erano allippati che pareva che non si staccassero piú!

E su quel termine, che meglio di qualunque altro rendeva l'idea di quanto fossero stati incollati Marta e Tito, cadde ogni possibile obiezione.

La Salita dei Saponari iniziava subito dopo un paio di curve appena fuori dal comune di Viagrande. Sulla sua storia Spanò e Patanè s'accapigliarono per mezz'ora prima di giungere a un compromesso: era la strada da cui un tem-

po i fedeli salivano con fatica durante le feste di Sant'Alfio, San Filadelfo e San Cirino, ma anche quella attraverso cui i «saponari» arrivavano a Trecastagni bussando di casa in casa per barattare pezzi di sapone con ogni possibile oggetto.

La via arrivava dritta dritta al centro di Trecastagni, dove cambiava nome. Da lí in poi, lastricata con basole di pietra lavica e illuminata da lampioncini pittoreschi, passava tra palazzotti piú o meno antichi sfiorando anche la scalinata da cui si accedeva alla Chiesa Madre del paese.

La casa che apparteneva a Esteban Torres era ben tenuta. Di sicuro ristrutturata in tempi recenti.

Vanina s'avvicinò al portoncino verde e bussò col battente. Si accorse che al lato c'era un citofono, senza indicazioni di nomi. Pigiò il bottone.

– Dottoressa, ma che bussa a fare? – disse Spanò, già con in mano un piede di porco ereditato da un rubagalline che una volta aveva tentato di entrare in casa di sua sorella e che lui aveva messo in fuga. Non era certo il massimo della classe, ma meglio cosí che spaccarsi la spalla. O finire a sparare sulla serratura.

– Per un malvivente ti pigliano, se qualcuno ti vede, – commentò Patanè, con la sciarpa tirata fin sopra il naso per scongiurare eventuali ricadute influenzali.

L'ispettore stava per entrare in azione quando dal citofono giunse una voce di donna.

– *Hello?*

I tre si guardarono tra loro, perplessi.

– *Hello*, – ripeté la voce, piú forte.

Vanina si avvicinò al citofono.

– Polizia, – rispose.

Il portoncino scattò subito.

I due ragazzi danesi che da dieci giorni avevano preso in affitto la casetta etnea di Torres se ne stavano seduti l'uno accanto all'altra su un divanetto biposto inconfondibilmente targato Ikea, come tutto il resto del mobilio. Nessuno dei due, manco a dirlo, aveva mai conosciuto né sentito nominare Esteban Torres. Il contatto che avevano trovato sul sito di prenotazioni corrispondeva a un certo Manuel Nuzzarello, che, a quanto avevano capito, doveva essere una sorta di gestore comune di varie case vacanza del paese.

– Avete il numero di telefono di Mr Nuzzarello? – chiese Vanina, dopo la lunga e faticosa conversazione, alla quale Patanè e Spanò avevano assistito inermi, senza capire una sola parola di ciò che veniva detto.

– Sí, certo! – La ragazza corse nella stanza accanto e tornò con uno smartphone in mano. Iniziò a scorrere col dito, concentrata, finché non trovò quello che cercava. Girò il display verso Vanina, che si sporse in avanti per leggere la mail. La ragazza ebbe un piccolo sobbalzo che la distrasse. Il vicequestore la scrutò per capirne il motivo e vide che stava fissando la sua inseparabile Beretta d'ordinanza, comparsa da sotto la giacca.

La tranquillizzò che la sicura era inserita, anche se questo non sortí grande effetto. La ragazza continuò a guardarla con diffidenza, come spesso accadeva alla gente che la vedeva armata, specie quando la situazione non lo richiedeva. La prendevano per una giustiziera, una dallo sparo facile, cosa che non era affatto. Ma a Vanina poco importava. Uscire senza un'arma appresso per lei era assolutamente fuori discussione.

La mail che la ragazza le aveva mostrato conteneva le indicazioni su come arrivare lí, sui metodi di pagamento

– che «sfortunatamente per un temporaneo disguido tecnico» non comprendevano «al momento» né bancomat né carta di credito – e infine i contatti del Nuzzarello. Vanina li dettò a Spanò, che li memorizzò sul telefono, mentre Patanè per sicurezza se li appuntava sul suo inseparabile bloc notes a quadretti mezzo sbrindellato. Lo sai com'è: di 'ste *mavaríe* tecnologiche meglio non fidarsi mai.

– Chissà com'è che questa destinazione d'uso turistico non risultava da nessuna parte, – rifletté Spanò, mentre risalivano in auto.

Vanina staccò gli occhi dal telefono, su cui aveva appena memorizzato il numero di Nuzzarello che avrebbe chiamato di lí a poco.

– Vuole che le elenchi un paio di possibili ragioni? La prima è che magari questa destinazione d'uso non è stata registrata da nessuna parte, tant'è che infatti non accettano i pagamenti elettronici. La seconda è che le ricerche sugli immobili di Torres le avete affidate a quella testa di minchia di Lo Faro. Capace che si fermò a pagina uno.

A Patanè scappò una risata. Il ragazzo gli faceva quasi pena. Salvatore Fragapane se l'era preso sotto la sua ala, stava cercando di inserirlo come poteva nella squadra e di aiutarlo a entrare nelle grazie della Guarrasi. Ma quello niente: in cinque minuti vanificava settimane di lavoro.

– Mischinazzo! – commentò.

– Chi: lui o chi è costretto ad averci a che fare? – disse Vanina.

– Ma non è un cattivo ragazzo. Mi ricorda un brigadiere che ebbi sotto di me negli anni Sessanta: tunnu comu 'n arancinu, e non in senso figurato. Uno gli diceva bianco e iddu capiva nero. Gli dicevi gira a destra, e lui

immancabilmente svoltava a sinistra. Poi ogni tanto, 'sa che gli pigliava, s'arrusbigghiava e capace che ti risolveva un caso.

– Commissario, dia retta a me: Lo Faro non s'arrusbigghia manco con una scarica di bombe sopra la testa. Altro che arancina: una palla da bowling!

Stavolta a ridere fu Spanò.

Vanina si rimise sul telefono per chiamare il famoso Nuzzarello, quando il display s'illuminò e l'apparecchio iniziò a squillare. Rispose subito.

– Dottoressa Guarrasi, sono Vassalli.

Voce tutt'altro che allegra.

– Dottore, buonasera.

– Volevo avvertirla che un altro cadavere, molto probabilmente collegato a quello di Torres, è stato appena rinvenuto dai carabinieri di Taormina. Purtroppo saremo costretti a svolgere le indagini anche noi, in collaborazione con la procura di Messina e con i carabinieri stessi. Si tratta di una donna, rispondente alle generalità di Geraci Roberta.

Vanina rimase perplessa.

– Scusi, dottore, perché pensate che i casi siano collegati?

– Perché tra gli effetti personali della donna c'è una fotografia di lei insieme a un uomo. Il portiere dell'hotel di Taormina dov'è stato trovato il cadavere lo ha riconosciuto come il signor Esteban Torres.

6.

Taormina in bassa stagione aveva un fascino tutto speciale. Niente ressa, parcheggi vacanti, un esiguo numero di avventori distribuiti nei pochi alberghi rimasti aperti.

Quello in cui era stato rinvenuto il cadavere di Roberta Geraci era uno storico hotel ricavato da un vecchio convento, con tanto di chiostro interno e relativo pozzo centrale, nel quale il corpo era stato occultato.

Vanina e Spanò se l'erano fatta di corsa. Il tempo di riaccompagnare a casa Patanè e di recuperare Marta, che quanto a guida veloce avrebbe dato filo da torcere a un campione di Formula 1. Quaranta minuti dopo i tre poliziotti s'erano presentati sulla scena del crimine.

Lungo la strada la Guarrasi aveva chiamato Adriano Calí, che stava entrando a Taormina. Data la correlazione che poteva esserci tra il cadavere appena ritrovato e il caso di Esteban Torres, era stato incaricato lui dell'esame autoptico, nonostante la procura competente fosse quella di Messina.

In corner, appena prima di dimenticarsene completamente, Vanina aveva telefonato anche a Giuli per disdire la serata insieme che le aveva promesso il giorno prima.

Il capitano Rodolfo Silvani, che l'aveva contattata un attimo dopo che lei aveva chiuso con Vassalli, le andò incontro appena la vide. Capello leggermente brizzolato pet-

tinato all'antica, occhi chiari, statura medio-alta. Sorriso smagliante. Il sosia ringiovanito di Vittorio De Sica nei panni del «maresciallo maggiore cavalier Antonio Carotenuto» in *Pane amore e fantasia*.

– Speravo di vederla, dottoressa Guarrasi.

Piú che altro ne era certo. Quando il legame con l'omicidio su cui indagava la Mobile di Catania era risultato evidente, Silvani aveva capito subito con chi gli sarebbe toccato avere a che fare. Il vicequestore aggiunto Giovanna Guarrasi, detta Vanina. Una come quella, col sacro fuoco della sbirraggine che si ritrovava addosso, gli avrebbe levato l'aria finché la questione non si sarebbe risolta. E possibilmente a modo suo.

Gli sarebbe piombata tra i piedi da un momento all'altro. Perciò il capitano aveva deciso di giocare d'anticipo e l'aveva chiamata. Tanto valeva abbattere subito le formalità.

Il pozzo, di quelli antichi con un secchio arrugginito appeso sopra e la copertura di ferro mezza aperta, era piú largo di quanto Vanina avesse immaginato. Abbastanza da contenere il corpo della donna, che alta non doveva essere, sdraiato sul fondo.

Adriano Calí pareva spiritato. Occhi lucidi, pallido da fare paura. Armeggiava intorno alla salma mentre i carabinieri della sezione Investigazioni scientifiche conducevano i rilievi.

La Guarrasi passò sotto il nastro bianco e rosso e gli si avvicinò. Il cadavere aveva un aspetto terrificante, completamente ricoperto di una sorta di patina biancastra che emanava un odore nauseabondo. Adriano si accorse della presenza di Vanina e si drizzò in piedi.

– Non posso crederci. Povera Bubi, – disse.

– Bubi? – gli chiese Vanina, sorpresa.

– Cosí si faceva chiamare.

– La conoscevi?

– Non da molto. Era una donna stravagante, spiritosa.

– Com'è morta?

– Un colpo letale, tra l'osso temporale destro e l'orecchio.

– Con che cosa?

– Non lo so. Qualcosa di massiccio, però.

– Quand'è successo?

– Mah, date le condizioni ambientali, e visto che fino all'altro ieri c'era caldo, credo non piú di una decina di giorni fa. Lo strato d'acqua stagnante sul fondo del pozzo ha fatto saponificare il cadavere.

Vanina si allontanò con una smorfia. La zaffata che l'aveva investita era piú sgradevole del solito. Però aveva fatto in tempo ad affacciarsi nel pozzo, largo circa due metri e profondo non piú di altri due. Non era sicuramente possibile ipotizzare che la donna ci fosse caduta da sola, magari spaccandosi la testa nell'impatto.

– Ti consiglio di stare alla larga, – disse Adriano. – Poche puzze sono peggiori di quelle dell'adipocera che si forma sulla superficie di un corpo umano durante la saponificazione.

Silvani, che davvero si teneva alla larga, aveva in mano i documenti della vittima.

– Geraci Roberta, nata a Catania nel 1957, separata. Residente a Noto, provincia di Siracusa. Professione: pubbliche relazioni.

La residenza a Noto spiegava la conoscenza con Adriano. Che s'inserí nella conversazione.

– Bubi organizzava eventi. Convegni, manifestazioni. Prevalentemente a Catania, ma a volte anche fuori dalla Sicilia. A Noto ci viveva poco, aveva la residenza lí perché le piaceva. Chissà che ci faceva a Taormina.

Silvani forní quello che sapeva al riguardo.

– Il portiere ha riferito che la signora doveva passare qui un periodo insieme al signor Esteban Torres. Ma lui aveva avvertito che avrebbe tardato una settimana.

– Chi l'ha trovata? – chiese Vanina.

– Un inserviente che passava per il chiostro. A quanto pare nella stagione invernale non è una zona molto battuta dell'hotel. Ha sentito uno strano odore e s'è avvicinato al pozzo pensando che qualche gatto ci fosse morto dentro. Ha spostato la copertura parziale e ha visto il cadavere.

– E nei giorni precedenti nessuno s'era accorto del cattivo odore?

– È probabile di no, Vanina, – intervenne di nuovo Adriano. – Tieni conto che siamo in autunno inoltrato, e che in questi due giorni c'è stato anche piú freddo del normale. Il pozzo è un ambiente areato, e il cadavere non è andato in decomposizione perché è iniziato il processo di saponificazione, che l'ha in qualche modo preservato.

– Capitano, lei mi diceva che il portiere dell'hotel aveva riconosciuto Torres in una foto? – chiese Vanina.

– Sí, – Silvani fece segno a un appuntato di portargli la fotografia, repertata in un sacchetto di plastica. – Eccola qua: questa è Roberta Geraci, e questo Esteban Torres. I due erano clienti abituali dell'hotel. Ci venivano insieme, anche per periodi lunghi. Il tutto, dice il direttore, nella piú assoluta discrezione.

L'aria alla Anthony Quinn di Torres nella foto da vivo era anche piú evidente. La donna era vestita con una specie di caftano, che non ne nascondeva le forme abbondanti.

Vanina osservò lo sfondo. Poi guardò la parete di destra del chiostro e il colonnato.

– Sembra che anche la foto sia stata scattata qui, – la girò. Era datata 23 novembre 2005.

Alzò gli occhi su Silvani, che aveva smesso di ascoltarla e fissava rapito Marta Bonazzoli. La poliziotta s'era avvicinata insieme a Spanò, che aveva qualcosa da riferire al vicequestore.

– Capo, mi scusi. Mi sono permesso di portarmi avanti col lavoro e mandai Fragapane all'*Hotel Palace*, con una fotografia presa dal profilo Facebook della Geraci. La donna che ogni tanto avevano visto in compagnia di Torres era lei.

– Bravo Spanò. Ha fatto bene.

– Ah, il portiere era quello che mancava quando ci andammo noi. Salvatore approfittò per chiedergli se si ricordava di qualche altra persona che era andata a cercare Torres là. Disse che c'era stato uno straniero, giovane, che era venuto a chiedere di lui quando però se n'era già andato.

– E non gli aveva lasciato un nome?

– No, perché Torres gli aveva detto che non sarebbe tornato. Ma lo straniero gli aveva lasciato un numero di telefono. Qualche giorno appresso, Torres chiamò per sapere se qualcuno l'aveva cercato, e il portiere glielo diede.

Uno degli scafandrati della Sis disse qualcosa a un carabiniere che se ne stava di piantone davanti al pozzo. Quello a sua volta s'avvicinò a Silvani.

– Scusi, signor capitano, il brigadiere vorrebbe sottoporre qualcosa alla sua attenzione.

Silvani lo presentò a Vanina.

– Dottoressa, questo è il maresciallo Labbate, colonna portante della nostra compagnia.

Il maresciallo si mise sull'attenti. Una cinquantina d'anni, baffi ancora scuri, figura decisamente non longilinea. Aria sveglia.

– Andiamo a vedere di che si tratta, – fece Silvani, cedendo il passo a Vanina. Il brigadiere di prima aveva puntato la luce su una pietra che sporgeva sulla superficie al-

la base del pozzo. La macchia di sangue era sbiadita dalla pioggia, ma era visibile. E la pietra era abbastanza porosa da averla conservata.

– Se viene confermato che è sangue, e se corrisponde a quello della Geraci, forse abbiamo la dinamica della morte, – disse il maresciallo.

– Qualcuno le ha spaccato la testa sul bordo del pozzo e poi per occultare il cadavere l'ha gettato dentro, – constatò Vanina.

– E appresso al corpo gettò pure la borsetta con dentro tutto, tranne il portafogli e...

– Il telefonino, – l'anticipò Vanina.

Il maresciallo sorrise. 'Sta collaborazione con la Guarrasi lo intrigava assai.

– Esatto.

Il vicequestore seguí con lo sguardo un uomo che s'era affacciato nel chiostro per poi tornarsene indietro verso la hall.

– Quello è il direttore dell'hotel, – spiegò il maresciallo, – conosceva molto bene il Torres.

Vanina cercò i suoi. Spanò era al telefono, mentre Marta era ostaggio del capitano Silvani.

– Bonazzoli, – la salvò, – andiamo a fare due chiacchiere con il direttore dell'albergo.

Marta obbedí.

– Oh mamma mia, che ventosa! – borbottò, riferendosi al capitano, appena furono a distanza di sicurezza.

Vanina la studiò da capo a piedi: capelli biondi appuntati dietro con una matita, occhioni verdi, lineamenti perfetti, magra che avrebbe potuto calcare le passerelle.

Una cosí, al maresciallo Antonio Carotenuto, l'avrebbe fatto scimunire.

– Il signor Torres aveva prenotato i soliti due mesi. Dal 15 novembre al 15 gennaio. Come ho già detto al maresciallo Labbate, lui e la signora Geraci passavano qui due mesi tutti gli anni, e sempre in questo periodo. Ma poi all'ultimo il signor Torres aveva dovuto ridurre il soggiorno. Disse che sarebbe arrivato con una settimana di ritardo.

Il direttore dell'hotel era costernato.

– E la signora Geraci?

– È questo che non riusciamo a spiegarci, – disse l'uomo.

– Cosa?

– Vede, dottoressa, la signora aveva fatto in tempo ad arrivare prima che il suo... amico l'avvertisse del ritardo. Già che c'era, si era fermata qui un paio di giorni. Poi, da un momento all'altro, sparí senza nemmeno passare a salutare.

– E il conto della stanza?

– Quello era comunque a carico del signor Torres.

– Perciò non avrebbe avuto motivo di fermarsi alla reception.

– In teoria no, ma ci parve strano. Oltretutto lasciò le sue cose nella stanza. La cameriera dovette rifare le valigie e metterle in deposito, per liberarla.

– E non le sembrò strano?

– Sí. Ma sa, la signora a volte era un po' bizzarra. Considerato che di lí a qualche giorno sarebbe tornata insieme al signor Torres, pensammo che l'avremmo vista ricomparire l'indomani. E invece non si fece piú viva.

– Questo che giorno avveniva?

– Il 17 novembre. Dieci giorni fa. Qualche giorno piú tardi si presentò il signor Torres.

– E che fece?

– Chiese subito della signora Geraci. Non riusciva a rintracciarla. Volle sapere quando era andata via.

– E poi?

– E poi si pigliò una stanza.

– La stessa in cui era stata la signora?

– No, prese la suite che prendeva sempre.

– Si registrò?

– Certo.

Vanina guardò Marta. La domanda le si leggeva in faccia: come mai a noi non risultava?

L'uomo consultò il computer.

– Eccolo qua: si registrò col suo passaporto americano… No, un momento: questa è una registrazione di due mesi fa –. Corrucciò la fronte. – Ma che strano: due mesi fa il signor Torres non è stato qui.

Smanettò col computer un altro po'.

– Ma è incredibile! Anche la signora Geraci risulta essere stata qui due mesi fa!

Batté ancora sui tasti. Ebbe un moto di fastidio. – Mannaggia, sono sbagliate tutte le date degli ospiti di questo periodo –. Partí alla ricerca di qualcuno, e tornò con un ragazzo, che piazzò davanti al computer a cercare di svelare l'arcano.

Ecco spiegato il motivo per cui le loro ricerche non avevano segnalato la presenza di Torres.

– Senta, direttore, ci sono telecamere che guardano il chiostro?

– Sí, una. Ma come ho già detto al maresciallo Labbate: dopo una settimana le registrazioni si cancellano.

Vanina valutò se proseguire. La camurría era che ciò che riguardava Taormina era di competenza dei carabinieri. Ma decise di chiedere lo stesso.

– Per caso avete notato se la signora Geraci mentre era

qui s'è intrattenuta con qualcuno? Non so, qualcuno che magari voi non conoscevate?

– E come si fa a dirlo? La gente qua entra anche soltanto per vedere l'albergo. Prende un cocktail, beve un caffè. La signora Geraci, col lavoro che faceva, conosceva un sacco di persone. Quand'era insieme al signor Torres se ne stavano per conto proprio... lei capisce... Ma se era sola, capace che incontrava qualche conoscente e si fermava a parlare.

– Aveva un'automobile? – chiese Vanina.

Il direttore si confuse. – Chi?

– La signora Geraci.

– Di solito sí.

– E dove la parcheggiava?

– La lasciava sempre al parcheggio di Porta Catania, dove abbiamo una convenzione. Sa, qui in albergo c'è un garage, ma i pochi posti sono riservati da tempo. Uno era sempre per il signor Torres.

Il parcheggio di Porta Catania era un multipiano con uscita direttamente sul corso, che da qualche anno aveva reso agevole la sosta a Taormina. Lo stesso in cui Marta aveva lasciato l'auto poco prima.

Spanò riemerse dalla telefonata.

Il cadavere stava per essere rimosso e trasferito a Catania per l'autopsia, che il dottore Calí avrebbe eseguito la mattina dopo.

Altro per quella sera non c'era da fare.

Prima di tornarsene a Catania, Vanina, Spanò e Marta si fermarono a mangiare un boccone in un ristorante dalle parti di Porta Messina che il vicequestore conosceva perché c'era andata un paio di volte con la sua amica Giuli. Poi si trasferirono al bar di fronte, famoso per le migliori granite della città.

Si fecero corso Umberto a piedi fino al parcheggio di Porta Catania. Pagarono il biglietto alla cassa e scesero al terzo piano. All'uscita, Marta provò a inserirlo nella colonnina apposita, ma la sbarra si aprí da sola.

– Oramai registrano la targa, cosí non c'è manco bisogno di infilare il biglietto pagato, – spiegò Spanò.

Vanina meditò su quelle parole.

– Ferma un attimo! – sobbalzò.

Stava per chiedere di tornare indietro, per parlare subito con l'uomo cui avevano pagato la sosta e che se ne stava seduto dietro i vetri del gabbiotto del settimo piano, ma poi pensò che era meglio frenare. Delle indagini a Taormina se ne sarebbe occupata l'Arma. Scavalcarli e invadere la loro zona non sarebbe stato saggio ai fini della collaborazione. Certo però un'ammuttatina...

Prese il telefono e chiamò il capitano Silvani.

Il colpo di citofono alle undici e mezzo di sera fece sobbalzare Vanina sul divano grigio che stava prendendo la sua forma. Era infossato da un lato, s'era fatto la bellezza di due traslochi, ma di dismetterlo lei non voleva nemmeno sentirne parlare. Custodiva troppi ricordi. I cuscini erano testimoni muti della sua deliberata solitudine, e di tutti i tentativi di cacciarla via a suon di maratone cinematografiche.

La prima cosa che Vanina pensò mentre andava a rispondere al citofono fu che Paolo avesse reiterato la stessa *spirtizza* di due mesi prima, quando s'era presentato a casa sua senza preavviso e, soprattutto, senza scorta.

Invece era Adriano Calí.

– Lo sapevo che t'avrei trovata sveglia, – si scusò il medico. Entrò e senza dire niente filò dritto verso il mobiletto dove sperava di trovare qualche rimasuglio di superal-

colico, di cui l'amica non era mai granché fornita. Trovò il famoso *mosto muto*, una bomba che produceva un amico di Bettina e che Vanina non aveva avuto il coraggio di bere se non in rarissimi casi di assoluta necessità.

– Mi dispiace che sia toccato a te occuparti della Geraci. Trovarti davanti il cadavere di una persona che conoscevi dev'essere stato agghiacciante.

Adriano si sedette accanto a lei sul divano grigio.

– Io invece sono contento che Vassalli e il suo collega di Messina mi abbiano affidato l'incarico. Forse perché noi medici non ci fidiamo mai abbastanza degli altri medici. L'autopsia di Bubi non sarà una passeggiata, ma preferisco eseguirla io.

– 'Sta cosa dei medici che non si fidano degli altri medici la dice spesso pure il marito di mia madre. Lui però la gente la cura. Certe volte addirittura la guarisce! Non si può dire la stessa cosa di te. Piú deceduti di come t'arrivano...

Adriano la guardò serio. – Anch'io non posso sbagliare diagnosi. Ne va del corso della giustizia.

– Sante parole, – Vanina si alzò, – t'aggiudicasti un premio di consolazione –. Sparí in cucina e tornò con un vassoio di crispelle di riso che Bettina aveva fritto apposta per lei quella sera, affogate letteralmente in una quantità indefinibile di miele. Quello buono, si capisce. Di ape nera sicula, prodotto nelle campagne di Enna da una *carusa* bravissima che, pur studiando Giurisprudenza, s'era appassionata di apicoltura e aveva messo su una piccola azienda.

Adriano non aveva cenato. Il nuovo caso «clinico», cascatogli addosso per insindacabile volontà di due magistrati, gli aveva chiuso lo stomaco. E il tanfo nauseante della saponificazione, l'unico che il medico facesse fatica a tollerare, gliel'aveva serrato del tutto. Uno sfizio come

quello che Vanina gli aveva piazzato davanti era l'unica forma di cibo che avrebbe potuto attirarlo.

– È inutile: Bettina e io siamo telepatici. Se stasera t'avesse regalato una teglia di sfincione non credo che sarei stato in grado di apprezzarlo. Invece guarda qua? – Si tirò su e prese una delle due forchette appoggiate sul vassoio. Vanina sorrise sorniona. Che tra Adriano e Bettina ci fosse una sorta di affetto reciproco era fuor di dubbio. E se la vicina – del tutto ignara dell'orientamento sessuale del medico – non s'era già schierata a favore di un'unione tra lui e Vannina, era solo perché s'era presa una cotta insana per il *dottore Malfitano* nei due giorni di qualche mese prima in cui Paolo aveva soggiornato nella dépendance. E questo lo rendeva ai suoi occhi l'unico uomo che meritasse l'amore della sua inquilina prediletta.

– Forza: appizziamo la forchetta e anneghiamo i nostri dispiaceri nel miele, – ordinò Vanina.

Adriano obbedí, e addentò il primo pezzo di crispella.

– Macari le scorze d'arancia ci mise, quella santa cristiana!

Si misero comodi. Via le scarpe, via le remore, bando alle amarezze. Dovevano recuperare due settimane.

Mezz'ora, venti appizzate di forchetta e un paio di bicchieri di *mosto muto* piú tardi, s'erano contati tutto il narrabile. E se per Vanina ciò equivaleva a un'esigua frazione di quanto in realtà le era successo in quei giorni, per Adriano significò invece confidare senza filtri tutte le insicurezze che Luca gli stava causando. E che la sua amica ascoltò senza commentare, ma con oggettivo stupore. Luca Zammataro era da piú di dieci anni il miglior compagno che Adriano potesse desiderare. Il suo lavoro di giornalista e inviato speciale lo trascinava spesso lontano per lunghi pe-

riodi, eppure mai in quell'anno di assidua frequentazione con la coppia Vanina aveva visto Adriano dubitare di lui.

Si stava delineando un quadro inedito che, chissà per quale oscuro motivo, blandiva il suo istinto sbirresco. Le ansie dell'amico prima o poi avrebbero trovato una spiegazione. E senza sapere come né perché, Vanina intuiva che sarebbe stata lei la prima a scoprirla.

Attaccarono il film regalato da Federico, e conclusero la serata ridendo.

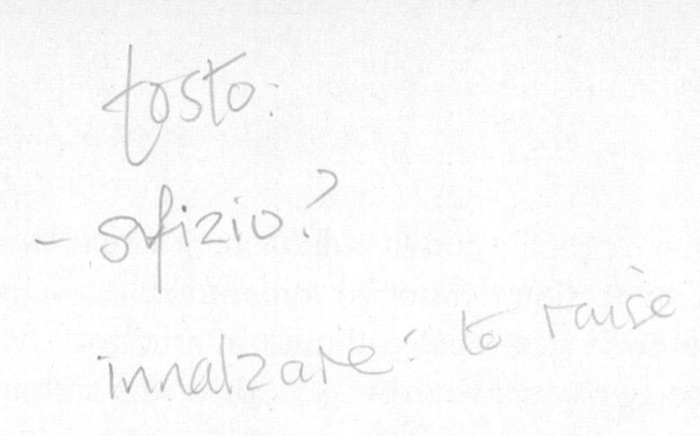

7.

– Guarrasi, che onore! – Il primo dirigente Carlo Alberto Colombo, ex collega di Vanina alla Mobile di Milano e da un anno in forza al Servizio per la cooperazione internazionale della polizia, era contento di sentirla.

– Ciao Colombo, come stai?

– Come un milanese a Roma: ubriaco di bellezza e perennemente incazzato, – rise. – E tu? Sempre all'ombra del vulcano?

– Felicemente!

– Peccato, avevo sperato in una buona notizia... – Lasciò sospesa la frase allusiva, cui Vanina rispose con una risata.

Carlo era il tipico personaggio che t'inganna con l'aria da giocherellone, e che invece è piú tosto della pietra lavica. Serio e stimabile. Figo da lasciargli gli occhi addosso. Uno sfizio che Vanina s'era concessa qualche giorno prima di innalzare le vele per tornarsene nella sua amata Sicilia, quando ormai anche lui era lí lí per partire alla volta di Roma. Colombo aveva finto di stare al gioco, ma in realtà c'era rimasto male.

– Senti, Carlo, avrei bisogno di fare qualche ricerca su un cittadino americano.

– Hai chiamato la persona giusta, allora, – scherzò lui.

Quel posto allo Scip, oltre che la promozione a primo dirigente, se l'era guadagnato grazie a un'indagine grossa

che aveva condotto proprio con la polizia americana. Una sorta di Pizza Connection del nuovo millennio.

Abbandonò il tono scherzoso e si mise in ascolto.

Vanina gli raccontò quanto aveva scoperto su Esteban Torres fino a quel momento.

Colombo rimase a sentire in silenzio.

– Quindi mi stai chiedendo una ricerca che dovrebbe estendersi anche a Cuba?

– Possibilmente.

Si prese qualche secondo.

– Sai bene che per queste cose ci vuole tempo.

– Ma io sono sicura che non mi deluderai.

Colombo soffiò; fumo di sigaretta, se le sue abitudini non erano cambiate.

– Guarrasi, tu sei una pericolosa.

– Fragapane? – chiamò Vanina, entrando nella stanza dei veterani.

Il vicesovrintendente si alzò dalla scrivania, su cui giacevano pile di scartoffie impilate in un ordine quasi maniacale.

– Dottoressa!

– Stia, stia seduto, – lo raggiunse. – Deve farmi una cortesia. Rediga una richiesta ufficiale da indirizzare allo Scip per avviare un'indagine internazionale su Esteban Torres, – gli passò un foglio su cui aveva appuntato tutto quello che s'erano detti con Colombo.

– Va bene, mi ci applico subito.

– Quando ha finito me la fa leggere, cosí poi la inoltriamo secondo la prassi.

In fatto di burocrazia Fragapane era il numero uno della squadra. Lento ma accuratissimo.

Spanò era fuori a rastrellare informazioni su Roberta Geraci. La donna era nata a Catania, e lí viveva quando

non si rintanava nella casa di Noto. I pm erano d'accordo che delle indagini catanesi sulla donna si sarebbe occupata la Guarrasi, mentre il capitano Silvani avrebbe diretto quelle su Taormina. All'ispettore Spanò non era parso vero. S'era messo al lavoro subito, senza neanche passare dall'ufficio.

Vanina rientrò nella sua stanza e consumò finalmente la colazione che aveva comprato sotto casa, al bar *Santo Stefano*. Il cappuccino era ridotto a una sorta di caffellatte freddo, ricoperto da uno straterello di schiuma residua. Ma la raviola di ricotta che Alfio, il proprietario nonché pasticcere, le aveva incartato s'era mantenuta in modo strepitoso. Profumata, fragrante, zucchero in quantità giusta per non coprire il sapore della ricotta.

Poteva mai una giornata partire male, dopo una colazione simile? Dieci minuti che bastavano da soli a controbilanciare qualunque contrattempo. Compreso il messaggio di Paolo che aveva trovato sul telefono quella mattina.

«Non so perché continuo ad accettare le tue pretese di silenzio, pur sapendo che non potrò mai rispettarle fino in fondo. Per riprendermi da queste due settimane ci vorrebbero dei mesi. Ma temo che morirei prima. P.»

Una coltellata. Due righe che trasgredivano la richiesta di ristabilire una distanza, solo da lei ritenuta indispensabile.

Non gli aveva ancora risposto, ma era solo questione di tempo. Prima o poi, suo malgrado, sapeva che l'avrebbe fatto. Purtroppo lo sapeva anche lui.

La prima notizia arrivò a metà mattinata.

– Dottoressa, sono il maresciallo Labbate, dei carabinieri di Taormina.

– Buongiorno, maresciallo.

– Abbiamo eseguito un controllo al parcheggio di Porta Catania. La macchina della Geraci, una Audi A2 bianca, entrò nel parcheggio il 14 novembre e ne uscí nella notte tra il 16 e il 17. Non ci sono dubbi perché, come avrà notato pure lei, oramai aprono la sbarra direttamente registrando il numero di targa.

Vanina ci avrebbe scommesso.

– Dunque ora bisogna scoprire che direzione ha preso, – suggerí.

– Sí, ci pensai macari io. E perciò mi portai avanti col lavoro –. Labbate ci teneva a non sfigurare. Il fatto che a Taormina raramente capitassero casi di omicidio non significava che loro non fossero all'altezza di risolverne uno.

– Mi dica tutto allora –. Vanina si spaparanzò sulla poltrona, con le gambe incrociate distese in avanti sul poggiapiedi. Si accese una sigaretta.

– Lo scimunito, o la scimunita, che si portò la macchina della Geraci fici la spirtizza di usare l'autostrada. Entrò nella Messina-Catania a Giardini-Naxos e ne uscí a Catania. Questo però non significa che là rimase, perché come lei sa quello è l'ultimo casello, ma dopo ci sono altri cento e rotti chilometri di superstrada e autostrada non a pagamento.

– Perciò chiunque sia potrebbe essere andato ovunque. Ha trasmesso la nota di ricerca della targa nel Sistema utente investigativo?

– Certo. Ma se non passa in qualche zona controllata da telecamere è come cercare un ago in un pagliaio.

Aveva ragione.

– Manuel Nuzzarello continua a essere irraggiungibile, – comunicò Marta, entrando nell'ufficio della Guarrasi. Vanina se ne stava affacciata al balconcino con la sigaretta

accesa e già non ne poteva piú di quell'attesa inattiva. Voleva muoversi, fare qualcosa, che a forza di restare chiusa lí dentro i suoi pensieri se la sarebbero mangiata viva.

– Quanto odio 'sti momenti di calma piatta, – disse, spegnendo la sigaretta nel posacenere pieno di cicche che stazionava sul pavimento del balcone.

La temperatura s'era alzata di nuovo.

– Vedi? Come minimo ora ci sono venti gradi, – constatò. Giusto il tempo di fare ammalare un poco di gente.

– Meno male! – fece Marta. – Mia madre a Brescia l'altro ieri aveva meno freddo di me qua a Catania.

– Ovvio! Per prima cosa perché a Brescia siete attrezzati. Nelle case e negli uffici si schiatta dal caldo, mentre qua il concetto di riscaldamento è un po' vago.

La Bonazzoli assentí, ridendo.

– E poi, – proseguí Vanina, – tu ormai ti sei disabituata alle basse temperature.

– Questo è vero, anche se ti confesso che la mia idea di inverno siciliano era parecchio distante dalla realtà. A gennaio e a febbraio il termometro della mia macchina ha dato il segnale del ghiaccio sette volte –. Marta ripensò alla signora Lella Canton, stretta nel suo cappottino in balia dei sei gradi dell'altra mattina.

– A proposito, – disse a un tratto.

– A proposito di che? – chiese Vanina.

– Scusa, seguivo i miei pensieri! A proposito di freddo e di settentrionali, ieri mi ha chiamato la signora Canton. La tizia che ha trovato il cadavere di Torres in aeroporto.

– Quella che si scantava che fosse un morto di mafia?

– Spanò te l'ha raccontato? Poveretta, bisogna capirla. Comunque, voleva sapere se tra qualche giorno, quando avrà finito con i suoi impegni di lavoro qui, potrà tornare a Milano.

– Se non avremo piú bisogno di lei, sí.

Vanina fissò il vecchio ex carcere di fronte, che ormai da tempo ospitava molti dei loro uffici e l'intera flotta delle auto e moto di servizio della Mobile.

Nunnari entrò con la foga di quando aveva qualcosa di importante da dire. Avanzò saltellando col suo rotolo di ciccia che ballonzolava debordante da un completo mimetico. Si bloccò appena intercettò lo sguardo, quasi impietosito, di Marta.

Va bene che la adorava, ma subire la sua pietà proprio no. Soprattutto ora, poi...

– Nunnari? – lo richiamò Vanina, schioccando le dita come a volerlo risvegliare dall'ipnosi.

– Signorsí, capo.

Era tornato in sé.

– Vuoi dirmi perché ti precipitasti qui con tutta 'st'irruenza?

Il sovrintendente si sentí sgamato nella sua debolezza nei confronti della collega, per giunta superiore di grado, e arrossí.

– Abbiamo i tabulati telefonici di Torres, – comunicò, indicando il computer del vicequestore.

– Deo gratias!

Vanina accese il monitor. Cercò i tabulati che Nunnari aveva caricato. Iniziò a scorrerli.

– Aveva fatto e ricevuto pochissime telefonate negli ultimi giorni. Ah, e non usava né sms né WhatsApp né nessun'altra forma di messaggistica, – anticipò il sovrintendente.

– I numeri a chi corrispondono?

– Ancora non feci in tempo a cercarli.

Spanò bussò ed entrò a passo svelto.

– Dottoressa, ho scoperto un'informazione importan-

te che, non lo so come, m'era sfuggita. Ha presente la Makarov che ammazzò a Torres?

– Eh.

– Sua era.

– Sua di chi?

– Di Torres.

Vanina lo guardò stupita.

– Spanò! E che fa, incominciò a perdere colpi?

L'ispettore parò la mano davanti. – Lo so, dottoressa, ragione ha. Mi deve scusare. È che 'sto periodo è un po'... accussí, – abbassò gli occhi.

Ma *accussí* come? Evitò di chiederglielo. Non era da lui una svista simile.

L'ispettore continuò: – Torres aveva il porto d'armi, quando scese a Catania 'sta pistola se la portò appresso. Risulta macari la comunicazione alla polizia di Frontiera.

– E di quest'arma non si hanno piú notizie, ovvio, – concluse Vanina.

– Quelli dell'aeroporto fecero una ricerca, ma 'sa unni finiu.

Vanina si rivolse di nuovo al sovrintendente, rimasto là impalato.

– Allora? Questi nomi? – sollecitò.

Nunnari batté i tacchi.

– Subito, capo.

Quando si accorse che il vicequestore lo stava guardando come si guarda un cretino si scusò. – Mi perdoni, dottoressa. Lei mi disse che non aveva niente in contrario se io sfogavo la mia cine... come disse lei?

– Cinefilia, Nunnari. Anch'io ne sono affetta, e pure assai. Ma non per questo mi combino col paltò e la pipa e mi metto a bere Calvados dalla mattina alla sera.

Quello la guardò confuso. – Ma perché, chi è che beve il Calvados?

Vanina desistette. – Lascia stare, Nunnari. Fai il tuo lavoro, che lo sai fare bene, e poi torna qui.

Nell'uscire, Nunnari andò quasi a sbattere contro Macchia che era appena entrato nell'ufficio della Guarrasi e subito aveva raggiunto la Bonazzoli piazzandosi accanto a lei.

Lo sguardo malandrino di Spanò fece il paio con quello da cane bastonato del sovrintendente che s'era arrestato sulla soglia, gli occhi persi sulla chioma bionda. L'altezza della Bonazzoli non sfigurava nemmeno accanto a quella titanica del primo dirigente. Che per Nunnari, da qualche giorno, era diventato l'uomo piú fortunato della terra.

– Allora, Guarra'? Che mi dici? – attaccò il Grande Capo. – Ho appena incontrato Vassalli in procura, mi ha detto che ti sta dando carta bianca, che procedi spedita e che sicuramente avremo presto buoni risultati.

– Questo ti disse?

Tito sorrise. – Né piú e né meno. Tutto contento, addirittura. La Recupero non lo riconosceva. A proposito: Eliana mi ha chiesto di te.

Eliana Recupero, la pm piú tosta che la Direzione distrettuale antimafia catanese potesse vantare. Grande sostenitrice di Vanina nonché sua ancora di salvezza durante l'inchiesta sul professor Elvio Ussaro, durante la quale l'ineffabile Vassalli non aveva fatto che metterle bastoni tra le ruote, per poi darsela a gambe al momento opportuno. Non avevano l'abitudine di sentirsi, ma ormai si potevano quasi definire amiche. Vanina si ripromise di passare da lei la prima volta che sarebbe andata in procura. Aspettò che il Grande Capo si fosse accomodato e gli raccontò le ultime.

Quando Macchia se ne andò a pranzo, nonostante l'occhiata speranzosa che lui le aveva rivolto, Marta si guardò bene dal seguirlo.

Spanò s'era trattenuto nell'ufficio di Vanina per farle un report delle informazioni non ufficiali racimolate sulla Geraci.

– Allora, dottoressa: Roberta Geraci, meglio nota come Bubi, era un personaggio conosciuto. Titolare della GeRob Congress, che organizza gli eventi piú importanti di mezza Sicilia, e non solo. Alla fine degli anni Settanta si sposò con Oreste Parisi, proprietario di un ristorante. Si separarono a metà dei Novanta, ma non divorziarono. Hanno una figlia, che vive a Parigi. Non risulta che la signora abbia però avuto nuovi legami, né ufficiali né, a quanto mi disse mio cugino, ufficiosi.

Spanò aveva una caterva di parenti, tutti dotati di conoscenze e fonti di notizie che messe insieme potevano risolvere metà dei casi della procura catanese. Questo cugino, per esempio, gestiva una società di catering famosa per allestire friggitorie ovunque ce ne fosse bisogno: feste, eventi, cene private. Tu lo chiamavi e lui s'arricampava munito di gazebo, pentoloni, e scatole su scatole di mini-pizze siciliane multigusto e mini-arancini, per poi concludere, dulcis in fundo, con una prelibatezza esclusiva: i mini-iris appositamente confezionati da Maricchia in persona. Zia ultraottantenne di tutti i cugini Spanò, nonché la pasticcera piú celebre di Catania.

– Nessun legame, a parte quello con Torres, – puntualizzò la Guarrasi.

L'ispettore calò la testa in segno affermativo.

– Che non risultava manco nella categoria degli ufficiosi, perciò significa che doveva essere un legame da ammucciare proprio per bene. Non so se mi spiegai...

Vanina annuí a sua volta. – Si spiegò benissimo.

Marta alzò un dito come a chiedere la parola.

– Scusate, questa non l'ho capita. Un legame se è ufficioso è già di per sé nascosto, no?

– Dipende, – fece Spanò.

– In che senso, dipende? Se è nascosto... – insistette la Bonazzoli.

Vanina intervenne in suo aiuto. Marta aveva serie difficoltà ad afferrare il significato di tutte quelle mezze parole e frasi allusive con cui lei e Spanò, da siciliani purosangue, si comprendevano spesso e volentieri senza bisogno di spiegazioni.

– Spanò ha indagato sia sulle relazioni ufficiali della Geraci sia su quelle ufficiose, che in un paesazzo com'è Catania, girala come vuoi, si vengono a sapere. Soprattutto poi se sei un gazzettino vivente, come ho capito che dev'essere il cugino dell'ispettore. Se però la storia con Torres, che a quanto sappiamo dura da tempo, non era arrivata nemmeno a un orecchio indiscreto come il suo, significa che doveva restare talmente nascosta da non poter rischiare di trapelare nemmeno come indiscrezione. Dunque ci dev'essere un motivo molto molto serio. Ok?

– Ok. Quindi anche pericoloso?

– Esatto.

– Ma non può essere che invece non si sapesse solo perché Torres era uno straniero e a Catania non lo conosceva nessuno?

– E qua arriviamo a Torres, – riemerse Spanò.

Vanina restò in attesa. A volte si chiedeva cos'avrebbe fatto senza le dritte della famiglia Spanò. In cinque

minuti si scoprivano indizi per cui ci sarebbero voluti giorni di indagini. Indizi che poi, puntualmente, venivano confermati.

– Esteban Torres a Catania non era uno sconosciuto. Ogni tanto compariva in città, si girava tutti i ristoranti appresso ai meglio pezzi da novanta che c'erano in circolazione, specie un poco di anni fa. Nessuno mai potti accapíri però che mestiere facesse. Ma a voler scommettere sulla pulizia dei suoi affari... Mi spiegai?

Bonazzoli stavolta annuí per prima.

Vanina riuscí ad agguantare Marta e a portarsela a pranzo. Per farle cosa gradita si adattò perfino a una sorta di bistrot vegetariano – vegano sarebbe stato troppo – dove aveva sperimentato un paio di piatti che non erano niente male.

La Bonazzoli prese una zuppa di legumi, mentre il vicequestore scelse una carbonara con i carciofi e il pecorino romano vero.

– Nuzzarello mi ha appena chiamato. Dice che gli si era rotto il telefono, – comunicò l'ispettore.

– Oh, finalmente si degnò. E allora?

– Niente. L'ho convocato per oggi pomeriggio. Non mi ha chiesto nemmeno il perché, ma immagino che abbia letto i giornali.

– Hai fatto bene. Poi ieri come andò con la moglie di Torres?

– Quando l'ho accompagnata all'obitorio per identificare il marito mi ci è voluta un'ora per farla riprendere. Poveretta.

– Non conosce nessuno, qui a Catania?

– Pare di no.

– E che intende fare?

– Dice che aspetterà l'ex moglie americana di Torres, che dovrebbe arrivare qui domani o dopodomani. Qualcuno l'avrà avvertita.

– Con ogni probabilità l'ufficiale di collegamento con cui parlò Fragapane. Oppure la polizia statunitense, che il dottor Colombo avrà sicuramente già contattato. In ogni caso quando arriva andiamo a sentirla.

– Sí. Ho già detto alla vedova di avvertirci non appena la signora sarà qui. Da quanto ho capito sono in buoni rapporti.

La carbonara di carciofi era magnifica.

– Visto che non è obbligatorio mangiare carne per mangiare bene? – fu il commento di Marta.

– È vero, – dovette ammettere Vanina, – almeno com'è vero che il merito principale è di questo fantastico mantecato di pecorino romano e uova, con cui il carciofo si sposa alla perfezione –. Sorrise, soddisfatta, mentre l'ispettore scuoteva la testa rassegnata.

Prima di affrontare il discorso su Macchia, Vanina aspettò che il piatto di Marta fosse vuoto. Considerato ciò che doveva dirle, quella per l'ansia sarebbe stata capace di non mangiare piú niente. E magra com'era se si metteva pure a saltare il pranzo finiva che la ricoveravano.

– Come va con Tito? – attaccò, versandosi un po' d'acqua. Rigorosamente liscia e non imbottigliata. Vedi tu che le toccava sobbarcarsi. Prove d'affetto erano, queste. – Bene, – rispose Marta, di slancio. Poi si moderò: – Cioè, come al solito.

– Gli stai facendo guadagnare qualche centimetro di sole, a quel mischino, oppure continui a obbligarlo a nascondersi?

La ragazza sospirò. – Vanina, ne abbiamo parlato. Lo sai qual è il problema: lui è il capo ed è nel pieno della sua

carriera. Se va avanti cosí lo promuovono questore. Io sono un ispettore in servizio alla squadra Mobile che lui dirige. Lui è un uomo e io sono una donna. Tira tu le somme.

– Marta, 'sta storia me l'hai ripetuta almeno dieci volte. Ma la sostanza dei fatti è questa: state insieme e sei in servizio nella sua squadra. E poi, non è proprio per questo che l'hai conosciuto? Capita. E per come lo sento parlare di voi mi sembra che lui a te ci tenga veramente. Perciò, se vuoi, ti ripeto il mio consiglio: fregatene e vai per la tua strada. Tanto prima o poi... le cose si vengono a sapere.

Lo sguardo di Marta la fermò. Pareva volerle dire che si stava sbagliando.

– Non sei d'accordo, – indovinò Vanina.

La ragazza continuò a fissarla.

– Vanina, non è esattamente cosí.

– Che le cose prima o poi si vengono a sapere?

– No, – esitò ancora, poi: – Che l'ho conosciuto perché ho preso servizio nella sua squadra.

Vanina staccò le spalle dallo schienale scomodissimo di quella sedia di design, tutta costruita con materiali riciclabili, ma dura che pareva fatta di pietra lavica, e s'avvicinò puntando i gomiti sul tavolo.

– Cioè?

L'ispettore pareva piú imbarazzata della prima volta che ne avevano parlato, quando la capa l'aveva appena sgamata e lei era stata costretta a confessarle quella relazione, che si ostinava a voler mantenere segreta, nonostante Tito mordesse ormai il freno per ufficializzarla.

– Ti sei mai chiesta cosa ci faccia alla Mobile di Catania una poliziotta nata e cresciuta a Brescia, che non aveva mai svolto il suo servizio al di fuori della regione Lombardia?

– Parecchie volte! – rispose Vanina.

– E che risposta ti sei data?

– Che è piú complicato scippare una confidenza a te che a un capomafia.

Marta restò interdetta.

– Che vuoi dire?

– Che due piú due fa quattro.

La ragazza la guardò col punto interrogativo dipinto sulla faccia. Poi a poco a poco comprese quello che Vanina intendeva.

– Da quanto tempo l'hai capito? – le chiese.

– Diciamo un secondo dopo aver saputo da un collega, a Palermo, che il mio dirigente è stato per tre anni alla Mobile di Brescia.

Marta fece un mezzo sorriso.

– E cos'hai pensato?

– Che sei doppiamente scimunita! – scherzò. – Ca perciò: t'innamori di uno, pur di seguirlo t'accolli un trasferimento a duemila chilometri da casa tua, poi quello ti dimostra che con te sta facendo sul serio e tu, invece di essere contenta, che fai? Lo costringi ad ammucciarsi?

Marta s'infervorò: – Ma tu ci pensi a cosa farebbero gli altri se sapessero che sono la compagna del Grande Capo?

Vanina sentí che era il momento di dirglielo. Tanto ormai il rischio digiuno era scongiurato.

– Se lo scoprissero per caso? Scatenerebbero la fantasia. Curtigghi a non finire, tutti basati su supposizioni, che aumenteranno all'aumentare delle volte in cui vi sgameranno. Come a quanto pare hanno già iniziato a fare da giorni. E non smetteranno finché tu gliene darai adito.

La ragazza impallidí, s'agitò sulla sedia.

– Che stai dicendo? Ci hanno scoperti? – Si passò una mano sulla fronte. – E ora che faccio?

Vanina sospirò, sorrise.

– Marta, gioia mia, ascolta a me: hai mai visto scatenarsi curtigghi su una banalissima coppia di fidanzati, magari pure navigata?
– No.
– Vedi? Ti sei risposta da sola.

Erano appena uscite dal bistrot quando a Vanina arrivò una telefonata.
– Dottoressa, il maresciallo Labbate sono.
Ormai tra il maresciallo e lei s'era instaurata una sorta di tacita intesa, che rendeva lo scambio di notizie piú veloce e meno macchinoso di quello ufficiale tra i due pm.
– Maresciallo, mi dica.
– Successe un fatto strano, anzi direi perfino sospetto. Il marito separato della Geraci non si trova.
– Che vuol dire che non si trova?
– Non riusciamo a rintracciarlo. Ai telefoni non risponde, il ristorante è chiuso.
– Dove vive?
– A Catania, in via Torretta Bianca numero 32.
– Ci penso io. Mando subito qualcuno.
– Grazie, dottoressa.
Chiuse la telefonata e chiamò l'ufficio. Si fece passare Nunnari.
– Pigliati Lo Faro e vai a casa del marito della Geraci. Si chiama Parisi Oreste –. Mentre gli dettava il numero sentí che il sovrintendente armeggiava con dei fogli di carta.
– Nunnari, mi stai sentendo?
– Signorsí, capo, è che mi pare... – Silenzio. Poi: – Eccolo! Parisi Oreste, l'avevo appena letto.
– Dove?
– Tra i nomi che corrispondono ai numeri dei tabulati di Torres.

Vanina si accese l'ultima Gauloises nel pacchetto e rallentò il passo. Come le era saltato in testa di farsi convincere da Marta a tornare in ufficio a piedi, ancora non riusciva a spiegarselo. Vero era che la pausa pranzo ormai era ispirata in toto al «Bonazzoli green style», ma tutta quella strada, per giunta col cibo sullo stomaco, non era cosa per lei. Per vendicarsi pretese due fermate: una per il caffè e una per ricomprare le sigarette.

Erano quasi all'incrocio con via Ventimiglia, a un isolato dall'ufficio, quando la telefonata di Adriano Calí impose il terzo stop alla camminata post-prandiale.

– Ho appena finito di lavorare sul corpo di Bubi, – comunicò.

– Bravo. Che mi dici?

– E che ti dico: piú o meno quello che ti avevo anticipato. La morte è avvenuta certamente sul colpo, ed è stata causata da una lesione lacero-contusa fratturativa dell'osso temporale, che ha provocato un'estesa lacerazione del parenchima cerebrale e la conseguente emorragia. L'adipocera ha conservato la lesione pressoché intatta, perciò ho potuto studiarla abbastanza bene. Se Bubi non fosse stata cosí in carne capace che non si sarebbe formata e il corpo si sarebbe decomposto...

– Ecchemminchia, Adriano! Tutti 'sti dettagli! Ho appena mangiato.

Marta scoppiò a ridere.

– Ma vedi tu. Non solo mi precipito a chiamarla! – protestò il medico. – La prossima volta ti leggi direttamente la relazione scritta. Quando la deposito al pm.

– Ava', non fare il permaloso. Piuttosto dimmi una cosa, piú importante: una lesione del genere è troppo estesa per essere stata causata da un evento accidentale? Cioè, voglio dire: è compatibile...

– Con un'ipotetica caduta o una spinta che l'ha mandata a sbattere con la testa sulla pietra del pozzo? In realtà sí. L'osso temporale, specie in quella zona, è il punto piú delicato di tutta la scatola cranica. Stesso discorso vale quindi per un'eventuale lesione arrecata con un corpo contundente, che non ha necessitato di troppa violenza per ucciderla.

– Quindi se il sangue sulla pietra del pozzo è quello della vittima, bisogna considerare l'ipotesi che non sia stata uccisa intenzionalmente, – concluse Vanina.

– Questo lo devi capire tu. Ah, un'altra cosa: aveva avuto rapporti sessuali recenti. Di cui sono riuscito a trovare qualche piccola traccia. E sotto le unghie c'erano residui cutanei. Ho mandato tutto al Ris di Messina per il Dna.

'Sta storia che a occuparsi della Geraci non fosse la Scientifica complicava la cosa. Quasi quasi avrebbe preferito Manenti, almeno con lui poteva parlare di persona.

– Speriamo che facciano in fretta.

Nunnari le aveva lasciato sulla scrivania il foglio con i titolari dei numeri telefonici con cui Torres aveva avuto a che fare negli ultimi giorni.

Luisa Visconti era la moglie. C'erano un paio di telefonate all'albergo di Taormina, due chiamate a numeri svizzeri cui ovviamente non era stato possibile associare un'identità. Poi una in entrata e una in uscita con il famoso Nuzzarello. Vanina aggrottò la fronte.

– Chi è 'sto Xavier Alejandro Torres?

Nunnari le aveva lasciato anche un foglietto dove s'era segnato alcune informazioni aggiuntive. Una Sim turistica era stata rilasciata quindici giorni prima a un cittadino americano di nome Xavier Alejandro Torres.

– Sarà un parente, – ipotizzò Marta.

– Forse. Il fatto interessante però è che proprio in questi giorni si trova in Italia. Spanò, rintracciamolo subito.

L'ispettore fece la faccia contrariata.
– Ci provai, dottoressa. È staccato.
– Va bene. Allora scopriamo dove alloggia, e se necessario andiamo a cercarlo.
Il vicequestore abbassò di nuovo gli occhi sul foglio, dov'erano rimasti due soli altri nomi. Uno era quello di Parisi Oreste, veniva subito dopo un numero fisso, che corrispondeva al ristorante di cui questi risultava proprietario.
L'altro era di un certo Lavía Filadelfo.

Emanuele Nuzzarello, detto Manuel, si presentò dal vicequestore Guarrasi puntualissimo alle quattro del pomeriggio. Capelli ricci a cespuglio, felpa colorata, jeans col cavallo basso. Venticinque anni o giú di lí. Accompagnato da un ragazzo che di nome faceva Fortunato e di cognome Paparone – il sadismo dei genitori certe volte! – e che pareva il suo esatto opposto: maglioncino blu, camicia, jeans regolari, capelli corti. Ficarra e Picone prima maniera, in versione etnea.
– Il signor Torres di persona l'ho visto sí e no tre volte. Venne da noi perché voleva dare in affitto una parte della sua casa di Trecastagni. Ci disse che voleva metterla nei circuiti turistici come casa vacanza, e che aveva bisogno di qualcuno che sbrigasse le questioni pratiche. Lui ci pagava un piccolo stipendio e noi procuravamo gli affittuari. Accettammo subito.
– Quindi voi due gestite cosa? Un'agenzia di viaggi? – chiese Vanina.
I due si guardarono.
– Piú o meno.
– L'agenzia di viaggi ce l'ha mia mamma. Il campo mio e di Manuel sono gli affitti di case vacanza, – precisò Fortunato.

– Una sorta di agenzia immobiliare, perciò?

– Piú o meno.

Vanina alzò gli occhi al cielo. Sorvolò sull'esatta dicitura e andò avanti.

– E vi occupate di molte strutture?

– All'inizio gestivamo quelle di parenti e amici, poi siamo diventati piú conosciuti e le persone che volevano affittare senza avere scocciature hanno iniziato a chiamarci.

– E tutti vi dànno uno stipendio? – Vanina era stupita. 'Sta cosa non l'aveva mai sentita dire.

– Magari! No, la maggior parte delle volte ci occupiamo del check-in e del check-out, e di eventuali emergenze. Ogni tanto anche della promozione sui social e sui motori di ricerca turistici. Il signor Torres era un'eccezione. Ci aveva incaricato della gestione di quasi tutto, comprese le pulizie.

– Si fidava.

Nuzzarello sorrise, compiaciuto. – Dottoressa, modestamente: non c'era motivo di non fidarsi. E poi gli eravamo stati raccomandati da una persona che ci conosce bene.

– E come si chiama questa persona?

Spanò, che assisteva, tirò fuori la penna pronto a scrivere.

– La dottoressa Roberta Geraci.

L'ispettore rimase con la penna puntata sul foglio. Guardò la Guarrasi, che non fece una piega.

– Detta Bubi? – chiese Vanina, per pura conferma.

– Proprio lei.

Restò in silenzio per un attimo prima di proseguire.

– Voi la conoscete bene?

– Benissimo! Abbiamo fatto gli steward a qualche suo congresso. Ci ha aiutato assai nei primi tempi.

– E sapete in che rapporti fosse con il signor Torres?

I due si guardarono.

– Erano amici, credo, – rispose Nuzzarello. – Però quando abbiamo bisogno di qualche cosa riguardo alla casa, sappiamo che dobbiamo chiamare lei. Solo negli ultimi giorni, ora che ci penso, si fece sentire direttamente il signor Torres. Sa, per quei turisti che lei ha incontrato l'altro giorno.

Vanina rifletté su un particolare che un attimo prima le era sfuggito.

– Poco fa lei diceva che Torres aveva deciso di mettere in affitto una parte della casa. Quindi ce n'è un'altra che invece voleva tenere per sé?

– Sí, l'altra metà, – confermò Nuzzarello.

– E lei ha le chiavi anche di quella?

– No, non le ho mai avute. Ma c'è sempre una specie di custode, che vive in una stanza sul retro. La dottoressa Geraci sicuramente le chiavi ce le ha.

Vanina scambiò un'occhiata con Spanò. Poi fissò seria i ragazzi, intimidendoli. Era un effetto che faceva spesso, pur se suo malgrado.

– Non credo sia piú possibile chiederle niente, – comunicò.

– E perché?

– Perché purtroppo Roberta Geraci è stata uccisa.

I due ragazzi sbiancarono.

– Ma... ma come uccisa? – mormorò Paparone.

Avevano entrambi i lucciconi.

– Probabilmente è successo una decina di giorni fa. Il suo corpo è stato ritrovato ieri sera.

Nuzzarello si mise la mano sulla fronte, come a voler sostenere il pensiero.

– E perciò ora state indagando anche sul suo omicidio? – chiese poi.

– Insieme ai carabinieri di Taormina, che hanno recuperato per primi il corpo.

– Era a Taormina, quando è morta? – chiese Paparone, d'un tratto interessato. Tirò fuori lo smartphone e iniziò a scorrere febbrilmente una rubrica. – Ca… cchio, speriamo che è rimasta in memoria, – disse, quasi tra sé e sé.

– Che cosa, signor Paparone? – s'informò Vanina.

Occhi sgranati, attenzione massima. – La telefonata… – mormorò, poi saltò sulla sedia: – Eccola!!!

Si allungò in avanti e mostrò lo schermo alla Guarrasi.

– L'ultima telefonata che mi fece la dottoressa Geraci. Il 16 novembre alle ore 21.44.

Vanina cercò sul computer i tabulati telefonici della Geraci, che il maresciallo Labbate le aveva appena mandato di sgamo e che non aveva avuto ancora il tempo di guardare. L'ultima telefonata era delle 21.44. Da quel momento in poi, silenzio assoluto. Verificò se era il numero di Paparone, e lui confermò.

– Si ricorda cosa le disse? – chiese il vicequestore.

– E come no? Mi disse che era a Taormina, e che un amico con cui era a cena aveva bisogno urgente di un volo aereo per l'indomani, gliel'avrebbe pagato lei.

– E poi questo amico andò da sua mamma a fare il biglietto?

– No, non si fece vivo. Anzi, ora che ci penso: la dottoressa mi disse che mi avrebbe mandato un messaggio con nome e cognome dell'amico e una foto del passaporto, ma poi non lo fece.

– Non si ricorda per caso questo volo dove andava?

– Sí che me lo ricordo. A Miami.

8.

Carlo Alberto Colombo rispose al primo squillo.

– Guarrasi, com'è che mi aspettavo una tua chiamata serale?

Il vicequestore guardò l'orologio: erano le sette e mezzo. La squadra s'era appena dispersa dopo una riunione in cui avevano cercato di mettere insieme i pochi pezzi a disposizione. Quattro elementi sparsi, completamente sconnessi tra loro, piú una sparizione. Vanina era appena uscita dall'ufficio di Macchia, dove aveva aggiornato il Grande Capo sulle novità, compresa quella di aver contattato Colombo per velocizzare i tempi dello Scip. Tito aveva approvato.

– Colombo, tu mi conosci cosí bene che questa domanda non vale una risposta.

Il dirigente sospirò. – Che vuoi da me, tormento dei miei prossimi giorni?

– Secondo te?

– Devo dirti quello che mi piacerebbe o quello che ritengo tu voglia davvero?

– Se per sapere la seconda devo ascoltare per forza la prima, sono disposta al sacrificio.

Quello rise. Poi si calò nei suoi panni istituzionali.

– Siamo seri, Vanina: dopo cosí poco tempo cosa potrei mai aver trovato?

Come dargli torto?

– Vero, ma in questo momento per me qualunque informazione è meglio di niente. E io sono sicura che qualcosa hai già raggranellato.

– Grazie per la fiducia. Comunque ammetto che hai ragione: qualcosina l'ho già trovata. Poco, eh, e ovviamente solo dalle fonti americane. E dalle mie personali.

– Lo so che sei prezioso.

– Meno male! – biascicò. Doveva avere la sigaretta tra le labbra. A Vanina venne voglia di fumarsene una anche lei e se l'accese.

Mentre Colombo continuava: – Venendo a noi: Esteban Torres è entrato negli Usa nel dicembre del 1960, espatriato da Cuba. Dal 1962 è cittadino americano a tutti gli effetti. Ha vissuto a Miami fino al 1976, poi a Tampa fino al 1980. Dalla fine degli anni Settanta entra nel business degli alberghi e dei casinò. Las Vegas, Atlantic City. In società con la moglie avvia un'attività legata all'esportazione di cosmetici, e va a vivere a New York. Nel 1990 si trasferisce in Italia –. Si fermò.

Vanina alzò gli occhi dal foglio su cui s'era appuntata tutto.

– E basta?

– Vanina, in un giorno che t'aspettavi? È già tanto...

Una sequenza di luoghi, di anni, di notizie prese da un sistema di raccolta dati anagrafici. Questo era quanto finora le fonti americane avevano procurato. Ma quelle personali di Carlo? Era sicura che qualche cosa in piú doveva esserci. A meno che Torres non fosse pulito come una sorgente d'alta montagna, ma di questo Vanina dubitava assai.

– Dunque dai tuoi contatti personali nulla?

Colombo non rispose. Vanina lo sentí aspirare e buttare fuori il fumo un paio di volte.

– Domani, Guarrasi, – le intimò.

Una risposta non negoziabile, che in realtà la diceva lunga.

Vanina non insistette oltre.

– Senti, Carlo, potresti controllare che rapporti di parentela ci sono tra Esteban Torres e, – cercò nei tabulati telefonici, – Xavier Alejandro Torres?

Carlo fece ancora una pausa.

– Per te questo e altro.

– Grazie, Colombo.

– A domani, Guarrasi.

Vanina uscí dall'ufficio e andò a recuperare la Mini, che quella mattina per disperazione aveva finito per parcheggiare addirittura dentro il porto di Catania.

Se la fece con calma. Le mani in tasca, il passo cadenzato, si infilò in una straduzza dall'aspetto sgarrupato postbellico, che le ricordava certi vicoli di Palermo non ancora sfiorati dalle opere di restauro degli ultimi anni. Proprio come quella viuzza, che cammina cammina sbucava agli archi della Marina.

Era già quasi al porto quando squillò il telefono.

– Dottoressa, il maresciallo Labbate sono.

Appena un'ora prima l'aveva cercato per comunicargli che i suoi uomini non erano riusciti a rintracciare Oreste Parisi, ma non l'aveva trovato in sede. Aveva lasciato detto al brigadiere che le aveva risposto.

– Mi deve scusare se la chiamo a quest'ora, ma tornai al comando cinque minuti fa e il brigadiere Passariello mi riferí. 'Sta storia di Parisi non mi quadra.

– Manco a me quadra, maresciallo. Anche perché c'è una coincidenza strana.

Gli disse delle telefonate che Parisi aveva ricevuto e fatto a Torres.

– Visto? Non quadra, – si fermò un attimo, poi: – Senta, dottoressa, in tutta sincerità: lei che ha anche elementi relativi a Torres, è convinta per davvero che l'assassino della Geraci e quello dell'americano siano la stessa persona? – disse Labbate.

– Maresciallo, io al momento non sono convinta di niente. Di elementi ne abbiamo pochi e nemmeno troppo precisi.

– Ha ragione. Però cosí, a naso?

– Cioè tipo oracolo? – sbottò Vanina. Ma se ne pentí subito. Quel maresciallo le faceva simpatia.

– Scusi, dottoressa, quello che volevo dire io è se secondo lei, secondo il suo intuito...

Chissà che pensava Labbate di lei. Chissà che gli avevano raccontato, piú che altro.

– Se può essere un doppio delitto a sfondo passionale? – indovinò Vanina.

– Esatto.

Il vicequestore si rassegnò a lanciarsi in un'ipotesi. – Non è un'idea da escludere. Anche per la modalità dell'esecuzione nel caso di Torres: un colpo dritto al cuore. Mentre per la Geraci, se il Ris conferma che il sangue sulla pietra del pozzo è il suo, possiamo ipotizzare che abbia battuto la testa durante una colluttazione. Poi l'assassino, resosi conto di quanto accaduto, per far sparire in fretta il cadavere deve averlo gettato nel pozzo.

– Ecco, vede che lei un'idea già se la fece!

– Un'idea che piú campata in aria non potrebbe essere, maresciallo.

– Ma sempre idea è.

– Certo, però fa acqua da tutte le parti. Perché non dobbiamo dimenticare che tra l'omicidio di Roberta Geraci e quello di Esteban Torres sono passati almeno dieci gior-

una colluttazione, - scuffle

ni. E un'omicida passionale che fa? Prima ammazza uno dei due, poi aspetta tutto quel tempo e ammazza l'altro?

– E macari questo è vero. Ma se è cosí allora perché se ne scappò?

– Vallo a sapere! Di sicuro non fu una genialata.

Il dottor Manfredi Monterreale chiuse l'ambulatorio e s'avviò lungo il corridoio. L'indomani sarebbero stati sette anni che s'era trasferito a Catania da Palermo. Finora non se n'era mai pentito. Certo, non era stata una decisione facile. Andartene dalla città in cui sei nato e felicemente cresciuto, specie se in quella città ci continui a vivere bene, è qualcosa che fai solo se le tue prospettive future lo richiedono. Rimanere a Palermo, purtroppo, per le prospettive professionali di Manfredi sarebbe stato controindicato.

Oltrepassò la porta a vetri opachi sormontata dalla scritta «Pediatria» ed entrò nel reparto. Bussò due volte alla porta della medicheria, dove una collega stava controllando una pila di cartelle cliniche.

– Io vado. Se hai bisogno chiamami, mi raccomando.

– Tranquillo, ce la faccio. E poi non ti sembra di aver già dato, per oggi?

Erano le venti e trentacinque. Aveva superato ampiamente le dodici ore continuative.

Si strinse nelle spalle. – Il bambino col morbillo? – le chiese.

– Sta abbastanza bene. Il fratello maggiore invece, quello diciottenne, è finito in terapia intensiva.

– Encefalite?

– Encefalite, – confermò la collega.

Manfredi sospirò, con rabbia. – Che cazzo.

E pensare che appena due mesi prima aveva fatto di tutto per convincere i genitori di quel bambino a vaccinare

sia lui che i fratelli. Niente da fare. S'era beccato pure un paio di insulti da parte del padre. Capitava, ormai. Non spesso, per fortuna, ma capitava. Ed era quanto di piú pericoloso potesse avvenire.

Tra l'invasione dei duenni e treenni febbricitanti, che vomitavano in preda a una forma virale contagiosissima, e l'ambulatorio ordinario cui afferivano tutti i bambini che seguiva personalmente, la giornata di Manfredi era stata un inferno.

L'unico spiraglio di luce gli era venuto dall'incontro con Toni Falsaperla, un informatore scientifico che gli aveva chiesto un appuntamento per presentargli la sua nuova capo area. I due l'avevano sollazzato per mezz'ora con il racconto dell'esperienza terrificante che avevano vissuto due giorni prima, appena atterrati a Fontanarossa. Un'esperienza da cui la dottoressa Canton, la capo area appunto, faticava a riprendersi. A parte il primo giorno – che pareva di essere sbarcati a Oslo per quanto freddo avevano preso – la città di Catania aveva dato per fortuna il meglio di sé, ovviando in parte all'inconveniente.

Ma la vera buona notizia che, pur senza saperlo, Falsaperla aveva dato a Manfredi era un'altra.

Vanina Guarrasi era tornata.

E a lui non sembrava vero che finalmente l'avrebbe rivista.

Angelina Patanè pareva un'anima in pena. Andava, tornava, si sedeva, si rialzava. Spostava un vaso, aggiustava un centrino. Offriva di tutto: caffè, amari, limoncelli, viscutteddi di mandorla fatti da lei.

Cose da uscire pazzi! Macari a cena a casa gliela portava oramai 'sta bedda spiccia, quel rimbambito di Gino! D'altra parte, di che si stupiva? Cu nasci tunnu, qua-

tratu nun more. Quando uno è fimminaru, resta fimminaru a vita.

Ma stavolta la cosa era piú grave. Perché 'sta Vannina, a Gino suo, i sensi non glieli aveva fatti scirrare nel solito modo. Nossignore. Qua non si trattava di una bedda fimmina per la quale suo marito s'era pigliato una sbandata. Quello che s'era creato tra lui e la Guarrasi andava oltre l'intesa che si può instaurare tra un uomo e una donna, pur con tutte le attenuanti che l'età avanzata di lui garantiva ad Angelina in tal senso. C'era complicità, e c'era affetto: da parte di uno sbirro che la sua divisa la rimpiangeva ormai da quasi vent'anni, per una sbirra che quella stessa divisa la indossava con l'identico spirito con cui l'aveva indossata lui. E che oltretutto, pezzo per pezzo, gliela stava ricucendo addosso piú impicata di prima.

– Angilina, gioia mia! Piffavuri, la testa mi stai facendo furriari!

Il commissario Patanè si voltò verso la porta del salotto, dalla quale sua moglie entrava e usciva senza sosta.

Angelina ricomparve con la faccia perplessa, come se tutto quel vai e vieni fosse la cosa piú normale di questo mondo.

– Avete bisogno di qualche cosa? – chiese.

Vanina si sforzò di non ridere.

Patanè era rilassato. Se ne stava seduto sul lato destro di un divano biposto, il cui lato sinistro era occupato da lei. Che quella sera gli era spuntata in casa con scarsissimo preavviso, col solo intento di raccontare gli sviluppi di quel doppio omicidio sul quale aveva le idee piú confuse che mai. Sperava perlomeno nel senso di conforto che il vecchio commissario riusciva a infonderle.

Era finita che lui l'aveva invitata a fermarsi per cena. Una cena da dieci e lode, a base di capone sfilettato e

gratinato al forno e verdura *maritata* lessa e poi passata in padella con aglio e olio. E un pane speciale comprato in un forno che usava solo farine di grani antichi, e che, a detta di Patanè, pareva una gioielleria.

– No, Angelina, non abbiamo bisogno di niente. La dottoressa già assaggiò tutto.

Gino capí che la grande agitazione di Angelina era dettata da una botta di gelosia. Pura e semplice.

– Perché non t'assitti qua, assieme a noi, e ti senti 'sta storia che è interessante, – le propose.

La donna non se lo fece ripetere due volte, e si andò a piazzare sulla poltrona al lato del marito.

– Perciò, dottoressa, – riassunse Patanè, – Torres e la Geraci erano amanti, e questo è pacifico. Dovevano passare due mesi assieme a Taormina in incognito, e macari chistu è pacifico. Lui all'ultimo avverte che ritarda qualche giorno, ma lei si presenta ugualmente all'albergo. Sta due giorni, poi sparisce e di lei non se ne sa piú niente. Ora scopriamo che giaceva ammazzata dentro il pozzo. E che a quanto pare l'ultima persona che ha incontrato e con cui ha cenato era un amico, al quale il giorno appresso la Geraci avrebbe dovuto pagare di tasca sua nientedimeno che un viaggio, giusto giusto a Miami, dove Torres abitò per tanto tempo, – fece una pausa, e riprese a parlare. – Poi ci sono le telefonate che Torres ricevette. L'ultima di chi era, che non me lo ricordo? Del marito della Geraci?

– No, di un tizio. Un certo Lavía Filadelfo. Che risulta domiciliato a Trecastagni.

– Lavía Filadelfo… – Patanè ci pensò sopra, si grattò il mento, come faceva sempre quando cercava di richiamare alla mente qualcosa. – Vabbe', poi magari mi viene, – scosse la testa, continuò il ragionamento. – E per finire, colpo di scena, il marito della Geraci decide di dileguarsi.

– Iddu l'ammazzò, – decretò Angelina. Che il ragionamento di Gino suo se l'era seguito tutto con attenzione. – Sempre accussí è stato: una questione di gelosia è capace di armare la mano di un cristiano peggio di una questione di piccioli.

– Sarebbe la cosa piú ovvia da pensare, – commentò Vanina. Ma l'occhiata che si scambiarono lei e Patanè diceva tutt'altro. Ad Angelina fece andare il sangue alla testa.

– Sicunnu mia, domani qualche cosa di interessante l'amico suo di Roma ce la conterà, – rifletté il commissario.

Aveva iniziato a usare la prima persona plurale, questo significava che ormai quell'indagine se la sentiva anche sua.

Com'era già capitato altre due volte, e con felicissimi risultati, il commissario in pensione Biagio Patanè era tornato operativo. Per la felicità della Guarrasi, e per la somma disperazione di Angelina.

Vanina arrivò a Santo Stefano quando in casa di Bettina le luci erano spente e porte e finestre già sprangate per la notte.

Si accese una sigaretta e se l'andò a fumare seduta su una delle poltroncine di ferro intorno al tavolo col ripiano di ceramica, nella verandina che dava sull'agrumeto. In quel periodo gli alberi erano carichi all'inverosimile. Arance, mandarini, limoni, pompelmi. La buonanima del marito di Bettina non s'era fatto mancare niente.

La luna era quasi piena e il vento dei giorni precedenti aveva spazzato via ogni singola nuvola. A destra, il profilo della Muntagna si distingueva in tutta la sua imponenza. Muta, per il momento, eppure mai inanimata.

Il telefono, che in casa Patanè Vanina aveva tenuto silenzioso per tutto il tempo, le stava presentando il conto tra telefonate, messaggi e audio-messaggi.

Quelli scritti erano tutti e due di Giuli, che Vanina aveva dovuto bidonare per il secondo giorno consecutivo e che esibiva le sue rimostranze di amica abbandonata nel momento del bisogno. Sull'effettivo «bisogno» che l'avvocata potesse avere di lei, Vanina nutriva qualche perplessità. Una che per lavoro smantellava matrimoni dalla mattina alla sera, tra divorzi e annullamenti alla Sacra Rota, e che teneva alla larga da sé qualunque legame che implicasse la coabitazione, grossi problemi sentimentali non poteva averne. Solo una persona era capace di far perdere la testa all'avvocato De Rosa, ma si trattava di una passione irrimediabilmente unilaterale e senza alcuna speranza di concretizzazione. E di questo Giuli per prima era consapevole.

Le scrisse che prometteva di adempiere i suoi doveri di amica l'indomani sera.

Le due telefonate, una alle ventuno e un'altra alle ventuno e trenta, erano di Manfredi Monterreale. A Vanina venne spontaneo sorridere. Era inutile negare che le faceva piacere averle ricevute. Anzi, peccato non essersene accorta prima.

Aprí WhatsApp per scrivergli che le dispiaceva non averlo sentito e che l'avrebbe richiamato l'indomani. Ma si accorse che era online.

«Sveglio?» gli scrisse.

Prima comparve un'emoticon con la faccia felice. Poi: «Mi' che onore, dottoressa Guarrasi!» Seguito da domande su come stava, quand'era tornata, come aveva trovato la loro comune città natale, e via di seguito. Vanina capí che per com'era presa quello era capace di andare avanti

a botta e risposta per tutta la notte e, per quanto insonne potesse essere mediamente la sua, passarla a chattare non era cosa per lei.

Cercò il numero e lo chiamò.

– In ospedale lo devo scoprire che sei tornata? – le rispose subito.

– Come in ospedale? E chi te l'ha detto?

– Si dà il caso che quei due mischini che trovarono il tuo nuovo morto ammazzato lavorino per un'azienda che produce anche farmaci pediatrici.

Vanina rise.

– Mischini per davvero, specialmente la donna. A quanto mi raccontò Spanò s'era scantata assai.

– Ca vorrei vedere!

Si fecero una lunga chiacchierata; da buoni amici, quali avevano deciso di essere. Un'amicizia che a essere franchi era iniziata in tutt'altro modo. Manfredi era stato uno dei testimoni chiave nell'ultima indagine che Vanina aveva concluso prima di precipitarsi a Palermo. I loro incontri extra lavorativi consistevano al momento in un paio di pranzi e cene, durante i quali il medico aveva fatto sfoggio del suo straordinario talento gastronomico prendendola letteralmente per la gola. Dalla cena al dopocena il passo era stato breve, e tra una canzone di De André e una bottiglia di vino, erano finiti com'erano finiti. Era successo una volta sola. E pur di non perdere l'amicizia di Vanina, Monterreale s'era rassegnato signorilmente ad archiviare quella sera senza piú toccare l'argomento appena s'era reso conto di quanto fosse ancora ingombrante la presenza di Paolo Malfitano nella sua vita.

Si lasciarono con la promessa di pranzare insieme appena possibile.

Gli audio-messaggi erano di Paolo. Vanina li conservò per dopo, anche se per coerenza avrebbe dovuto cancellarli. Si specchiò nel vetro della cucina e si rise in faccia. Coerenza! Pure il coraggio di pigliarsi per il culo da sola aveva.

Di sonno manco a parlarne. E siccome non c'è niente di peggio che rigirarsi nel letto, alla mercé dei peggiori pensieri, non le restava altro che tenersi occupata nell'attesa che la stanchezza vincesse sulla sua maledetta natura di animale notturno.

Si mise a riflettere sull'indagine, soffermandosi su un particolare che fino a quel momento le era sfuggito e sul quale solo i carabinieri potevano illuminarla. Ma a quell'ora non era il caso di svegliare né Labbate né tantomeno Silvani.

Se ci fosse stato un solo elemento concreto su cui investigare, qualche sospetto che non fosse disperso nel nulla, ora almeno lei avrebbe avuto qualcosa da fare. Magari qualche incursione notturna o qualche appostamento improvvisato. Le migliori intuizioni le erano sempre arrivate di notte.

Scaldò una tazza di latte, tirò fuori dal pacco quattro biscotti al cioccolato, e si andò a piazzare sul divano grigio. Accese la televisione e cercò qualcosa che potesse piacerle. Aveva ragione Adriano: doveva decidersi a cambiare quel maxi schermo un po' datato con una smart tv. Per una cinefila era basilare. Vero era che la maggior parte dei film papabili per lei erano talmente datati che nelle piattaforme digitali se ne trovavano in piccola quantità, ma almeno tra quelli piú nuovi o – perché no? – tra le serie tv avrebbe avuto vasta scelta.

Allungò il braccio verso il tavolino per prendere l'ultima sigaretta della nottata, ma invece del pacchetto si ritrovò

in mano l'iPhone. Lo fissò a lungo, finché la notifica di un sms automatico della compagnia telefonica non illuminò lo schermo mostrandole il mare di Palermo.

Aprí WhatsApp e ascoltò gli audio-messaggi di Paolo.

L'ultima sigaretta se la fumò bagnata.

9.

Il commissario Patanè s'era svegliato che fuori era ancora buio. Aveva fissato il soffitto per mezz'ora, poi per un'altra mezz'ora s'era voltato e rivoltato finché non aveva capito che a forza di arriminarsi in quel modo avrebbe finito per svegliare Angelina.

S'era alzato e aveva preparato il caffè. Era venuto una fitinzía, ma sempre meglio di niente.

Era dalla sera prima, da quando la Guarrasi se n'era andata, che la testa gli tornava sempre sul caso del morto ammazzato all'aeroporto.

Doveva esserci qualche cosa che lei aveva detto e che l'aveva colpito. Ma non aveva idea di cosa fosse. Un nome? Un luogo? Non gli poteva pace. Una volta 'sti arrovellamenti si risolvevano in dieci minuti, il tempo di mettere in funzione la memoria e in un modo o in un altro il collegamento veniva fuori. Come si diceva al giorno d'oggi? La banca dati. Ecco, lui la sua banca dati personale ce l'aveva avuta sempre in testa. E 'sto fatto che oramai non riusciva piú ad accedervi rapidamente gli faceva girare i cosiddetti.

In punta di piedi, per evitare risvegli e conseguenti intrusioni, entrò nel bagno. Tirò fuori dalla doccia tutti gli 'mmarazzi che Angelina s'era fatta accattare dai figli in previsione di future disabilità, e la cui sola vista gli scatenava ogni volta l'istinto immediato di grattarsi, e s'infilò sotto l'acqua calda.

Mezz'ora piú tardi era lavato, sbarbato e vestito di tutto punto.

Aspettò le sette e mezzo, orario in cui l'edicola vicino casa sua apriva i battenti, e uscí appena in tempo per non dover rendere conto e ragione di dove fosse diretto. Fece incetta di quotidiani e si sedette al solito bar. Il geometra Bellía, compagno di tante colazioni e altrettante conversazioni, era già lí e ammorbava il ragazzo dietro il bancone con il resoconto dettagliato di tutti i talk show politici che s'era visto la sera prima. E di cui a quel povero caruso, visibilmente, non importava un fico secco.

– Ginuzzo! – lo salutò.

Patanè ricambiò il saluto.

Ordinò un caffè, che quello che s'era fatto da solo gli aveva lasciato un malo sapore in bocca, tanto scarso era. E un panzerotto al cioccolato, che cosí la giornata cominciava meglio.

Aprí il primo giornale, «La Gazzetta Siciliana», e partí dalla cronaca nera.

Vanina cominciò a santiare che ancora non era arrivata neanche all'altezza di Canalicchio. L'asse autostradale che portava dritto in centro era bloccato e si procedeva a passo d'uomo.

Il sistema audio della macchina aveva agganciato il suo telefono e stava riproducendo una musica che lei ignorava di possedere. Una compilation completa degli U2 che non si sarebbe mai sognata di scaricare, ma che chissà perché era lí piazzata in mezzo alle sue canzoni preferite. Per dare un senso a tutto il tempo che stava perdendo appresso a quella coda infinita, Vanina si mise a smanettare sull'iPhone finché non riuscí a disattivare i brani indesiderati e a spedirli sulla nuvoletta.

Scartò Vasco, che quel giorno non la ispirava. Evitò qualunque altra cosa che potesse ricordarle per qualche motivo Paolo. Alla fine selezionò una playlist di musica classica e fece partire la riproduzione. Quel genere musicale era una sua fissazione recente. Ci si era avvicinata grazie a un maestro di violino del Conservatorio di Santa Cecilia conosciuto nel corso di un'indagine chiusa da poco.

Tra una partenza e una fermata si fece fuori il cappuccino e il cornetto che s'era portata appresso dal bar *Santo Stefano*. Era uscita di casa talmente tardi che stavolta Alfio aveva dovuto passarle il cartoccio direttamente dal finestrino dell'auto. Per farle cosa gradita le aveva infilato nel pacchetto anche una decina di *totò* al cioccolato.

In piene nozze di Figaro il sistema audio si bloccò per ricevere una telefonata.

Era Tito Macchia.

– Vani', dove stai?

Aveva appena passato il blocco, causato da uno scavo che qualche genio della gestione pubblica aveva pensato bene di far eseguire all'ora di punta.

– Imbottigliata nel traffico.

– Quando pensi di arrivare?

Vanina guardò l'orologio. Erano già le nove. Calcolò i tempi.

– Mezz'ora al massimo. Perché?

– C'è qui una persona che ti cerca.

– E chi è?

– Tu pensa a sbrigarti, che sei in ritardo –. Riagganciò, lasciandola con un palmo di naso.

Vanina arrivò alla Mobile in dieci minuti, e ce ne mise altri dieci per parcheggiare.

Entrò nel portone, salí le scale fino al primo piano e infilò il corridoio della sua sezione. La porta della sua stan-

za era aperta, ma dentro non c'era nessuno. Dall'ufficio del Grande Capo invece si sentivano provenire delle voci.

Vanina bussò e aprí. Carlo Alberto Colombo, primo dirigente del Servizio per la cooperazione internazionale di polizia, le venne incontro col suo sorriso piú smagliante.

Tito si alzò dalla poltrona, che per il contraccolpo ebbe un sobbalzo.

– Vabbuo', io me ne vado che il questore mi sta aspettando. Vani', senti quello che ti deve raccontare Carlo. Se ti conosco bene, scommetto che in questa faccenda ci sguazzerai, – sghignazzò reggendo il sigaro spento tra i denti e aggiunse: – Vassalli forse un po' meno.

S'infilò la giacca taglia 58 abbondante, salutò e uscí.

La Guarrasi e Colombo passarono nell'altro ufficio.

– Guarrasi, questa stanza è proprio da te! – constatò Carlo, appena entrato.

Vanina lo fece accomodare su una delle due poltroncine di fronte alla sua.

– Perché, com'è questa stanza?

– Non c'è nemmeno uno dei tipici elementi che si trovano negli uffici delle donne. Non so: qualche pianta, un paio di quadri alle pareti, – fissò il marasma che regnava sul tavolo del vicequestore, – una scrivania ordinata, – aggiunse.

– Carlo, io ho il pollice nero, perciò una pianta qua dentro non sopravvivrebbe a lungo. I quadri non mi pare siano una prerogativa femminile, anzi conosco uffici di uomini che mi fanno invidia per come sono ben arredati. Riguardo all'ordine, sai che non è il mio forte.

– Dunque ho ragione a dire che questa stanza è targata Guarrasi, – concluse Carlo.

Si accesero una sigaretta.

– Allora: me lo dici perché ti scapicollasti fino a Catania? – attaccò Vanina.

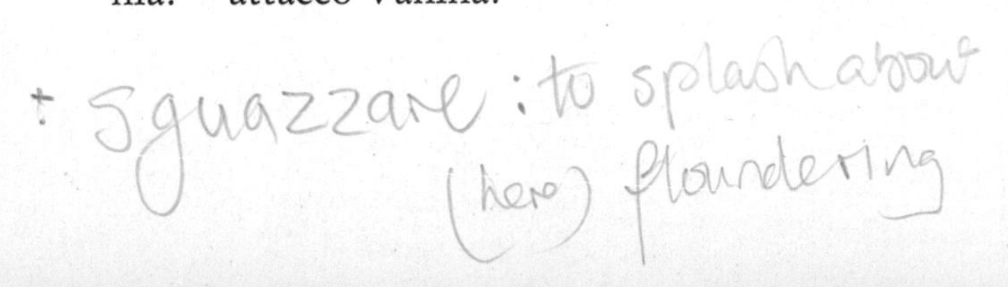

Carlo si fece scappare un sorriso. Quanto gli piaceva quella parlata.

Si ricompose. – Allora, mia cara, quella su cui stai indagando è una faccenda molto piú grossa di ciò che sembra, o perlomeno lo è il nome su cui hai chiesto informazioni.

Vanina lo guardò interrogativa.

– Ieri, quando mi hai chiamato, non ho voluto dirti nulla senza prima consultarmi con i colleghi americani. Appena s'è fatta un'ora consona per chiamare gli Stati Uniti, ho contattato Arthur Trevis, un collega dell'Fbi con cui ho collaborato e collaboro tuttora. Arthur mi ha detto di essere già a conoscenza dell'omicidio di Esteban Torres, e che dato il soggetto in questione si aspettava di ricevere presto richiesta di cooperazione dalla polizia italiana.

– Il soggetto in questione? – ripeté Vanina.

Colombo assentí.

– Vedi, Guarrasi, Esteban Torres era un personaggio abbastanza noto alla polizia americana. Fedina penale pulita, immagine impeccabile, mai beccato a commettere il piú piccolo reato, eppure in odore di mafia da lasciare la scia al suo passaggio. Un odore che però, nonostante le centinaia di indagini che l'Fbi ha condotto su di lui, tale è sempre rimasto. I primi contatti con la criminalità organizzata Torres li deve aver avuti già negli anni Sessanta. Roba di scarsa importanza, per lo piú connessa al gioco d'azzardo gestito dai fuoriusciti cubani, che in quegli anni erano tantissimi. Mai dimostrati. La prima volta che l'Fbi s'imbatte nel nome di Esteban Torres siamo già negli anni Settanta e lui s'è trasferito a Tampa. Gestisce dei bar e un paio di ristoranti, ma le voci dicono che in realtà fosse un prestanome della mafia italo-americana che si era insediata lí. Voci che non si riescono a dimostrare in alcun modo. Nel frattempo Torres fa carriera, compra un

albergo, poi un altro. Diventa un uomo d'affari e si butta in quello che evidentemente doveva essere il suo cavallo di battaglia: il business del gioco d'azzardo. Legale, s'intende. Diventa proprietario di un albergo con casinò a Las Vegas, di un casinò ad Atlantic City. Tieni conto che negli anni Ottanta qualche grosso colpo al controllo mafioso dei casinò di Las Vegas l'Fbi l'aveva messo a segno, ma Esteban Torres ne era uscito indenne. Pulito. A un certo punto si trasferisce a New York, dove ha comprato un altro albergo, e ha messo su un'attività di import-export in società con l'ex moglie, che commercia nel settore dei cosmetici. Lí avviene il salto ulteriore: Torres inizia a comparire negli ambienti dell'alta finanza. E il suo nome finisce di nuovo tra quelli segnalati all'Fbi, per un sospetto di collusione con una delle piú importanti famiglie mafiose newyorkesi. Ancora una volta, però, Torres sembra essere inattaccabile. Anzi, la sensazione che si ha è che la sua rete di contatti sia… come posso definirla? *Super partes*. Di piú, sembra che lui abbia un ruolo importante nei rapporti tra cosa nostra statunitense e quella siciliana. In particolare catanese.

– E sai anche con quali famiglie catanesi si sospetta abbia avuto contatti?

A occhio e croce, se Torres aveva una posizione tale da essere addirittura inafferrabile, la famiglia poteva essere una sola.

– Gli Zinna, – le confermò Colombo.

Vanina annuí. Le partí il solito senso di nausea, che a Palermo l'aveva accompagnata senza mai mollarla per due settimane. Nausea, orticaria, rigetto. Avere a che fare con quei nomi, con quella feccia, era l'ultimo dei suoi desideri.

Carlo continuò: – Nel 1990 si trasferisce nel nostro Paese, diventa cittadino italiano, ma mantiene la cittadi-

nanza americana. Anche qui apparentemente le sue attività sarebbero tutte piú che lecite, compresi gli affari che da qualche anno aveva intrapreso con Malta. Settore casinò, ovviamente.

Vanina lo interruppe. – Scusa, Carlo, fammi capire: tu il dossier di Torres lo conoscevi già quando ti ho chiamato la prima volta? – chiese, seccata.

– A menadito. Ci ho lavorato anche sopra, per essere precisi.

– E la tua presenza qui che significa, perciò? Che il caso passa a voi?

Colombo sorrise.

– Pensa che avevo immaginato anche una reazione del genere. Ti conosco bene, eh Guarrasi! – Vanina non aveva voglia di scherzare.

– Colombo, per piacere cerca di finirla e parla chiaro.

– Ma com'è che sei sempre cosí diffidente? Secondo te c'era bisogno che io venissi qui di persona, se dovevo solo comunicarvi che l'indagine sarebbe passata a noi? Poi che vuol dire «noi»? Facciamo parte della stessa squadra, tu e io. Siamo dalla stessa parte.

Vanina s'ammorbidí.

– Allora perché sei qui, Carlo?

– Per due motivi, Vanina. Il primo è che non sono per niente sicuro che l'omicidio di Torres sia legato all'ambiente della criminalità organizzata, anche considerata la coincidenza della sua amante trovata nel pozzo di Taormina. Ma questa è solo una mia idea. Il secondo, invece, riguarda proprio te.

Sembrava una frase a doppio senso, ma Vanina capí che stavolta era serio.

– E in che modo?

Colombo si sporse in avanti.

– Guarrasi, io sono convinto che se c'è una persona capace di sbrogliare questo rompicapo, quella sei tu. E l'indagine è tua. Con la tua esperienza, ovvio che a nessuno verrebbe in mente di considerarti inadatta a scovare eventuali coinvolgimenti mafiosi. Però tutti i motivi di cui sopra rendono obbligatoria la nostra partecipazione. A questo punto meglio che ci sia io qui, che con te ho lavorato per due anni, piuttosto che un'altra persona magari imposta dall'alto.

Il ragionamento non faceva una piega.

Colombo aveva tirato fuori una cartellina dalla borsa e stava per inforcare di nuovo gli occhiali, quando bussarono alla porta.

La Bonazzoli entrò nell'ufficio di Vanina e si bloccò.

Vanina la tolse dall'imbarazzo presentandola a Colombo, che con fatica evidente cercava di staccarle gli occhi di dosso.

– L'ispettore Marta Bonazzoli, uno degli elementi piú validi della squadra.

– Carlo Alberto Colombo, – le strinse la mano.

– Il dottor Colombo è un dirigente dello Scip. Viene da Roma, – spiegò Vanina.

– Posso ripassare dopo, se preferisci, – disse Marta, esitante.

– Non ce n'è motivo –. Le fece segno di avvicinarsi. Santa picciotta, ma come può essere cosí timida! – Cosa mi dovevi dire?

Marta venne avanti.

– Stamattina ho ricontrollato i tabulati telefonici della Geraci che il maresciallo Labbate ci aveva mandato ieri sera. Il fatto curioso è che tra i numeri che ricorrono piú spesso negli ultimi giorni ce ne sono tre che corrispondono a quelli presenti nei tabulati di Torres. Il primo è di

Oreste Parisi, che però è anche il suo ex marito, quindi non stupisce.

– Stupisce di piú che sia tra le telefonate ricevute da Torres, – commentò Vanina.

– Ricevute ma soprattutto effettuate, – precisò Marta. Poi proseguí: – Il secondo nome è quello di Filadelfo Lavía. Sono tutte chiamate in entrata relative agli ultimi due mesi. E infine il terzo, che compare piú volte ma solo l'ultimo giorno. Sia in entrata che in uscita, prima del silenzio assoluto. Ma che è anche il piú singolare. Quello di Xavier Alejandro Torres.

I due rimasero in silenzio, sorpresi.

Vanina, perché a questo secondo Torres non aveva ancora dato una collocazione precisa.

Colombo, perché si ricordò del foglio che aveva in mano.

– E qui torniamo a noi, – disse. Tirò di nuovo fuori gli occhiali dal taschino e iniziò a leggere il dossier che il preziosissimo Trevis gli aveva mandato quando in Italia era già notte. Carlo gli aveva dato giusto un'occhiata pensando di leggerlo meglio in aereo, ma poi s'era addormentato prima ancora del decollo.

– Torres Xavier Alejandro, nato a L'Avana il 21 aprile 1973. Genitori: Torres Juan e Gutiérrez Carmen. Nel 1994 entra negli Stati Uniti. Probabilmente nel corso dell'ondata migratoria che ci fu in quegli anni da Cuba. Sapete... – Sollevò lo sguardo per cercare consenso alla sua interpretazione, ma non trovò terreno fertile.

Le conoscenze di Vanina sulla storia di Cuba erano scarse, e piú che altro cinematografiche. Marta ignorava quasi tutto.

Colombo proseguí: – Nel 1996 diventa cittadino americano. Professione ufficiale: indossatore. La cosa interessante è che il padre di Xavier era fratello gemello di Esteban.

È deceduto di morte naturale in territorio statunitense, nel 1975, ma era un cittadino cubano, cosí come la moglie che risulta tuttora residente a L'Avana.

Posò il foglio sul tavolo e si tolse gli occhiali. – Questo è quanto, per il momento.

Vanina rifletté sulla cosa.

– Marta, ieri vi avevo chiesto di cercare notizie su questo Torres. Quando e come è arrivato in Italia eccetera. Dobbiamo capirci di piú, – disse.

– Se ne sta occupando l'ispettore Spanò.

– Nunnari dov'è?

– È tornato con Lo Faro a cercare il marito della Geraci, ma da quel fronte nessuna notizia.

– Il marito della donna uccisa è scomparso? – chiese Colombo.

– Irrintracciabile per la precisione, – rispose Vanina.

– In teoria un'autoaccusa, – commentò il dirigente, ma con un'espressione dubbiosa.

– E infatti al momento entrambi i pm che si occupano dell'indagine sembrano convinti che quella del doppio delitto passionale sia la strada maestra da seguire.

– Perché due pm?

– Perché Taormina, dov'è stato trovato il corpo della Geraci, è in provincia di Messina, – spiegò il vicequestore mentre si alzava in piedi e recuperava sigarette e iPhone. S'infilò la giacca.

Colombo la guardò indeciso.

– Dove stai andando?

– Perché? Tu non vieni con me?

Quello balzò in piedi.

– Certo, – agguantò giacca e borsa. – Ma dove andiamo?

– In un ridente paesino etneo che si chiama Trecastagni.

Si mossero verso la porta.

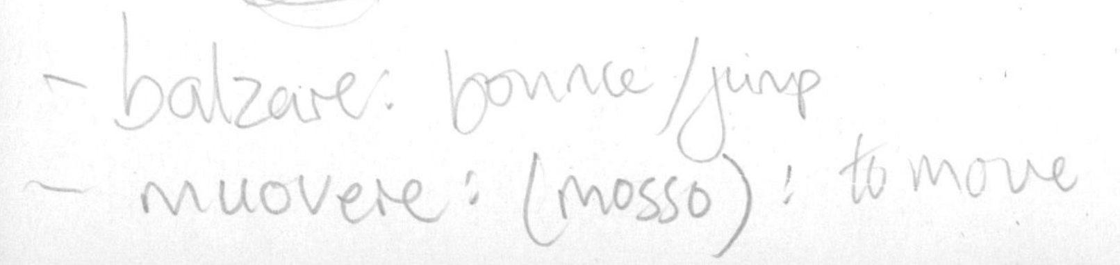

Marta era corsa nella sua stanza a recuperare il giubbotto.

– L'ispettore non viene con noi? – s'informò subito Colombo.

Vanina lo guardò storto.

– Carlo, levaci mano che non è cosa per te.

Quello sorrise. – Non capisco cosa tu voglia dirmi con questo avvertimento in perfetto stile siculo. La mia domanda non nascondeva nessun doppio fine.

– Tu ascoltami, e non fare domande. Che il senso delle mie parole lo capirai anche fin troppo presto.

Marta li raggiunse sulle scale, li superò e se ne andò dritto filato nel cortile della caserma davanti. Un minuto dopo ne uscí al volante di un'auto di servizio.

Vanina era appena salita a bordo quando da un'altra auto uscí a razzo, quasi rotolando, il sovrintendente Nunnari.

– Capo! – gridò, caracollando verso il suo finestrino.

– Nunnari, calmati. Non me ne scappo.

– Scusi, capo, ma c'è una cosa importante che le debbo comunicare! Abbiamo trovato il marito della Geraci.

10.

Vanina cercò di ricapitolare. – Nunnari, mi spieghi meglio, l'ex marito di Roberta Geraci si trovava in ritiro spirituale? – Il sovrintendente annuí in modo vistoso, pareva quasi che si stesse inchinando. S'era infilato nella loro auto e condivideva il sedile posteriore con Colombo, sulla cui posizione nell'ambito dell'indagine aveva capito ben poco. L'unica cosa evidente era che doveva essere un pezzo grosso. Il che aveva inibito del tutto la sua sindrome del marine.

– All'Eremo di Sant'Anna, – precisò.

– E ora dov'è? – chiese Vanina.

– Sempre là.

– E che vogliamo fare, vogliamo lasciarlo in ritiro? – s'innervosí il vicequestore, mandando Nunnari in confusione.

– No, certo, capo. Lo Faro e io ci stavamo andando.

– Lasciate stare, – disse il vicequestore, – ci andiamo noi. Dov'è 'sto posto?

– A Valverde. Le mando la posizione su Google Maps?

– Ecco bravo, mandamela.

Nunnari uscí dalla macchina mentre Marta riavviava il motore e partiva.

Il messaggio con la posizione dell'eremo arrivò subito e Vanina impostò il percorso; quello piú veloce passava dalla strada costiera per poi inerpicarsi.

Approfittò del primo tratto per fare tutte le telefonate

dovute. Al maresciallo Lạbbate, che si mosse subito per raggiungerla sul luogo, e al pm Vassalli che doveva coordinarsi con il collega messinese.

Presero il lungomare e Colombo indicò l'albergo in cui avrebbe alloggiato. Un edificio moderno, con un ristorante adiacente. Quella mattina aveva fatto appena in tempo a mollare lí il bagaglio ed era corso alla Mobile convinto che fosse già tardi. Solo dopo s'era ricordato quanto la Guarrasi patisse il suono della sveglia.

Fecero la statale per Aci Castello fino alle indicazioni per Valverde - San Gregorio, svoltarono e iniziarono a salire. Passarono piú o meno davanti a casa di Maria Giulia De Rosa, il che ricordò a Vanina che non poteva darle buca per la terza volta di seguito. Le scrisse un messaggio telegrafico, ma deciso. «Stasera a casa mia. Per l'orario ci aggiorniamo».

Colombo rimase tutto il tempo in silenzio a guardarsi intorno mentre s'inoltravano nelle strade che dalla collina di Aci Castello portavano a Valverde. Vanina immaginò che impressione potessero fare a uno come lui tutte quelle incongruenze paesaggistiche con cui loro erano abituati a convivere da sempre e cui Marta stessa ormai aveva fatto l'occhio. Poetiche casuzze di pietra lavica, per lo piú sgarrupate, che si alternavano a cubi – se non ad agglomerati – di cemento armato. Stradine pittoresche con tanto di muretti antichi di pietra, anche quella lavica, in alcuni punti ridotte a depositi di spazzatura improvvisati da cittadini troppo poco civili per adeguarsi alle regole della raccolta differenziata.

– Che meraviglia! – esclamò Marta quando imboccarono la discesa che conduceva all'Eremo di Sant'Anna. Un muraglione grigio alto, al di là del quale spuntavano dei

- eremo: hermitage (retreat)

cipressi, e in fondo una chiesa affacciata verso la riviera dei Ciclopi.

Parcheggiarono nel piazzale adiacente alla chiesa, grigia con qualche traccia di bianco, come tutte le costruzioni della zona. Era pieno di macchine, difficile immaginare a chi appartenessero visto il vuoto che c'era intorno. Guardando giú oltre il muretto che lo delimitava si vedevano i terrazzamenti del terreno intorno all'eremo, in parte coltivato con vigneti e agrumeti. Dal quale non proveniva un solo suono.

Vanina iniziò a innervosirsi. Vedi tu che quei due deficienti si sono fatti prendere per il culo. Entrò in una zona delimitata da una cancellata, con pavimenti di maiolica, dov'era il portale chiuso della chiesa. Bussò a un portoncino.

Colombo e Marta la raggiunsero.

Avevano quasi perso le speranze quando qualcuno si fece vivo.

Vanina si qualificò e chiese di Oreste Parisi.

La suora assunse subito un'espressione costernata. Li fece entrare nel chiostro e lo andò a chiamare.

L'ex marito di Bubi Geraci comparve, accompagnato da un altro tizio che sembrava volergli dare conforto.

– Buongiorno, dottoressa Guarrasi, – la salutò. Per un attimo Vanina si chiese come l'avesse riconosciuta, poi si ricordò della fotografia che a ogni indagine compariva sui giornali. La stessa che intravedeva sulla pagina del quotidiano che Parisi teneva sotto il braccio.

– Signor Parisi, mi scusi, ma da quanti giorni lei si trova qui in totale isolamento?

– Tre giorni. Il ritiro spirituale è iniziato martedí.

Il giorno in cui Torres era stato ucciso.

– E non ha mai acceso il telefono?

– Mai. Altrimenti che senso aveva il ritiro? – Abbassò gli

occhi. – Se solo l'avessi acceso, avrei potuto almeno dare sollievo a mia figlia, che mi ha cercato come una disperata!

– Signor Parisi, se l'avesse acceso avrebbe scoperto che polizia e carabinieri la stavano cercando. Lei è sparito proprio nei giorni in cui l'amante della sua ex moglie è stato ucciso, e lei stessa è stata ritrovata cadavere. Tiri un po' le somme.

Parisi la guardò stupito.

– Chi è che ammazzarono?

– Esteban Torres.

L'uomo rimase in silenzio.

– Non lo sapevo, – fece, grave.

Il quotidiano messinese, che quel giorno riportava per la prima volta la notizia del cadavere occultato nel pozzo di un grande albergo di Taormina, non faceva cenno all'omicidio di Torres. Segno che la volontà dei due pm di non rendere pubblica la correlazione tra i due fatti, finora, era stata rispettata.

– Lei conosceva il signor Torres?

– No. La prima volta che sentii parlare di lui è stato nelle ultime settimane. Per non dire giorni. Lo sa, Bubi da quando ci siamo lasciati ha sempre avuto molte relazioni, – fece un sorriso amaro. – Probabilmente le aveva anche prima, – aggiunse.

L'uomo che era con lui lo rimproverò. – Oreste!

– Ha ragione, padre. Non è giusto calunniare i morti. Lei era fatta cosí. Era uno spirito libero.

– Dunque non aveva motivo di avercela con lei?

– Io? E perché? Ormai da tanti anni andavamo ognuno per la propria strada. Anch'io ho la mia vita.

– A che ora è arrivato qui, martedí? – chiese Vanina.

L'uomo guardò il prete. – Non lo so. Piú o meno saranno state le otto e mezzo.

Il sacerdote confermò.

– E da dove proveniva?

Parisi sembrava confuso.

– Come, da dove provenivo? Da casa mia, – rispose.

– E c'è qualcuno che può confermarlo?

L'uomo si agitò.

– Ma perché, dottoressa? Che c'entro io, ora, con Torres?

– Signor Parisi, lei si rende conto di essere sparito dalla circolazione in concomitanza con l'omicidio? Di essere stato una delle ultime persone ad aver parlato per telefono con Torres e di essere l'ex marito della sua amante?

– Lui mi chiamò! Può pure controllare. S'appresentò nel mio ristorante e mi chiese se avevo notizie di Bubi, perché lui non riusciva a rintracciarla.

– E lei che fece?

– Provai a chiamarla, e constatai pure io che aveva il telefono staccato. All'ufficio non l'avevano vista da tanti giorni, e persino mia figlia non aveva sue notizie. Ma non è che la cosa mi meravigliò piú di tanto.

– Come mai?

– Glielo dissi, dottoressa: Bubi era uno spirito libero. Era capace di pigliare e partire, andarsi a 'mpurtusare da qualche parte. Ma non per tre giorni, come sto facendo io. Come minimo per due settimane. Se andava bene, dopo un paio di giorni ti mandava una cartolina, se no manco quello. Mia figlia e io a 'ste cose c'eravamo abituati. E pure i suoi collaboratori e le sue collaboratrici.

– E dunque? Che fece?

– Dissi a quel Torres di provare a vedere se se n'era andata a Noto. In quella casa ci passava mesate sane, certe volte staccando pure il telefono.

– E Torres lo fece?

– Penso di sí. Ma evidentemente non la trovò, perché il giorno appresso mi chiamò di nuovo.

– Si ricorda dov'era, Torres, quando la chiamava?

– Mah, la prima volta sicuro a Catania, anche perché venne da me al ristorante. Le altre non lo so. Però mi disse che sarebbe andato a Taormina perché in teoria si sarebbero dovuti vedere lí.

Parisi si sedette su un muretto. Vanina decise di non chiedergli altro. Una cosa sola aveva bisogno di sapere, per essere certa che il suo intuito non stesse sbagliando. E quella sola gli chiese.

– Senta, signor Parisi, lei si ricorda dov'era la sera e la notte tra il 16 e il 17 novembre?

– E dove dovevo essere? Avrò chiuso il ristorante intorno alle undici, poi me ne sarò andato a casa.

– Da solo?

– Da solo, dottoressa. Nessuno mi vide, nessuno lo può confermare, – anticipò Parisi.

– Ha mai avuto le chiavi dell'auto della sua ex moglie?

L'uomo sospirò. – Dottoressa, mi scusi, ma perché la mia ex moglie avrebbe dovuto darmi le chiavi della sua macchina?

– Quindi no, – concluse Vanina.

– No.

La suora, che era andata di nuovo ad aprire il portoncino, comunicò l'arrivo dei carabinieri.

Oltre al maresciallo Labbate c'era anche il capitano Silvani.

Lui e Vanina scambiarono due parole.

Il vicequestore si congedò.

– Se dovessi scommettere, direi che questo Parisi con i due omicidi non c'entra nulla. Sarebbe davvero uno sprov-

veduto, – commentò Colombo, appena furono di nuovo in auto.

Vanina s'era accesa una sigaretta, incurante dello sguardo di disapprovazione della Bonazzoli. Era d'accordo con Carlo.

L'unico dubbio che poteva sorgere riguardava la sera dell'omicidio della Geraci, per cui l'uomo non aveva un alibi. Ma s'è visto mai un assassino che non cerca di crearsi un alibi? Magari oppugnabile, ma pur sempre alibi.

– Marta, fai una cosa: non tornare verso l'ufficio. Portaci in procura, – disse. Si voltò verso Colombo. – Ti presento il pm titolare dell'inchiesta.

– Quel Vassallo cui accennava Tito?

– Vassalli. Sí, lui.

– Come mai diceva che non sarebbe stato contento della piega che potevano prendere le indagini dopo le mie rivelazioni?

Vanina sorrise.

– E poi te ne accorgerai, – si limitò a rispondere.

Chiamò Nunnari e gli chiese di localizzare l'utenza del signor Oreste Parisi la sera del 16 e la notte del 17 novembre, e nella prima mattinata del giorno in cui ammazzarono Torres.

– Signorsí, capo, – rispose il sovrintendente.

– Novità per il resto?

– No... Aspetti, le passo Spanò.

L'ispettore prese il telefono.

– Dottoressa.

– Spanò, mi dica.

– Ho cercato qualche cosa su Xavier Alej... comesichiama Torres. Atterrato a Catania il 13 novembre. Biglietto di sola andata, proveniente da Miami. Non s'affittò una macchina. I primi due giorni si registrò in un albergo alla

Playa, ma poi lo lasciò. Non risultano altre registrazioni in nessun altro albergo in quei giorni, e nemmeno adesso.

– 'Sti Torres ce l'hanno per vizio: prima si piazzano in un albergo, poi lo mollano e se ne vanno piedi piedi per Catania. E tanti saluti a tutti, – commentò il vicequestore.

Chiuse con Spanò e si rivolse a Colombo.

– Carlo, ma tu su questo Xavier Alejandro Torres niente proprio sai, a parte le quattro cose che mi leggesti? Non è che c'è qualche altro dossier che per ora non mi puoi rivelare finché gli amichetti tuoi americani non ti dànno il permesso?

– Niente saccio, solo quello che ti lessi, – le fece il verso il dirigente.

Vanina gli girò un'occhiata storta.

– E dài, Guarrasi, quanto sei pallosa! E fammi almeno calare un tantino nell'ambiente!

– Per me puoi calarti dove vuoi, basta che non sfotti. Che mi pare che stamattina sono in netta minoranza, – sbuffò il fumo, guardò Marta, poi lui. – Ecco qua! Tra un po' dal tubo di scappamento della macchina comincia a uscire polenta.

Bonazzoli rise. Colombo scosse il capo.

Vassalli accolse la Guarrasi rilassato. Addirittura sorridendo.

– Stavolta non mi può certo rimproverare di essere troppo prudente! I suoi uomini le daranno conferma che ho firmato loro tutte le richieste di controllo di utenze telefoniche che mi avete chiesto.

Era nella pace. Per la prima volta, lavorare con la Guarrasi non gli stava facendo bramare la pensione. Questo duplice omicidio riguardava gente talmente lontana dal suo mondo, che chiunque ne avesse acchiappato il colpevole avrebbe ricevuto da lui un plauso speciale. Non come il

caso precedente! I capelli bianchi gli erano venuti, quando quell'esaltata gli aveva trascinato davanti metà dei soci del suo circolo. Meno male che Eliana Recupero, la pm amica del vicequestore – una fanatica peggio di lei – s'era messa in mezzo pretendendo di occuparsi di persona del caso. E meno male soprattutto che una provvidenziale tracheite l'aveva poi salvato definitivamente. Ma stavolta era stato libero di lasciare alla Guarrasi carta bianca. E a giudicare dal risultato gli era pure andata bene.

– Dottor Vassalli, vorrei presentarle il dottor Carlo Alberto Colombo, dello Scip. Il dottore è qui per coadiuvare le indagini sul caso Torres.

Il magistrato gli tese la mano, manifestò il suo piacere nel conoscere un «cosí valente» funzionario di polizia.

– Mi dispiace che abbia dovuto fare un viaggio a vuoto, dottor Colombo!

Carlo non capí.

– A vuoto? – chiese.

– Ma sí. Saprà anche lei le novità. La dottoressa Guarrasi mi ha giustappunto riferito che il marito della Geraci è stato finalmente trovato. Ho già sentito il collega di Messina e l'ho informato della novità, in modo che polizia e carabinieri possano coordinarsi tra loro al meglio per provarne la presunta colpevolezza. Io sono oltremodo convinto che l'assassino abbia commesso entrambi i delitti.

Vanina evitò di comunicargli che il coordinamento tra la sua squadra e i carabinieri di Taormina era costante e le comunicazioni continue. Piricudduso e formale com'era Vassalli, capace che avrebbe avuto da ridire sull'informalità che s'era instaurata da subito nella gestione congiunta di quel caso. Del resto, se per coordinarsi avesse dovuto ogni volta aspettare che fosse lui ad autorizzarlo, campa cavallo.

Andò al sodo sulla «colpevolezza» di Parisi.

– Veramente, se vuole sapere come la penso, io non credo che Oreste Parisi sia il nostro uomo. O almeno non relativamente all'omicidio di Torres. Quanto a quello della moglie, ci sono ancora un paio di coincidenze da verificare, ma a occhio… non lo vedo come un potenziale assassino. Il dottor Colombo è d'accordo con me.

Carlo annuí, a conferma della cosa.

– Del resto, – aggiunse Vanina, – il dossier dello Scip che mi ha appena illustrato ci dipinge un quadro di Esteban Torres che va ben al di là di quello di un comune cittadino italo-americano di passaggio qui a Catania. Si sospettano persino rapporti con cosa nostra. Ma con i piani alti, eh –. Lei non era per niente convinta che questo c'entrasse qualcosa, ma la reazione che stava provocando era troppo divertente.

Pietrificato, Vassalli rimase zitto per qualche minuto. Come aveva potuto fidarsi? Aveva cantato vittoria troppo presto.

– Dottoressa, si rende conto che se le cose stanno cosí… io mi trovo costretto a passare l'indagine, per competenza, alla Dda.

– Ma no, dottor Vassalli, – s'intromise Colombo, – allo stato attuale delle cose non abbiamo nessuna prova che ci sia un collegamento reale tra quelli che, vedrà lei stesso dall'informativa ufficiale dello Scip, sono solo sospetti di una connivenza ancora da verificare e l'omicidio avvenuto. O gli omicidi, se vogliamo considerarli entrambi. La dottoressa Guarrasi si muoverà in tutte le direzioni, se necessario anche internazionali. E io sono qui apposta per aiutarla.

Il magistrato ingoiò a vuoto.

– In ogni modo, – ricordò loro, – non possiamo certo ignorare che c'è una pista passionale.

ingoiare: to swallow, gulp down

Vanina contò fino a dieci. Minchia ma s'era fissato! Sperò che il pm messinese fosse un po' meno a senso unico.

L'ufficio di Eliana Recupero era nella zona della procura in cui si trovavano le stanze dei magistrati antimafia. La pm era sprofondata nella sua poltrona, circondata da pile di faldoni che le occupavano la scrivania. Vestita come se dovesse sfidare il gelo. Dolcevita beige, che dall'aspetto si poteva dire di cashmere, con cardigan analogo sopra, e una sciarpa di rinforzo che per il momento se ne stava appoggiata sulla sedia davanti. Piccola e asciutta senza eccedere troppo con la magrezza, come solo chi teneva parecchio alla propria forma fisica riusciva a essere.

– Dottoressa Guarrasi! – la accolse, contenta di vederla.

Colombo si presentò.

– Ma ci siamo già incrociati, dottor Colombo, – gli disse. Lasciandolo di stucco, gli raccontò nei particolari i cinque minuti in cui s'erano incontrati in procura a Milano la bellezza di sette anni prima.

– Sedetevi, – li invitò.

Spostò un trolley che usava per portarsi dietro tutte le *sudate carte* senza spaccarsi schiena e braccia, e fece spazio ai due.

– Scusate l'abbigliamento antartico, ma stamattina ero in udienza nell'aula della terza sezione penale, che in soli due giorni di freddo è già precipitata in modalità invernale. In modo irreversibile, temo.

– Non hanno ancora acceso i riscaldamenti, – dedusse Colombo.

– Riscaldamenti in quell'aula? Utopia pura!

Se c'era una persona capace di scovare un possibile contatto tra Torres e gli Zinna nei giorni precedenti al suo omicidio, quella era Eliana: incrociare i dati, ana-

lizzare coincidenze o accertare se nel corso di una delle tante inchieste da lei messe in piedi contro la famiglia Zinna fosse presente qualche traccia misconosciuta di Torres. A titolo del tutto personale e senza coinvolgere Vassalli, come aveva mostrato piú volte di essere disposta a fare per aiutare la Guarrasi ad andare fino in fondo evitando intoppi.

Colombo capí al volo la fiducia reciproca che univa le due donne, cosí come la pm aveva colto subito quella che Vanina riponeva nel collega.

Eliana prese nota di qualche dettaglio che poteva servirle ad avviare una ricerca in proposito.

Quando Colombo uscí dall'ufficio, la Recupero trattenne il vicequestore nella sua stanza per un attimo. Le chiese notizie del suo periodo a Palermo. Poi: – Il collega Malfitano non ha ancora avuto la promozione a procuratore aggiunto, vero? – s'informò, con un'indifferenza che Vanina interpretò come un tentativo di dissimulare la curiosità. La storia tra lei e Paolo, ufficialmente finita quattro anni prima, non era mai stata segreta. Tutti la conoscevano e ultimamente era persino tornata alla ribalta sui giornali, in seguito alle nuove minacce che il magistrato aveva ricevuto. La Recupero finora non s'era avventurata con lei su quel terreno. Chissà perché stavolta l'aveva fatto.

– Che io sappia no, – le rispose, asciutta.

La pm non insisté oltre, ma si capiva che avrebbe voluto chiederle altro.

– Di' un po'. Ma il Malfitano di cui parlavate è quello che penso io? – attaccò Carlo quando furono fuori dal tribunale.

– Colombo, ma che origliasti?

– Esagerata, origliare! La porta era aperta, che facevo, mi tappavo le orecchie? Rispondimi piuttosto: è quello che penso io?

– Dipende. Tu a chi pensavi? – cincischiò Vanina, mentre attraversavano corso Italia in velocità per non essere travolti dall'orda di scooter appena partiti dal semaforo.

– Dài che lo sai, – fece Colombo.

Vanina non gli rispose, e lui lo registrò come un sí.

Raggiunsero Marta all'*Hotel Palace* dov'era appena arrivata la seconda delle ex mogli di Torres. L'ispettore se ne stava seduta a un tavolino del bar e aveva già abbozzato una conversazione con la signora, che masticava poco l'italiano nonostante le sue origini.

Evelyn Cristallo, anni sessantacinque. Capelli biondo Barbie, viso e décolleté da manuale di chirurgia estetica e occhi che urlavano botulino a dieci metri di distanza. Un incrocio tra Goldie Hawn e Shirley MacLaine. Residente a Manhattan, tra la 78th St e Park Avenue, che per chi come Vanina conosceva la città significava «posto da gente ricca». Molto ricca. Com'era ovvio che fosse, dato che la signora gestiva un business di cosmetici da milioni di dollari.

Lei ed Esteban s'erano sposati nel 1976, a Miami. Lui lavorava in uno dei locali di Frank Cristallo, padre di Evelyn, la cui famiglia era originaria del catanese. Di Piana dell'Etna precisamente. Ecco perché «Esteban aveva avuto sempre un rapporto particolare con Catania!» Quando il padre aveva aperto un ristorante a Tampa, l'aveva dato da gestire a loro due. Dopo qualche anno Esteban era entrato lui stesso in affari con gli amici italo-americani di *papà*. Aveva la passione per i tavoli da gioco. La trascinava a Las Vegas ogni volta che poteva, e alla fine era entrato in *business* anche là.

– Anche questa volta con *papà*? – chiese Vanina, guardando Colombo che nascose un cenno d'intesa.

No, stavolta Esteban s'era dato da fare da solo. Poi si erano trasferiti a New York e avevano iniziato un altro business, che ora era il suo. La Evelyn Cosmetics.

– E l'import-export cosa riguardava? – chiese Colombo.

La signora non lo sapeva.

Luisa Visconti li raggiunse. Le due donne dovevano intendersi parecchio.

– Evelyn insiste nel voler vedere Esteban per l'ultima volta.

Vanina incaricò Marta di accompagnarla.

– Senta, signora Torres.

Si voltarono entrambe.

– Signora Evelyn, – precisò il vicequestore, in inglese, – lei ha mai conosciuto il nipote di Esteban? Xavier Alejandro Torres?

Quelle si guardarono accigliate, manco avessero ricevuto un insulto.

– E chi è? – risposero, all'unisono e in italiano.

Non aveva bisogno di chiedere altro.

Colombo aveva smarrito i sensi in un piatto di spaghetti con i *masculini* che Nino, per buona accoglienza, gli aveva portato in porzione tripla.

– Ué Guarrasi, ma non pranzerai mica tutti i giorni qui?

– Piú o meno, perché?

Vanina aveva finito il suo piatto di polpette, necessario a riequilibrare il pranzo del giorno prima, e stava facendo la scarpetta nel residuo di caponata che Carlo s'era spazzolato per metà come antipasto.

– No perché *tutti i giorni tutti i giorni* qui c'è da diventare cento chili.

– Che è? Un modo diplomatico per dirmi che sono ingrassata?

Colombo si confuse. – Non mi permetterei mai.

Mentre lui era impegnato in quel pasto luculliano, Vanina se n'era stata tutto il tempo a pensare.

– Dobbiamo cercare la prima moglie di Torres, – disse.

– Perché?

– Voglio capire se almeno lei conosce questo fantomatico nipote. Facendo quattro conti dev'essere nato quando ancora Torres era sposato con lei. Se il padre di Xavier è morto negli Stati Uniti nel '75 significa che quantomeno i fratelli si frequentavano. Addirittura Juan andava a trovare Esteban, il che non doveva essere semplicissimo, da Cuba.

– La cerchiamo, – assicurò Carlo.

Uscirono e presero la strada per l'ufficio.

– Dottoressa Guarrasi, il maresciallo Labbate sono.

Vanina s'era appena seduta davanti a Macchia, che a giudicare dalla faccia beata doveva essere reduce da un pranzo con Marta.

– Maresciallo, buonasera.

– Volevo dirle che il signor Parisi ha ripetuto anche a noi quello che in due parole ci aveva anticipato lei. Abbiamo cercato di capire se la sera in cui presumiamo sia stata uccisa l'ex moglie avesse un alibi. Mezzo in realtà ce l'ha, ma trattandosi di cosa non ufficiale sul principio preferiva non dichiararlo. Poi quando capí che le cose potevano imbrugghiarsi cedette e ci contò che fino a mezzanotte era stato con una signora, di cui ci fece nome e cognome. Perciò dico mezzo, perché da allora in poi se ne tornò a casa, da solo. Un alibi completo completo non ce l'ha, vero è. Però è vero macari che non ha un movente. Abbiamo fat-

to una ricerca: problemi economici non ne ha. La figlia, che arrivò ora ora da Parigi e raggiunse il padre da noi al comando, dichiara che il rapporto tra i suoi genitori era ottimo e che s'erano lasciati di comune accordo e senza questioni. E siccome avevano una figlia sola, e intenzione di risposarsi non ne aveva nessuno dei due, non avevano mai divorziato. Ora, non so come la pensa lei per quanto riguarda Torres, ma secunnu mia Parisi un colpo di pistola non lo sa sparare.

– La penso come lei. Ho chiesto di controllare che spostamenti ha fatto il suo telefono, ma giusto per scrupolo.

– Macari io lo chiesi.

Labbate continuò il report. Il sangue sulla pietra del pozzo, com'era ovvio, apparteneva alla vittima. Perciò la dinamica della morte accidentale ci stava precisa.

– Senta, maresciallo, – gli domandò Vanina, – le valigie della signora Geraci che l'albergo di Taormina aveva messo in deposito, se le presero quelli del Ris? – Le era venuto in mente la sera prima, quando però era troppo tardi per chiamare.

– Certamente.

– Non c'erano computer o tablet?

– Niente.

– E non le pare strano?

– Sí che mi pare strano. Difatti la prima cosa che pensai era che se lo fosse fregato l'assassino, assieme al telefono e al portafogli. Però poi ragionai, che mentre portafogli e cellulare la signora se li portava appresso in borsetta, il computer sicuramente lo lasciava in camera. Se non addirittura nella cassaforte della camera. Perciò i casi erano due…

Vanina lo anticipò. – O l'assassino prima di dileguarsi entrò nella stanza della Geraci e si fregò il computer, oppure il computer era ancora nella cassaforte.

– Oh, esatto –. Labbate era contento. In sintonia con la Guarrasi! – Perciò andai a fare un controllo nella stanza, che avevamo ordinato di lasciare libera, e che anche nei giorni successivi alla partenza della signora non era stata occupata da nessuno. Purtroppo dentro la cassaforte non c'era niente. Dunque se la signora aveva un computer portatile, l'assassino se lo portò.

– Questo però significa che l'assassino sapeva dov'era la stanza della signora. Magari c'era anche stato.

– Infatti proprio questo pensai: allora mi misi a fare un sopralluogo accurato, e qualche cosa d'interessante la trovai. Sopra il tavolino del balcone c'era un posacenere che non era stato vuotato. Dentro c'erano un mozzicone di sigaretta e uno di sigaro. Ma un sigaro di quelli grossi.

– Un sigaro di quelli grossi, – ripeté Vanina.

– Un cubano, – suggerí Tito, che di sigari se ne intendeva.

Vanina riferí il suggerimento a Labbate. – E siamo sicuri che non fossero precedenti al soggiorno della Geraci? – gli chiese.

– Sicuri, perché la cameriera che rifece la camera confermò che s'era scordata di svuotare il posacenere, ma che era capitato solo quella volta. Comunque ora i mozziconi ce li ha il Ris di Messina.

Il vicequestore chiuse con la faccia scura. Non c'era cosa che le dava piú fastidio del dover dipendere dagli altri. Già era una camurría aspettare i tempi della Scientifica, ci mancava solo il Ris di Messina!

Nunnari aveva mappato le celle d'aggancio del telefono di Parisi, come Vanina gli aveva chiesto.

– Ora è chiaro che, perlomeno in merito all'omicidio di Torres, Parisi non c'entra niente. Il suo telefono fino alle otto ha agganciato la cella della zona in cui abita e subito

dopo quella tra Aci Catena e Valverde. Quanto all'omicidio della Geraci, purtroppo non si capisce, perché il telefono è rimasto agganciato alla cella di Catania fino a un certo orario, presumibilmente quello di chiusura del ristorante, e poi è stato spento, – spiegò il vicequestore al Grande Capo, che s'era stravaccato sulla poltrona di Vanina e girava a destra e a sinistra producendo cigolii sinistri. 'Sa quanto gli doveva piacere quella poltrona. Ogni volta che la trovava libera, *zac*, ci si abbandonava sopra facendola abbassare almeno di dieci centimetri. Oggi, domani, dopodomani, Vanina sarebbe finita per terra.

Spanò era andato nell'albergo alla Playa in cui s'era registrato Xavier Alejandro Torres. Si ricordavano poco di lui. Era rimasto due notti, poi se n'era andato.

– Ha pagato con una Visa, perciò mi venne in mente di chiamare la compagnia e chiedere un estratto conto degli ultimi movimenti. A breve me lo mandano.

Lo Faro fece capolino dalla porta e s'arrestò appena vide il primo dirigente piazzato lí. Ora capace che la Guarrasi s'arrabbiava pensando che fosse venuto per allisciarsi il capo.

– Lo Faro, che c'è? – fece Vanina.

Il ragazzo avanzò con un computer portatile in mano.

– Dottoressa, mi scusi. Ho fatto una ricerca sul web per l'ispettore Spanò e ho trovato una cosa che forse è interessante.

– Vero è, capo. Gli dissi io di fare una ricerca su Xavier Torres, – confermò Spanò.

– E che cosa trovasti? – chiese Vanina.

Lo Faro s'avvicinò, aprí il computer, sbloccò lo schermo e rimase in attesa di capire a chi mostrarlo.

Macchia gli indicò la Guarrasi.

Vanina si trovò davanti una pagina Facebook.

– Lo Faro, io di social non so assolutamente niente, anzi mi fanno pure antipatia. Che dovrei capire?

– È il profilo privato di Xavier Alejandro Torres.

La foto di copertina era un tramonto sul mare. Quella del profilo era un primo piano. Capelli scuri lasciati lunghi con ciuffo sulla fronte, occhi verdi che contrastavano con la pelle olivastra. Camicia coreana quasi tutta aperta sul petto.

Faceva sangue già in fotografia, Vanina non osava immaginare come fosse dal vivo.

Relazione: single. Vive a: Miami. Di: L'Avana.

– È lui, – disse Colombo, che aveva inforcato gli occhiali per guardare meglio.

– Il profilo non sembra molto attivo, – spiegò Lo Faro. – L'ultimo post risale a piú di un mese fa, da Coral... Gables. Però, siccome l'unico modo per vedere i suoi amici era chiedergli l'amicizia, entrai in uno dei nostri profili falsi, uno femminile per sicurezza, e gliela chiesi. Manco cinque minuti passarono che accettò. A quel punto mi sono andato a controllare l'elenco degli amici. Anzi, per la maggior parte amiche, – fece una risatella, che la Guarrasi gli stroncò subito, poi annunciò: – E guardi chi c'era in mezzo?

Vanina fissò il nome. Si girò verso l'agente, che aspettava in apnea.

– E bravo Lo Faro. Ben fatto –. Quello quasi svenne per l'emozione. – Ma vedi tu chi c'è tra le amiche di questo bellimbusto qua!

– Chi c'è? – chiese Tito, che s'era piegato in avanti, il sigaro spento stretto tra i denti.

– Roberta Bubi Geraci.

Il commissario Patanè era già col dito sul citofono quando il portone verde della Mobile gli si aprí davanti.

La Guarrasi stava uscendo in quel momento. Dietro di lei s'intravedeva il capo, che parlava con un tizio che Patanè non aveva mai visto.

– Commissario! – controllò subito il telefono. – Non è che mi ha chiamato e io non l'ho sentita? – s'accertò.

– No, dottoressa, stia tranquilla. Ero in zona, e pensai di passarla a trovare.

– Commissario Patanè, come sta? – fece Macchia a voce alta.

Gli mollò una manata sulla spalla che lo costrinse a fare un passo in avanti per non perdere l'equilibrio.

– Dottore carissimo, – rispose Patanè.

– Abbiamo sentito la sua mancanza! La nostra Guarrasi qua è sempre in movimento, e ci aveva mollati per un po'. Ma ora sarà contento di sapere che è tornata e che a quanto pare non ha intenzione di lasciarci di nuovo.

Il vecchio commissario si sentí a disagio, come ogni volta che percepiva lo scherno benevolo del dirigente, convinto che la sua nei confronti della Guarrasi non fosse semplicemente un'amicizia speciale ma una vera e propria sbandata senile. Patanè era consapevole che 'sta convinzione assurda non avrebbe potuto scugnargliela dalla testa manco a colpi di legno. Tanto valeva fare buon viso e tenersi la sua indulgenza, e macari la sua stima, che gli consentiva di piazzarsi giornate sane appresso al vicequestore e prendere parte a indagini che di regola gli sarebbero state precluse.

E infatti.

– Le presento il dottor Carlo Alberto Colombo, del Servizio per la cooperazione internazionale di polizia, – disse Macchia. – Interpol, – semplificò poi, con un termine piú adatto all'epoca sua.

I due si strinsero la mano.

– Colombo, il commissario Patanè è uno di noi, – proseguí Tito, non senza un guizzo di divertimento.

Carlo lo guardò un tantino perplesso.

Il tempo di salutare e di ricordare a Colombo che si sarebbero visti alle otto e mezzo per cena, e il Grande Capo sparí in un'auto di servizio con dentro il vicequestore Giustolisi della Sco.

– Dove se ne stava andando di bello, dottoressa?

– A Trecastagni. Voglio tornare a casa di Torres ed entrare nella parte che non aveva affittato. Magari c'è qualche cosa di suo che ci può dare degli indizi.

– Ah.

Vanina capí che la presenza di Colombo l'aveva inibito.

– Perché non viene anche lei?

Patanè tirò fuori un sorriso che faceva onore alla sua dentatura, ancora perfetta nonostante l'età, e se ne partí in quarta verso il parcheggio delle auto.

Spanò era già lí e stava tirando fuori una macchina.

Lasciarono in albergo Colombo, che accusava una certa stanchezza. Spanò si mise d'accordo per andarlo a prendere l'indomani mattina. Alle nove, nonostante fosse sabato.

– Ormai sono in piena operatività catanese, – disse il dirigente.

E doveva piacergli pure assai.

Lungo la strada Vanina richiamò Labbate e gli riferí la scoperta di Lo Faro. Il maresciallo si segnò la novità, che gli pareva molto utile. Disse che avrebbe fatto anche lui qualche ricerca.

Alla Salita dei Saponari, Manuel Nuzzarello li stava aspettando fuori dalla porta.

Accanto a lui c'era un uomo sui sessantacinque, dimesso ma distinto. Statura medio bassa, capelli radi. Camicia a quadri con sopra un gilet e un cardigan sformato.

– Filadelfo Lavía, – si presentò.

– Il signor Delfo è il custode, – spiegò Nuzzarello.

L'uomo aprí il portoncino verde, ma invece di andare

a destra verso la porta dell'appartamentino dove stavano ancora i due ragazzi danesi, prese una scala che saliva sulla sinistra. Arrivò a un altro portoncino, antico, tirato a lucido che pareva nuovo, col battente d'ottone luccicante. L'unico punto un po' rovinato era quello dove un tempo doveva esserci stata una targhetta.

Pavimenti in graniglia di marmo, stanze non molto grandi una dietro l'altra. Stanza da pranzo, studiolo con piccola libreria. Arredamento vecchiotto, stile Novecento ma tenuto bene. Cucina anni Ottanta. Una camera matrimoniale, un'altra piú piccola con lettino singolo.

Un freddo umido che penetrava nelle ossa.

Di Esteban Torres praticamente nessuna traccia, se si escludeva qualche abito estivo appeso nell'armadio, e una bandiera americana piantata dietro la scrivania.

Patanè si avvicinò per toccarla.

– Il signor Torres aveva dormito qui negli ultimi giorni? – chiese Vanina.

– Qua? – rispose Lavía, come se avesse detto qualcosa di incredibile.

– Non era casa sua?

– Certo, certo. Casa sua era. Ma in questo periodo dell'anno non ci dormiva mai. Riscaldamenti non ce ne sono, e la casa diventa fredda. Qualche volta d'estate, se scendeva a Catania per affari suoi, poteva capitare che si fermasse qua.

– Solo? – chiese Vanina.

– Qualche volta solo, qualche volta… – s'interruppe.

– Qualche volta? – l'incalzò il vicequestore.

Lavía parve imbarazzato. – Con la signora Geraci.

Nuzzarello ebbe anche lui un attimo d'imbarazzo. Era evidente che entrambi avessero il divieto assoluto di divulgare la relazione e che facessero ancora fatica a ignorarlo.

– Era almeno passato da qui, in quei giorni?

– Certo, come no. Passò a controllare il lavoro che gli feci sul portoncino d'ingresso. E quelli dell'appartamentino. Le piante, – indicò attraverso la finestra un giardinetto al piano di sotto. Piante, alberi d'agrumi. Al centro un prato e due vecchie panche di pietra lavica, come il basolato.

– È antica questa casa? – chiese Vanina.

– Al 1919 risale, – fece Lavía, compiaciuto. Indicò dettagli, incisioni fatte sulla pietra, il gelsomino centenario che lui stesso curava. S'era infervorato, pareva una guida turistica. E Patanè gli dava corda.

– E quello cos'è? – fece il commissario, attratto da qualcosa che pareva un sensore.

– Ah, quello, – rispose il custode, – una telecamera.

Spanò ne scorse un'altra nella stanza accanto.

– Come mai tutte queste telecamere? – chiese Vanina.

– Lo sapete come sono l'amiricani, – disse Filadelfo. – Quelli vogliono avere sempre tutto sotto controllo. Macari a distanza.

– E i filmati di queste telecamere chi ce li ha?

– Solo il signor Torres li poteva vedere, ma non lo so come.

Vanina fece segno all'ispettore di capirci qualcosa.

Scesero al piano inferiore. Stanze spoglie, che davano sul giardino.

– Qua secondo la dottoressa Geraci ci si poteva ricavare un altro appartamentino da affittare, – raccontò Nuzzarello.

In fondo c'era una porta chiusa.

– Lí ci abita Delfo, – spiegò il ragazzo.

Lavía era partito verso una pianta e stava strappando una foglia secca.

– Senta, signor Lavía, – lo richiamò Vanina. – Il signor Torres qua non teneva per caso un computer?

– No, no, – l'uomo scosse la testa.

– Si ricorda però se ne aveva uno portatile?

Quello alzò le spalle. Che ne sapeva lui?

– Un'ultima cosa: il signor Torres negli ultimi giorni ha portato qui qualcuno, un parente?

Lavía stavolta rimase perplesso.

– Un parente? Ccà?

– Magari un parente americano?

– No no, americani qua non ne vennero mai.

Pareva piú che convinto.

Nuzzarello li portò all'agenzia, dove il suo socio Paparone stava lavorando al computer.

– Sa, dottoressa, ora che mi ci fa pensare: qualche giorno fa, almeno una settimana se non di piú, venne un ragazzo... Vabbe' ragazzo magari no, però insomma uno giovane. Straniero. Chiese se sapevamo dove poteva trovare il signor Esteban Torres. Fortunato gli disse che se aveva bisogno di prendere in affitto la casa poteva rivolgersi a noi. Quello si prese i nostri contatti, ma poi non si fece piú sentire.

– Non ha lasciato il nome?

– No.

Spanò cercò la foto che aveva fatto al profilo di Xavier Torres e gliela mostrò.

– Era questo?

Paparone la guardò ed ebbe un piccolo sussulto.

– Sí! Lui era!

Vanina e Patanè si guardarono.

– Senta, signor Paparone...

– Fortunato. Per favore, dottoressa, mi dia del tu!

– Anche a me, – s'associò Nuzzarello.

– Va bene, Fortunato. Ti ricordi per caso questo signore con che mezzo è arrivato? Una macchina, un taxi?

– Io l'ho visto salire a piedi, ma in mano un mazzo di chiavi ce l'aveva.

A Patanè le storie dei due cubani che la Guarrasi gli aveva contato in macchina l'avevano intrigato assai. Le sue conoscenze sulla storia di Cuba erano ferme alla Baia dei Porci, ma l'indomani stesso si sarebbe procurato un libro e se la sarebbe studiata per bene.

– Allora, ricapitoliamo, – Patanè si fece idealmente largo con le mani sul tavolino del bar di Trecastagni dove lui, Vanina e Spanò s'erano appena seduti. – Torres ha un nipote, che se ne scappò da Cuba negli anni Novanta ma di cui nessuna delle sue ex mugghieri sentí mai parlare. 'Sto nipote conosce la Geraci, perché arrisultano telefonate macari a lei e per giunta sono amici su internèt. Che poi, detto tra noi, vulissi accapiri che mi rappresentano tutte 'ste amicizie tra pirsune che un minuto prima manco si dicevano buongiorno e buonasera. Comunque: 'sto nipote arriva dall'America giusto giusto un paio di settimane fa, e nel giro di dieci giorni Torres e la Geraci muoiono ammazzati. Qualche cosa che non torna c'è.

Vanina sgranocchiò una delle mandorle tostate che il ragazzo del bar aveva appena portato insieme ai tre spritz. Lei la sensazione che qualcosa non tornasse l'aveva avuta già la prima volta che aveva visto il nome di Xavier Torres sui tabulati. Vaga. Indefinibile, come del resto era anche in quel momento.

– Perciò ho fatto bene, – disse.

– A fare che?

– A chiedere a Vassalli di mettergli il telefono sotto controllo.

Patanè per poco non le batté le mani.

Maria Giulia De Rosa s'era piazzata col suo Suv davanti al garage di Bettina, e se ne stava seduta al posto di guida. Musica a palla, occhi puntati sullo smartphone. Cosí la trovò Vanina, quando le bussò sul finestrino.

– Tra un po' diventa piú facile incontrare il papa che te, – fece Giuli, scendendo dalla macchina. La abbracciò.

– Vedi che stai bloccando il garage a Bettina, – l'avvertí Vanina.

– Me l'ha detto lei che potevo parcheggiare qui. Tanto la macchina stasera non le serve.

Vanina aprí il portoncino di ferro. Salirono le scale.

Le luci della vicina erano tutte spente, eccetto quella davanti alla portafinestra della cucina. Segno che la donna era uscita.

– L'ho vista salire in macchina con un signore, – riferí Giuli.

Vanina si fermò sul primo dei tre gradini che separavano casa sua dal giardino piú grande.

– E chi era, questo signore?

– Che ne so io chi era? Uno anziano, piú o meno coetaneo suo.

Si ricordò del tizio di cui le aveva parlato la vicina. Il primo uomo affiliato al gruppo delle vedove. Vedi tu che magari questo aveva puntato proprio lei. Vero era che Bettina aveva la forma fisica di un'arancina, ma era una delle persone piú adorabili che Vanina conoscesse. E cucinava meglio di uno chef pluristellato, dote che per uno di quell'età contava di sicuro molto piú dell'aspetto esteriore.

Entrarono in casa. Era tutto in perfetto ordine e i termosifoni funzionavano, nonostante il freddo fosse finito e le temperature si fossero stabilizzate di nuovo sulla me-

dia stagionale. Diciotto la massima, dieci la minima. Che in quel paese pedemontano scendeva a otto.

Vanina era passata da Alfio, al bar *Santo Stefano*, e s'era fatta friggere lí per lí due pizze siciliane. Una classica con tuma e acciuga per lei, e una col pomodoro e formaggio per Giuli. Piú un paio di arancine al ragú che stavano uscendo proprio in quel momento dalle cucine. E due bignè e due paste allo zabaione omaggio della casa.

– Vani, e quanto dobbiamo mangiare? – commentò Giuli appena aprí il pacco.

Vanina rispose con un'alzata di spalle. Meglio abbondare che rischiare di restare con la fame. E a parte latte, biscotti e cioccolata, il massimo che poteva offrire casa sua quella sera era un triste piatto di pasta in bianco.

Prima di lasciare il telefono sul tavolino, Vanina controllò se ci fosse qualche nuovo messaggio. Nel tragitto da Catania a Santo Stefano le era presa una botta di malinconia e aveva chiamato Paolo. Non gli aveva ancora risposto, né al messaggio né ai due audio del giorno prima. E ora tutti i suoi telefoni squillavano a vuoto. Aveva provato persino quello dell'ufficio. Mentre risaliva a piedi dal bar verso casa aveva tentato di nuovo, ma senza risultato.

Giuli infilò la mano in borsa e ne tirò fuori un pacchetto.

– Tieni, guarda che t'ho portato, per aiutarti a rimanere in tema col tuo nuovo caso.

Dentro c'era il dvd di un film che Vanina aveva visto come minimo vent'anni prima.

Havana. Robert Redford, Lena Olin. 1990. Regia di Sydney Pollack.

Vanina la ringraziò. Andò a posarlo sulla mensola dove teneva i «non siciliani», tutti quei film che non facevano parte della collezione, ma che erano ugualmente tanti. Un'ottantina piú o meno.

– Non è che è troppo nuovo per i tuoi gusti? – osservò Giuli, ripassando i titoli presenti su quella mensola. Tutte anticaglie anni Cinquanta, Sessanta, Settanta, che non riusciva a capacitarsi come potessero piacerle cosí tanto. A lei e a quell'altro con cui se li sciroppava.

– Allora? – andò al sodo Vanina, mentre apparecchiava con due tovagliette all'americana il tavolo davanti alla vetrata.

– Cosa? – fece Giuli, distratta.

– Come cosa? Sono tre giorni che mi affliggi perché non ti do conto, che sono un'amica inutile, che una volta tanto hai bisogno di me e io non ci sono mai...

– E basta! Ti sei spiegata.

– Perciò? Mi vuoi dire che ti capitò?

Giuli si rigirò in mano la pizza, che di solito si sarebbe fatta fuori in un secondo. Cincischiò col tovagliolo. Rimase zitta.

Vanina allargò le braccia.

– Mah.

Mentre valutava se mettere in atto una delle sue tecniche da interrogatorio per estorcerle qualcosa, suonò il citofono.

Giuli alzò la testa di colpo.

– Ma che hai invitato qualcun altro?

Vanina la studiò. Certo che quella sera era strana, ma strana assai.

– Ma chi dovevo invitare, Giuli.

S'alzò per andare a rispondere.

– Vanina, Adriano sono.

Giuli era rimasta a tavola, aveva addentato la pizza e ora si stava facendo fuori l'arancina.

– E che fu? Ti scanti che Adriano si mangi la tua parte? – la sfotté Vanina, che s'era riseduta dopo aver aperto la porta.

Adriano entrò spostando con un piede il gatto di Bettina che si stava infilando in casa. In mano aveva una guantiera di qualcosa, debitamente incartata.

– Pure l'avvocato De Rosa c'è! – esclamò, col massimo della contentezza che riusciva a esprimere in quei giorni.

Andò a schioccarle un bacio sulla guancia e Giuli lo guardò con un'aria tra il dispiaciuto e il contrariato, mentre lui dispensava uguale trattamento a Vanina.

– Giuli, non mi pari felicissima di vedermi, – constatò.

Lei si sforzò di sorridere.

– Certo che sono contenta di vederti.

Il vicequestore capí che per l'amica l'arrivo di Adriano aveva significato la fine delle confidenze che ancora non s'era decisa a farle.

Nel vassoio di Adriano c'erano due mezze *schiacciate*, una con i broccoli, la tuma e le olive, e una – inusuale – con la zucca e il gorgonzola. Preparate con le farine siciliane e provenienti da quel forno speciale di cui aveva parlato Patanè.

– Che giornate di merda, – fece il medico, mentre attingeva un pezzo di schiacciata.

– Che fu? – fece Vanina.

– Ca che fu. Ho dovuto fare l'autopsia a una persona che conoscevo e che pensavo di stimare, mentre a quanto pare piú spregiudicata non poteva essere. Il mio compagno che non si sa mai se c'è o non c'è, o se... vabbe', lasciamo perdere.

– Che significa c'è o non c'è? – s'informò Giuli.

Adriano esitò un attimo. – Che non riesco a capire che gli sta succedendo, – ammise.

Vanina, però, aveva teso le antenne sull'argomento precedente. E data la passione segreta di Giuli per Luca

Zammataro, era anche meglio troncare subito la conversazione in merito.

– Che dicevi sulla Geraci? – intervenne.

– Ho saputo da amicizie comuni che Bubi era una specie di pantera. Una che non si creava problemi ad allungare mazzette, che sceglieva come dipendenti quasi solo gente raccomandata. In piú aveva un vizietto: quello dei toy boy.

– Cioè, cercava uomini giovani? – chiese Vanina. Considerata l'età di Torres, le pareva come minimo contraddittorio.

– No, non è che li cercava: li pagava.

– Ma vero dici?

– Vero.

Giuli si stava divertendo. Non che queste cose la stupissero, anzi. Con tutti i divorzi e gli annullamenti che aveva seguito, ormai era abituata a tutto.

– Comunque, domani verrà a cercarti una sua amica. Pina Di Tommaso, – concluse Adriano, – una che le era affezionata, e che vorrebbe contribuire alla ricerca del colpevole. Dice che preferisce parlare con te che con i carabinieri di Taormina. Anzi, per l'esattezza, dice che si fida piú di te, – ridacchiò e Giuli gli andò dietro.

Vanina li fulminò con gli occhi.

– Il maresciallo Labbate sta lavorando benissimo, e voi due levatevi quell'espressione babbiona dalla faccia.

Adriano alzò le mani. – Ah, su Labbate niente da dire. Quello è uno che il mestiere suo lo sa fare.

– Allora con chi ce l'avete?

– Secondo te?

– Con Silvani? – indovinò.

In cinque minuti quei curtigghiari di prima lega le raccontarono vita morte e miracoli del capitano, che per farsi

bello agli occhi dei colleghi, e per appicciarsi la Sicilia sul curriculum, aveva smosso mari e monti per farsi mandare da Roma nella piú riposante delle sedi disponibili sull'isola. Taormina.

Carotenuto due, la vendetta.

– Pensa quanto può essere felice uno cosí di avere a che fare con te! – considerò Adriano.

La spettegolata aveva disteso gli animi di quei due, che ora se ne stavano spalmati sul suo prezioso divano grigio meditando di attaccare la visione di *Havana*.

Prima di iniziare, Vanina se ne andò in camera da letto e controllò di nuovo se c'era qualche messaggio di Paolo. Ma niente. Provò di nuovo a chiamarlo. Suonò ancora libero. Una sottile ansia iniziò ad assalirla, ma s'impose di ricacciarla indietro. Provò con un WhatsApp. «Ehi. Che fine hai fatto? Chiamami appena puoi. A qualunque ora». Inviò.

Intercettò Giuli che usciva dal bagno.

– Finí che non mi hai potuto raccontare niente. Mi dispiace.

Ma la De Rosa le rispose con un sorriso. Buttò un occhio a Adriano che armeggiava con il lettore dvd.

– Lascia stare. Vuol dire che stasera non era destino. Godiamoci la serata tutti e tre insieme, che poi magari non si ripropone piú.

La faccia di Robert Redford ancora splendente produsse in tutti e tre il medesimo effetto. La storia fece il resto. Adriano con gli occhiali sul naso e un cuscino stretto addosso, Giuli spaparanzata su una poltrona e Vanina nel solito angolo del divano grigio, non scollarono gli occhi dallo schermo per tutta la durata del film.

Quando Vanina spense la tv era mezzanotte. Jack Weil aveva appena lasciato la spiaggia di Key West dove nessun traghetto proveniente da Cuba avrebbe mai piú at-

traccato, i titoli di coda stavano scorrendo sull'orizzonte del Golfo del Messico.

La doppia spunta accanto al messaggio che aveva mandato a Paolo era ancora grigia.

La doppia spunta

appiccicarsi = to stick
cling

11.

S'era rigirata nel letto per metà della notte e per l'altra metà aveva dormito un sonno leggerissimo, in cui la rivoluzione cubana si sovrapponeva ai toy boy di Bubi Geraci. Si alzò dal letto che il sonno la stava cappuliando.

Dopo che Giuli e Adriano se n'erano andati, Vanina aveva aperto il computer e c'era rimasta davanti fino all'una e mezzo per farsi un'idea – vaga – della storia di Cuba; dal 1959 ai giorni nostri.

Doveva decidersi a trovare un rimedio. Qualcosa di serio che la aiutasse a dormire. Ma ogni volta si faceva prendere dal timore che quei farmaci – di cui Adriano, per esempio, faceva largo uso – potessero inibire la sua creatività investigativa, e si teneva l'insonnia.

E poi c'era il pensiero di Paolo. Quella doppia spunta che grigia era quando aveva chiuso gli occhi, e grigia era rimasta quando li aveva riaperti quella mattina.

Si preparò due capsule di caffè ristretto e si fece dieci minuti di doccia. Tirò fuori due maglie di cotone e una di lana leggera, e se le infilò una sull'altra. Miracolosamente ognuna cadde come previsto. Una piú lunga, una piú corta e una, come diceva Bettina, *scinnuta* da un lato. I pantaloni neri, appositamente coperti fin sotto i fianchi dalla maglia numero uno, e gli stivaletti bassi di cuoio invecchiato. Uno stipendio intero speso in vestiti di cui solo un intenditore poteva indovinare lo stilista – di solito giapponese – e sui

quali non avresti trovato l'ombra di un logo manco a cercarla con la lente d'ingrandimento. L'unico stravizio che Vanina Guarrasi di tanto in tanto si concedeva.

Mentre si agganciava la fondina ascellare e sistemava la Beretta le tornò in mente l'arma con cui Torres era stato ucciso. Un americano con una pistola russa, per giunta nota come arma simbolo della Guerra fredda. O era un collezionista, o la cosa quantomeno era singolare.

Quando uscí di casa Bettina era in giro per il giardino appresso ai gatti.

– Buongiorno, Vannina! – la salutò dall'agrumeto.

Vanina la raggiunse. – Buongiorno, Bettina.

– Ieri sera mi 'nni niscii col pinsiero che non le avevo preparato niente. Ma oggi mi faccio perdonare. Stasera giochiamo da me, e poi le amiche mie si fermano a cena. Ravioli di ricotta col sugo, e falsomagro con le patate al forno. Quando torna passasse, che le metto da parte una bella porzione.

Il fatto che Vanina non sapesse cucinare manco un uovo al tegamino per la vicina era una preoccupazione. Poteva mangiare sempre fuori 'sta santa cristiana? La prima volta per caso, la seconda volta per gusto, la terza con la scusa di invitarla a cena, adesso Bettina aveva di nuovo qualcuno di cui occuparsi. Senza mai darlo a vedere, con la delicatezza d'animo che la contraddistingueva, alla fine s'era messa a cucinare per lei quasi tutte le sere.

– Ma senta una cosa, ci saranno solo le amiche o anche quel signore con cui è uscita ieri sera?

Bettina si mise a ridere. – Il ragioniere Scavone. Restò vedovo l'anno scorso e si venne a trasferire qua a Santo Stefano. Mi diede un passaggio per casa di Luisa, che è ad Acireale. Gioca a burraco meglio di tutte noi messe assieme.

Vanina si pentí della battuta.

– Mi scusi, Bettina, non sono fatti miei.

La donna si fece un'altra risata.

La seguí fin sotto le scale, riempiendola di raccomandazioni. L'ultima, quando proprio non aveva piú altro da dirle: non pigliasse friddu!

Vanina passò dal bar, si fece incartare un cornetto alla crema e un cappuccino e prese la strada per il centro città.

Manco due minuti dopo squillò il telefono. Nella speranza che fosse Paolo, rispose subito.

– Guarrasi, a che punto sei?

Era Colombo.

– Buongiorno, Carlo. Ben svegliato. Tutto bene? – cantilenò, a ricordargli la buona creanza.

– Buongiorno, Vanina. Come stai? E soprattutto, dove sei?

– In macchina. Oggi non c'è granché di traffico.

S'era appena resa conto che era sabato. A parte qualche scuola aperta, le strade erano libere.

– Io devo chiamare Spanò per farmi venire a prendere.

Vanina guardò l'orologio. Non erano nemmeno le otto. Ma a che ora s'era svegliata? Niente aveva dormito.

Gli disse che sarebbe passata a prenderlo lei.

– Ah, Guarrasi? – disse Colombo, prima di attaccare. – Comunque ho capito che volevi dire ieri con quell'avvertimento sulla Bonazzoli.

– Ah sí, e cioè?

– Che è la fidanzata del capo.

– E da cosa l'hai capito?

– Dal fatto che ieri sera Macchia mi ha invitato a cena nel ristorante sotto il mio hotel, e s'è presentato insieme a lei. Mano nella mano.

Vanina dovette riprendersi dallo stupore.

Il maresciallo Labbate aveva novità.

– La macchina della Geraci è stata beccata il 19 novembre alle ore 16.42 da un autovelox attivo sulla Catania-Siracusa all'altezza dell'area di servizio Bacali, direzione Siracusa.

– Il 19 novembre significa due giorni dopo la sua morte.

– Se consideriamo come data di morte il 17.

– Lei non pensa sia quella giusta?

– Sí, certo. Dico per precisione che lo presumiamo perché da allora è scomparsa e il suo telefono è disattivato.

– Quindi l'ipotesi è che qualcuno se la sia presa e ci abbia persino furriato per qualche giorno.

– Cosí parrebbe. Ah, e c'è un'altra cosa: risulta che a mezzanotte e dieci del 17 novembre, a Taormina, la Geraci abbia prelevato mille euro col bancomat, e altri cinquecento con la carta di credito.

– Cioè la sera in cui presumiamo sia stata uccisa?

– Esatto, ma non finisce qui. L'indomani mattina prelevò altri mille euro al bancomat di Noto.

– Di Noto? – fece Vanina perplessa.

– Streusa 'sta cosa, no?

Non gli rispose.

Labbate ribadí il concetto.

Ma Vanina stava inseguendo un pensiero.

– Senta, maresciallo, quanto tempo pensa che passerà per avere i risultati dal Ris?

– Dice per il Dna dei campioni biologici? Poco. Ho sollecitato. Anzi, già nel pomeriggio dovrebbero dirmi se hanno tirato fuori qualche traccia dai mozziconi, della sigaretta e del sigaro. Per quello che mandò il medico legale, secondo me al massimo domani ci dànno i risultati.

– Capo, il telefono di Xavier Alejandro Torres è sotto controllo da stamattina alle sei. Ma è spento, – comunicò Nunnari. – Però mi andai a cercare le celle che agganciò nel giorno dell'omicidio di Torres e di quello della donna. Taliasse qua.

Cella di Catania Fontanarossa la mattina dell'omicidio del cubano, cella di Taormina nei giorni a cavallo con quello della Geraci. Poi piú niente.

– Dottore, ma se noi volessimo indagare su un numero telefonico americano, quanto ci vorrebbe? – chiese Spanò.

Colombo se ne stava seduto accanto alla Guarrasi.

– *Uuff!* – fece, con un gesto che indicava tempi infiniti.

Rogatoria internazionale, richieste ufficiali… mesi.

– Lasci stare, ispettore. Non è cosa, – suggerí Vanina, – ma ho capito che vuole dire: capace che il Torres giovane abbia una Sim americana e che stia usando quella, per questo non lo becchiamo piú.

– Ma questo da qualche parte dovrà pur alloggiare, o aver alloggiato in questi giorni, no? – obiettò Colombo.

– Il problema è capire dove. Perché negli alberghi non risulta, e manco in altri tipi di strutture. Però, se beccò il locatore giusto, capace che gli disse che lo pagava in contanti per farsi fare lo sconto, senza registrazione, e tanti saluti a tutti, – disse Spanò.

Vanina si drizzò sulla sedia. La sigaretta in bocca, l'accendino acceso. Fissava la parete.

– Guarrasi! Vuoi dare fuoco all'ufficio? – la risvegliò Colombo.

Invece di rispondergli Vanina afferrò il telefono. Sí, avrebbe dovuto suggerire la cosa a Labbate che ci sarebbe andato, poi i pm… faceva prima cosí.

– Vicequestore Guarrasi, squadra Mobile di Catania, dovrei parlare col direttore.

Il direttore dell'albergo di Taormina dov'era stata trovata la Geraci rispose subito.

– Buongiorno, dottoressa.

– Buongiorno, direttore. Un'informazione: quel problema che avevate avuto ai computer, l'avete risolto?

– Veramente... ancora no. Lo so che avrei dovuto aggiustare tutte le registrazioni, ma in questa stagione ho la metà del personale e...

– Perfetto, – l'interruppe Vanina, – allora mi dovrebbe dire se risulta registrata una persona due mesi fa nello stesso giorno in cui erroneamente vi risulta registrata Roberta Geraci.

– Certo, mi dica.

– Torres Xavier Alejandro.

– Torres? Be', un'omonimia come questa me la ricorderei... – Batté sui tasti. – Ma guarda tu! Evidentemente non l'avevo incrociato, altrimenti lo ricorderei. Eccolo qua: Torres Xavier Alejandro, check-in il 15 settem... oh, mi scusi! Devo considerare novembre. Check-out 17 novembre.

L'avrebbe baciato.

Colombo aveva aspettato che si facesse l'ora giusta e s'era attaccato al telefono per sollecitare informazioni su Xavier Alejandro Torres, che tardavano a comparire. Il che faceva sperare in qualcosa di sostanzioso.

Intanto però i colleghi americani avevano recuperato un dossier su Aleja Álvarez. Risicato, perché piú di tanto sulla signora non c'era da dire. Settantadue anni, nata a L'Avana nel 1944. Cittadina americana dal 1962. Residente a Miami. Aveva appreso solo ora della morte del

suo ex marito e aveva fatto esplicita richiesta di notizie in proposito. Colombo aveva preso la palla al balzo e aveva proposto di farla contattare direttamente da Vanina. Proposta che era stata accettata.

Presero appuntamento telefonico per le diciassette, ora italiana.

Vanina non sapeva bene cosa le avrebbe chiesto. Senz'altro notizie riguardo a Xavier, questo nipote di cui nessuna consorte di Torres conosceva l'esistenza. Non conosceva o non voleva conoscere, dato che in assenza di figli sarebbe stato una bella iattura per entrambe. Esteban e Evelyn risultavano ancora soci e comproprietari di quasi tutte le attività americane, eccetto i casinò, e le due donne, da brave comari e future socie, si stavano sicuramente già spartendo il bottino.

A mezzogiorno Vanina stava meditando di uscire a pranzo. Manfredi Monterreale l'aveva appena chiamata, strappandola al pensiero della doppia spunta ancora grigia accanto al messaggio di Paolo e dell'ennesima chiamata senza risposta. L'ansia si faceva sempre piú pressante. Vanina aveva persino cercato conforto nel commissario Patanè, che però era impegnato in un pranzo familiare con figli e nipoti. Proprio quando non sapeva piú che fare, come una manna dal cielo era arrivata la telefonata di Manfredi. Allegra. Serena. Propositiva. Due spaghetti alle vongole a Riposto? Un giro in barca a vela?

Colombo s'era dileguato in compagnia di un collega della Sco, con cui l'aveva messo in contatto la Recupero e che stava cercando collegamenti possibili tra Torres e gli Zinna. Eliana ormai aveva capito che la Guarrasi, pur avendo una competenza in materia fuori dal comune, con certe indagini preferiva non mischiarsi, a meno che non

vi inciampasse accidentalmente. Ma finora nulla portava a sospettare che l'omicidio di Torres fosse riconducibile alla mafia. Quelle indagini a Colombo servivano ad altro. E Vanina non aveva intenzione di capire a cosa.

Pina Di Tommaso, l'amica della Geraci che aveva notiziato Adriano Calí di tutti quei particolari piccanti, si presentò negli uffici della Mobile quando la Guarrasi stava per levare le tende e andarsene a pranzo.

Vanina la fece accomodare.

– Mi scusi, dottoressa, se ho preferito parlare direttamente con lei, ma essendo una donna, e poi cosí stimata, ho ritenuto piú opportuno rivolgermi...

– Signora, non ho molto tempo. Vogliamo andare al sodo? Doveva dirmi qualcosa, a quanto ho capito –. Era stata piú secca del dovuto, ma con una cosí era l'unico modo per non rimanere là fino all'indomani.

– Certo. Allora, dottoressa, il fatto è questo: io a Bubi volevo bene. Eravamo cresciute assieme. Scuola elementare, medie, scuola superiore. Poi a un certo punto ci perdemmo di vista. Lei si sposò, io pure, prendemmo strade diverse. Qualche anno fa, per disgrazia, io rimasi vedova. Bubi si presentò al funerale di mio marito, e come fu come non fu ci ritrovammo. Lei era cambiata assai. S'era separata da tempo, la sua attività andava benissimo e s'era fatta pure un sacco di soldi. Io sono commercialista, ma ho lavorato sempre con mio marito. Dopo la sua morte la maggior parte dei clienti se ne andò e io iniziai a lavorare di meno. Per farmi cosa gradita, Bubi mi propose di occuparmi della sua contabilità. Io sul principio accettai con piacere, ma poi mi resi conto che non era cosa per me.

Vanina capí che la doveva interrompere, altrimenti le avrebbe raccontato anche i dettagli dei libri contabili.

– Qual era il problema?

– Ca qual era, dottoressa. Bubi di libri contabili ne aveva due: uno ufficiale e uno che non doveva comparire manco se a chiederlo fosse venuto il presidente della Repubblica. Mi spiego?

– Si spiega benissimo.

– Ovviamente, quello in cui correvano piú soldi quale poteva essere?

– Quello che non doveva comparire.

– A me 'sta cosa non piaceva. Appena ho potuto me ne sono uscita. Pulita, adducendo impegni nuovi... ma insomma. Rimase la frequentazione, diciamo cosí, sociale. Bubi mi ospitò a Noto, qualche volta. Una casa bellissima s'era fatta. Ci andava da sola. Ma un uomo non ce l'hai?, le chiedevo. Non l'hai mai avuto? Lei rideva. Uno?, mi rispondeva. E che me ne faccio di uno solo? Scava scava le scippai la confidenza che un uomo nella sua vita c'era, e anche da tempo. Era una storia particolare. Libera. Ognuno faceva quello che voleva, con chi voleva, e ogni tanto lui veniva qua. Una volta all'anno se ne stavano insieme da soli per due mesi. A me pareva una cosa romantica. Lei minimizzava, ma secondo me di quest'uomo era innamorata.

A Vanina quella storia ricordò un film degli anni Settanta che aveva visto una volta tempo prima. Il titolo originale era *Avanti!*, ma la versione italiana era *Che cosa è successo tra mio padre e tua madre?* Jack Lemmon e Juliet Mills nei panni di un americano e un'inglese che andavano a recuperare a Ischia i corpi dei loro rispettivi genitori morti in un incidente, e scoprivano che i due erano amanti da dieci anni. E che si vedevano ogni anno lí, a Ischia. Per un mese intero.

– Signora Di Tommaso, vogliamo stringere?

– Sí sí, ecco. Qualche mese fa Bubi, non so come, mi convinse a fare un viaggio con lei. A Miami. Una sera mi propose una cosa che mi fece restare ammammaluccuta: voleva pagare due uomini... due prostituti.

– Due gigolò, – suggerí Vanina.

– Eh, sí! Io rifiutai categoricamente. Lei mi disse che allora la serata se la sarebbe organizzata solo per sé. Aveva trovato su internet uno, un tizio che conosceva perché c'era stata insieme una volta piú di vent'anni fa, a Cuba. Uno stallone, lo definí. Allora capii che 'ste cose Bubi le faceva abitualmente e, devo dirlo dottoressa, un poco m'impressionai. Comunque, lei passò la sua serata, e l'indomani mattina la vidi con questo qua che poteva essere suo figlio. Bello, ah, senza ombra di dubbio, ma una dell'età sua! Lui se ne andò subito, però sentii che avevano stretto amicizia su Facebook. Bubi disse che crescendo 'sto ragazzo era pure migliorato, era meno «selvaggio». E che aveva intenzione di rivederlo.

– E lo rivide?

– No, ci fu un problema con un congresso importantissimo che lei doveva organizzare in Sicilia, perciò anticipammo il volo.

– E perché mi sta raccontando tutta questa storia?

– Perché secondo me qualche giorno prima di morire Bubi aveva sentito quel caruso. Mi disse che certe volte le cose si accucchiano in modo strano, e che il tizio di Miami era qui proprio quando lei s'era trovata schiffarata per colpa di qualcuno che non manteneva gli impegni. Quasi quasi pareva che volesse fargli una ripicca. Non le chiesi chi era quel qualcuno, ma immaginai che fosse l'uomo dei due mesi all'anno.

– Senta, signora Di Tommaso, per caso il *ragazzo* di Miami era questo?

Le mostrò la foto di Xavier.
Quella sobbalzò.
– Lui è!

Manfredi l'aspettava sotto l'ufficio. Seduto sulla moto, una Bmw 75/5 del '69, che l'ispettore capo Spanò gli ammirava ogni volta che la vedeva. Giubbotto di pelle, capelli sul biondo un po' brizzolati, occhi azzurri da palermitano di stirpe normanna qual era. Un Burt Lancaster cinquantenne con la verve alla Mastroianni. Aveva due caschi in mano, uno per sé e uno per Vanina. Che comparve dal portone della Mobile con mezz'ora di ritardo.

Manfredi si alzò e andò ad abbracciarla.

– Posiamo la moto. Ci muoviamo in macchina, – ordinò Vanina.

Quello ci restò male.

– Come in macchina?

– Sí, scusami ma dobbiamo andare a Taormina. Con la moto arriviamo frullati.

– A Taormina la mia moto ci arriva liscia liscia.

– Manfredi, è un'idea bellissima però non oggi. Oggi devo fare veloce.

Monterreale si rassegnò. D'altra parte s'era accollato di farle da amico, anche se quello che avrebbe voluto sarebbe stato tutt'altro. Ma o bere o affogare. Meglio cosí che niente.

– Almeno mi prometti che pranziamo insieme oppure mi toccherà aspettarti davanti al comando dei carabinieri? – Aveva capito la suonata già alla seconda parola.

– Ti giuro che pranziamo insieme e poi faccio solo un piccolo sopralluogo.

Mantenne la promessa.

Pranzarono a Letojanni, da un altro Nino, che faceva i migliori spaghetti ai ricci di mare della zona.

Poi salirono a Taormina e passeggiarono lungo il corso, da Porta Catania fino a Porta Messina.

Sarebbe stato bello riuscire a staccarsi davvero da Paolo, com'era convinta di aver fatto per quattro anni prima di capire che invece non era cambiato niente. Lasciarsi andare a qualcosa di cosí piacevole come stare con Manfredi. Ma ogni volta che guardava quell'uomo che le stava accanto senza chiedere nulla di piú, rallegrandole la vita come pochi sapevano fare, un senso di colpa larvato la portava di nuovo lí: alle due spunte che non si decidevano a diventare blu. E al telefono che continuava a squillare a vuoto.

Il comando dei Carabinieri era nella piazza vicino a Porta Messina. Il maresciallo Labbate la aspettava lí, col «malloppo» in mano. Glielo aveva preannunciato due ore prima per telefono, quando l'aveva beccata sulle scale mentre raggiungeva Manfredi. Da lí l'urgenza di andare a Taormina.

C'era sempre un momento, in ogni indagine, in cui le cose andavano fatte di persona. Quello era il momento.

Nel malloppo di Labbate c'erano tutti i rapporti inerenti all'omicidio. Compresa una testimonianza dell'amante di Oreste Parisi – il marito della Geraci – che lo scagionava, insieme alla deposizione di un vicino di casa dell'uomo che l'aveva visto rientrare a mezzanotte.

Il maresciallo la fece accomodare nel suo ufficio, dove campeggiava un mastodontico «Vietato fumare». Vanina dovette rimettere in tasca la sigaretta che si stava accendendo. – Allora, dottoressa, – partí Labbate, – il Dna che abbiamo trovato sul sigaro corrisponde a quello che miracolosamente i Ris riuscirono a tirare fuori dal campione biologico del liquido seminale, e perfino dai residui sotto le unghie. Lí per lí quando vidi il referto strammai. Il Dna corrispondeva a quello di Esteban Torres, che avevano avu-

to dalla Scientifica di Catania. Confesso che m'imparpagliai un poco. Torres arrivò in Italia che la Geraci era già morta, perciò le cose non combaciavano, poi il collega del Ris mi spiegò che il Dna nucleare corrispondeva per metà a quello di Torres, e che probabilmente era di suo figlio, o di suo fratello. Una cosa del genere. Allora mi ricordai che Torres giovane, quello che cerchiamo, è il figlio del fratello gemello. Il collega mi confermò che poteva essere benissimo. Perciò ora abbiamo macari una prova.

– Una prova che Xavier e la Geraci sono stati insieme quella sera, – precisò Vanina, – gravi indizi di colpevolezza riguardo all'omicidio. Sebbene possa essersi trattato di un omicidio preterintenzionale.

– Ma mi pare evidente, dottoressa.

– Anche a me, maresciallo. Può darsi che al giudice questo basti per spiccare un mandato d'arresto nei suoi confronti.

– Peccato però che a Xavier Torres non sappiamo manco dove andarlo a cercare.

Prima di rientrare a Catania, Vanina tornò nell'albergo dov'era stata uccisa Roberta Geraci.

Chiese di parlare con tutti gli addetti alla reception finché non trovò quello che aveva fatto il check-in a Xavier Alejandro Torres. Tanto fece che riuscí a recuperare anche le tre persone, tra addetti al bar e inservienti, che lo ricordavano. Erano loro che avevano confermato ai carabinieri di averlo visto insieme alla signora Geraci. Per essere sicura mostrò la fotografia.

– Qualcuno di voi ricorda di aver visto quest'uomo, nei giorni successivi, anche in compagnia del signor Esteban Torres?

Due negarono con convinzione. Il barman, invece, ci stava riflettendo.

– Io sí, – disse.

– E si ricorda quando?

– Questo stavo tentando di fare. Ma no, purtroppo il giorno preciso no. Però mi ricordo che erano assittati là, – indicò un tavolino esterno, in un angolo della terrazza dove in quel momento Manfredi era seduto, faccia al mare, col caffè in mano. – Il signor Torres era nervoso. Agitato, – aggiunse l'uomo.

– E dell'altro, cosa si ricorda? – chiese Vanina.

– Mi ricordo che il signor Torres chiese un Cuba libre. E mi ricordo preciso che mi colpí come lo taliò l'altro. Storto, – ci pensò, – no, aspittassi, storto no. Lo taliava schifato. Ci disse qualche cosa in spagnolo. Qualche cosa che al signor Torres dovette fare saltare i nervi, pirchí si mise a fare voci. Sempre in spagnolo.

– Ed è stata quella l'unica volta che li ha visti?

– Sí. Quella volta soltanto. Ma scusi, dottoressa, po' essiri l'assassino?

– Non lo sappiamo, – gli rispose il vicequestore.

Andò verso la terrazza, il barman e il direttore la seguirono. Guardò l'angolo.

– Fumavano? – chiese.

– Il signor Torres no. L'altro mi pare di sí.

– Che cosa?

– 'N sicarru ca pareva un cannone.

La Messina-Catania è una delle piú grandi vergogne che la rete autostradale siciliana abbia la sfrontatezza di esibire. Piú ancora della Palermo-Catania, che quantomeno è gratuita, sebbene forse piú indecente. Frane mai rimosse, manto stradale squinternato. Gallerie con infiltrazioni d'acqua che chissà per quale miracolo non sono ancora venute giú, causando morti e feriti.

Di questo dissertavano Vanina e Manfredi quando la Mini del vicequestore si fermò davanti alla Mobile. Erano le cinque meno dieci, appena in tempo per la telefonata negli Stati Uniti alla moglie di Esteban. Colombo sicuramente era già arrivato.

La moto di Monterreale era parcheggiata accanto al portone. Spanò, con un bicchierino da caffè in mano, se la stava ammirando da ogni lato insieme al commissario Patanè che, passeggia passeggia, andava a finire sempre lí.

Vanina se lo portò dietro in ufficio e lasciò Manfredi nelle buone mani dell'ispettore, che per tutto il giorno non s'era visto.

– Chissà che gli sta succedendo a Spanò in questi giorni. È distratto, assonnato, poco interessato al caso. Non è da lui, – disse, mentre salivano le scale.

Patanè non rispose.

Carlo Alberto Colombo era nell'ufficio di Macchia.

Nella stanza dei carusi c'era Marta, seduta alla sua scrivania, che guardava il monitor del computer dondolandosi sulle ginocchia con la sua sedia ergonomica. In mano una tazza fumante con dentro Dio solo sa cosa. Qualche miscuglio di erbe dall'alto potere benefico di cui Vanina non tollerava nemmeno l'odore.

Il vicequestore bussò alla porta.

– Novità? – chiese.

– Nessuna. Il telefono di Torres giovane tace. Mi ha chiamato Nuzzarello. Ieri ha dimenticato di dirvi che Esteban Torres aveva avuto qualche contatto per vendere la casa dei Saponari. A un russo, o qualcosa di simile. Ma non credo che questo ci interessi granché.

Nunnari occupò il presidio all'intercettazione di Xavier Torres e Marta seguí la Guarrasi nel suo ufficio, dove si erano spostati anche i due dirigenti. Patanè se ne stava lí a parlare con loro.

Vanina aveva insistito perché facessero una videochiamata. Un metodo inusuale, di cui Colombo non capiva l'utilità.

– Se posso, preferisco guardare in faccia una persona che devo interrogare.

Alla fine avevano deciso per una chiamata via WhatsApp.

– Che cose incredibili, – commentò il vecchio commissario.

La sera prima era andato in libreria per comprare un saggio sulla storia di Cuba. Aveva passato mezza serata a leggerlo. Quest'indagine, tra Interpol, videochiamate, americani, cubani, gli dava la sensazione di essere in un mondo nuovo. Altro che Mobile di Catania!

Una sensazione che Vanina condivideva. Non le era capitato di provarla cosí nemmeno quella volta in cui aveva dovuto indagare sul cadavere mummificato da sessant'anni.

Aleja Álvarez era lí, nello schermo dell'iPad del vicequestore Guarrasi.

– Buonasera, signora Álvarez, sono il vicequestore Giovanna Guarrasi, della polizia di Catania, – la salutò Vanina, ovviamente in inglese, cosí come si sarebbe svolta l'intera conversazione.

– Buonasera, – rispose la signora. Semplice, anzianotta, un po' sovrappeso. Capelli grigi corti, occhi neri, espressione dolce. Addolorata, forse piú di quanto non lo fossero le due mogli successive, dalle quali era distante come il giorno dalla notte.

– Mi scusi se la disturbo. Ho bisogno di farle qualche domanda che può aiutarci nelle indagini per l'omicidio del suo ex marito, il signor Esteban Torres. I colleghi le avranno già riferito che è avvenuto qui a Catania.

– Mio Dio, Esteban ucciso... – La donna scosse la testa.

– Da quanto tempo non lo vedeva? – chiese Vanina.

– Dal 1975. L'anno del divorzio. Poi non ci siamo piú sentiti.

– Lei ha mai conosciuto la famiglia di Esteban?

– Certo che la conoscevo. La madre, il padre, il fratello... tutti.

– Quindi lei conosce anche il nipote di Esteban?

– Xavier? L'ho visto una volta.

– In quale occasione?

– È venuto da me quando è arrivato negli Stati Uniti.

– Che lei sappia, aveva contatti con lo zio Esteban?

– No. Aveva vent'anni, e nessuna idea di cos'avrebbe fatto in futuro. Ma se c'era una cosa che sapeva per certo era che non avrebbe mai chiesto aiuto a suo zio. L'aveva giurato a Carmen, sua madre. Mi ha raccontato che l'aveva delusa scappandosene via anche lui, ma che non ce la faceva piú a sopportare quella vita. Era il 1993... o il '94, non ricordo. Erano anni difficili, a Cuba. C'era crisi, il popolo moriva di fame. Non sapevo come fosse arrivato, e non aveva voluto dirmelo, ma era chiaro che non doveva essere stato facile. Non l'ho piú visto, ma so che ha fatto il fotomodello per un periodo. È molto bello Xavier.

– Dunque Esteban non ha mai saputo del vostro incontro? – chiese Vanina.

– No. Posso farle io una domanda?

– Certo, mi dica.

– Perché mi chiedete tutte queste cose su Xavier? C'entra con la morte di Esteban?

Vanina glissò.

– Dobbiamo farci un quadro preciso di tutto quello che riguarda la vittima. Quindi anche della famiglia. Aveva altri nipoti?

– No, Xavier era l'unico. Quando Juan, il fratello di Esteban, è morto, il bambino aveva due anni. Mio marito e io avevamo appena divorziato. Juan era ospite in casa di Esteban qui a Miami, quando morí. Esteban mi aveva rac-

-tassello: a plug/wedge

contato che suo fratello era riuscito a ottenere un permesso per venire negli Stati Uniti a trovarlo. Sapevo che sarebbe dovuto tornare a Cuba dopo due settimane. E invece...

– Come morí Juan? – chiese Vanina.

– Un infarto o forse un'emorragia al cervello. Quando l'ho saputo, da un amico, era già successo da qualche giorno. Ho chiamato Esteban, avrei voluto andare a trovarlo, ma lui mi ha liquidato con poche parole.

Colombo friggeva per cercare di aggiungere tasselli al quadro di Torres che si stava facendo. Nonostante lui fosse morto, seguire le sue tracce fin dal principio poteva portarlo a scoprire i legami con la criminalità organizzata.

Infatti fu lui a porre la domanda successiva, anticipando Vanina.

– E non l'ha piú visto né sentito?

– No. Avevamo divorziato di comune accordo, eravamo in buoni rapporti, ma evidentemente ha voluto tagliare i ponti col passato. Ma io ho continuato a volergli bene. Siamo cresciuti insieme Esteban e io, a L'Avana. Eravamo giovanissimi allora, sapete, poco piú che dei ragazzini. Eppure sembravamo tanto piú grandi. La vita, la povertà, a sedici anni ci aveva resi già adulti. Esteban e io lavoravamo in un locale degli americani.

– Esteban giocava anche a carte con gli americani?

– Sí, con gli americani e con i filo-americani. Quando mancava qualcuno, il proprietario del locale faceva sedere al tavolo lui. Se la cavavano bene i fratelli Torres.

– Perché, anche Juan giocava?

– Juan a carte era anche piú abile di Esteban. Ma Carmen odiava che lui giocasse. Peggio ancora se con gli americani. Era stata lei ad avvicinarlo ai rivoluzionari. A un certo punto Juan e Carmen sono spariti. Quando sono tornati a L'Avana insieme all'esercito di Fidel, vittoriosi,

-rendere-(resi): to make (here)

volevano persino convincerci a unirci a loro. Ma il nostro sogno era un altro. Siamo scappati da Cuba che i roghi dei tavoli da gioco erano ancora accesi, il locale in cui lavoravamo semi-demolito. In quel momento se eri un fuoriuscito, meglio ancora se anticastrista, gli Stati Uniti ti davano un permesso di soggiorno permanente. E alla fine riuscivi a diventare cittadino americano.

Vanina si sentí sbalzata nell'atmosfera del film che aveva visto la sera prima.

– Signora, anche a Miami Esteban Torres giocava a carte? Intendo gioco d'azzardo, – chiese Colombo.

La donna esitò, poi rispose.

– Be', sí... Il locale in cui lavorava lui era della stessa persona che aveva gestito quello di Cuba. Si giocava a carte. Poker. Esteban si sedeva al tavolo quando serviva un giocatore.

– Guadagnava giocando a poker?

– A volte sí.

– Barava?

– Come?

– Barava, per vincere? Voglio dire: era un gioco regolare, o truccato?

La donna trasalí. – Non lo so... Ma perché vuole saperlo adesso? Con quella gente Esteban non ha piú avuto a che fare da tantissimo tempo.

– Quanto tempo?

– Poco dopo la morte di Juan, credo. A quanto ne so ha lasciato il posto ed è andato a lavorare nel locale di Frank Cristallo. Poi si è sposato con la figlia. Ha fatto fortuna, è diventato ricchissimo. Non sapevo che si fosse trasferito in Italia.

Vanina ricentrò l'attenzione su Xavier.

– E Carmen e Xavier, quando Juan morí, cosa fecero?

Aleja fece un sorriso amaro.

– Niente. Com'era ovvio sono rimasti a L'Avana. Per una come Carmen, un *niño* nato a Cuba appartiene a Cuba. Non sarebbe mai venuta a vivere negli Stati Uniti, nemmeno se avesse trovato il modo. Già da prima lei non aveva rapporti con noi. Quando Esteban aveva deciso di andare via, Carmen non gli aveva piú parlato. Ha accettato di parlare con me solo quando ha saputo che avevamo divorziato.

– Esteban dunque non vide mai il nipote?

– No, a quanto mi risulta, neanche negli anni successivi.

Vanina non aveva piú niente da chiederle.

– Spero di non doverla disturbare di nuovo, – salutò.

– Posso chiederle un favore? – fece Aleja, prima che chiudessero la chiamata.

– Certo, mi dica.

– Vorrei vedere Esteban per l'ultima volta.

Vanina non capí.

– In fotografia, – specificò la donna.

– Non credo che le piacerebbe. Le fotografie che abbiamo noi lo ritraggono com'è adesso.

– Ma se trovasse una fotografia di Esteban... vivo, potrebbe farmela vedere?

Vanina glielo promise.

Patanè s'era fatto fuori mezza tavoletta di cioccolata e ora si stava fumando in santa pace una sigaretta, affacciato al balcone. La Guarrasi gli stava traducendo a grandi linee quello che aveva detto la Álvarez. La conclusione per entrambi fu la stessa: a uccidere, seppur accidentalmente, Roberta Geraci non poteva essere stato che Xavier Torres.

– Due cose mi sfuggono in questa storia, commissario. La prima è dove possa essersi andato a impurtusiare

Xavier. La seconda, quella su cui mi amminchio di piú, è quale movente potrebbe averlo spinto a uccidere suo zio. Perché vede, commissario, quella di Bubi Geraci sarà stata una morte accidentale. Che a causarla sia stato lui o meno, comunque, per la dinamica della cosa, non poteva essere premeditata. Quella di Esteban Torres invece è stata un'esecuzione.

Patanè rifletté un attimo.

– Escludiamo del tutto l'esecuzione mafiosa –. Piú che una domanda sembrava un'affermazione, ma probabilmente il commissario voleva sapere se anche Vanina la pensava come lui.

– Credo di sí. Colombo sta indagando in quell'ambito, ma per puro scrupolo. Che Torres fosse colluso con la mafia mi ci giocherei qualunque cosa. Ma per l'idea che mi sono fatta sul soggetto direi che in genere quel tipo di personaggio, *super partes* come dice Colombo, la vita non la rischia quasi mai. È una sorta di eminenza grigia, uno che manovra dall'alto.

Il commissario annuí.

– Ma poi, dottoressa, s'è visto mai un sicario della mafia che per ammazzare a uno usa la sua stessa pistola? Il sicario della mafia pistole ne trova a tinchitè, tutte belle pulite.

– Esatto, commissario, è quello che penso anch'io.

Patanè spense il mozzicone nel posacenere strabordante.

– 'Sto coso ogni tanto s'avissi a svuotare, – constatò.

Vanina ci aggiunse anche la sua.

Spanò arrivò con un foglio in mano.

– Dottoressa, feci una verifica sulle armi che possedeva Esteban Torres, e rimasi stupito.

– Assai ne aveva? – provò a indovinare Patanè.

– No, anzi: Torres aveva il porto d'armi, girava armato sempre, ma l'unica pistola che possedeva era quella.

– La Makarov, – disse Vanina.

– Ma tu viri chi cosa strana, – commentò il commissario, – 'n amiricanu con un'arma russa.

Era esattamente quello che si chiedeva Vanina. Un arcano che voleva scoprire.

– E invece non è strano, – replicò Spanò.

Vanina e Patanè lo guardarono incuriositi.

– Mi feci una ricerca, e risulta che la Makarov è un'arma diffusa a Cuba.

– Veramente? – risposero quasi all'unisono, con un entusiasmo che Spanò non si aspettava.

E di cui rimase stupito.

In realtà era solo un problema di quadro d'insieme, che a lui in quel momento mancava. Quello che attirava gli altri due avrebbe attratto anche lui se avesse seguito la conversazione con la prima moglie di Torres. O se si fosse calato fin sopra i capelli nella storia di Cuba come, ognuno per conto proprio ma anche stavolta sincroni, avevano fatto Vanina e Patanè.

Colombo aveva già fatto l'abitudine alla presenza di Patanè. Un po' perché aveva capito che Vanina gli era affezionata oltre misura, un po' perché Macchia e la fidanzata la sera prima gli avevano raccontato i due casi in cui l'apporto del vecchio commissario era stato determinante. L'inchiesta sulla donna trovata mummificata dopo sessant'anni nel montacarichi di una villa sull'Etna, rivelatasi strettamente collegata a un caso che lui aveva seguito all'epoca, l'aveva pressoché reintegrato – ufficiosamente – in servizio. Con la Guarrasi aveva formato una sorta di «strana coppia», capace di intuizioni fuori dalla norma. Capacità riconfermata nell'ultima indagine che la Guarrasi aveva portato a termine prima di andarsene a Palermo,

un omicidio che aveva scoperchiato un vaso di Pandora da far tremare mezza città.

E ora erano lí: Vanina, Carlo e Patanè. Seduti in uno dei locali di via Santa Filomena, una viuzza stretta che partiva da via Umberto e s'inoltrava poi fino alla zona in cui la mattina si svolgeva «a fera 'o luni», il mercato della città. Una fila di pizzerie e ristoranti di ogni tipo, dal piú semplice al piú modaiolo. Sotto una pensilina di luci lunga tutta la via.

Il posto dove s'erano fermati era la rivisitazione sicula di un fast food. Avevano cheeseburger fatti col caciocavallo ragusano e carne d'allevamento siciliano, e hamburger di carni speciali: asina, cavallo, bufala. E pizze e sandwich tutti rigorosamente con prodotti locali. Vanina aveva scoperto da poco che ce n'era uno anche a Palermo.

– Taliassi ccà: hamburger vegano. Glielo dobbiamo dire all'ispettore Bonazzoli! – fece Patanè, in autoproclamata libera uscita.

Marta e Tito se n'erano andati via insieme. Il che aveva scatenato nella stanza dei carusi un chiacchiericcio da bar, con mezza squadra Mobile coinvolta, dalla Catturandi ai Reati contro il patrimonio passando per la Sco.

Vanina li aveva zittiti in mezzo minuto.

«E allora!» aveva tuonato, entrando nella stanza di colpo. Uno sguardo grigio ferro che aveva pietrificato tutti, specie quelli che lo conoscevano meglio. Perfino Spanò s'era sentito in imbarazzo, Fragapane era arrossito. Lo Faro tra un po' si nascondeva sotto la scrivania. «Ecchemminchia. Peggio di un curtigghio di comari. Vergognatevi».

Marta aveva seguito il suo consiglio. Ora toccava a lei aiutarla.

In modo piú o meno bonario, a seconda del grado di amicizia con l'ispettore, la battutina sarcastica sul trasfe-

rimento della Bonazzoli da Brescia a Catania l'avevano fatta tutti. Tutti tranne uno: quello da cui in realtà chiunque si sarebbe aspettato parole piú sferzanti, perché il piú emotivamente coinvolto. Il sovrintendente Nunnari aveva difeso a spada tratta la collega dai pettegolezzi, sostenendone l'onestà dei sentimenti.

– Guarrasi, qua dobbiamo sbrigarci a trovare Torres giovane, – fece Colombo, addentando il suo panino che sul menu era denominato *shek burger* (ovvero hamburger di carne d'asino, in siciliano detto *sceccu*).

– 'Sa unni s'ammucciò, – commentò Patanè.

Carlo non capí.

– Chissà dove si andò a nascondere, – tradusse il commissario.

– Che sia stato lui a uccidere la Geraci mi sembra evidente, – fece Vanina, – mentre sull'omicidio di Esteban Torres a oggi l'unico indizio concreto che abbiamo è che il suo telefono ha agganciato la cella dell'aeroporto proprio in quelle ore.

Si fermò, colpita da un'idea. Prese il telefono e fece una chiamata.

Colombo e Patanè la guardavano interrogativi.

– Nunnari, – fece Vanina.

– Capo, mi dica.

– Fai una cosa: domani mattina vai in aeroporto e controlla se la macchina della Geraci è entrata nel parcheggio la mattina in cui hanno ammazzato Torres. Se è cosí, pigliati qualcuno della polizia di Frontiera e fatti tutto il parcheggio finché non la trovi. Portati Lo Faro.

– Signorsí, capo.

I due uomini la stavano ancora guardando.

– È un'idea che m'è venuta, – spiegò.

– Che il nipote di Torres si sia pigliato la macchina della

Geraci e poi l'abbia lasciata all'aeroporto il giorno in cui ammazzò suo zio? – indovinò subito Patanè.

– Piú o meno.

Colombo lo guardava ammirato. Questo vecchietto ragionava meglio di parecchi suoi collaboratori quarant'anni piú giovani di lui.

Vanina addentò il *cis burger*, che nel gergo di quel locale era la versione col caciocavallo, lo stesso che stava mangiando Patanè.

Il commissario si pulí la bocca e riprese la parola.

– Quello che non arrivo a capire è come 'sto nipote di Torres fosse in contatto con l'amante di suo zio, anzi, ne fosse a sua volta un amante. Che macari se si trattava di una scopat... – si bloccò, guardò il vicequestore. Pure se era sbirra, e non ci andava manco troppo leggera con le parole, sempre fimmina era. Corresse: – ... di una sola volta, anzi di una volta ogni tanto, a essere precisi... Chistu non mi convince: non vi pare strano assai che 'sto Xavier Torres, che a suo zio non l'aveva mai visto manco in cartolina, giusto giusto avesse contatti con la sua amante? O è una coincidenza, che non mi pare plausibile, oppure qualche cosa non torna.

– E non solo, – aggiunse Vanina, – Xavier Torres non ha mai avuto contatti con Esteban, ha giurato perfino alla madre che mai ne avrebbe avuti. S'è arrabattato da solo per vivere negli Stati Uniti facendo pure il gigolò, mentre bastava andare a bussare alla porta del Paperon de' Paperoni di famiglia e chiedergli aiuto per avere un lavoro sicuramente ben remunerato. Poi un giorno lo incontra in Italia e non solo lo chiama, ma finisce addirittura per ammazzarlo. A voi quadra? A me no. Ci dev'essere un anello della catena che ci sfugge.

– Stasera Arthur Trevis mi manda tutto quello che han-

no trovato su Xavier. Magari qualche risposta la troviamo, – concluse Colombo. Incrociò lo sguardo interrogativo di Patanè. – È un collega americano. Dell'Fbi, – spiegò.

Finirono gli hamburger. Presero un dolce a testa e poi fecero due passi. Patanè attaccò con la sua ammirazione incredula per la tecnologia moderna. Ai tempi suoi certe cose manco avrebbero potuto immaginarle. Taliare in faccia 'na pirsuna che si trova in America. A stento una telefonata, e pure complicata da fare. Bene che andava un fax (ma questo negli ultimi anni, ah!) E invece ora basta che tocchi uno schermo e ti vedono dall'altra parte del mondo. Peccato che lui di quella conversazione tutta in amiricanu non ci aveva capito una sola sillaba.

– In realtà, – obiettò Colombo, – anche oggi se uno vuole interpellare un testimone negli Stati Uniti gli fa una telefonata. Ma la Guarrasi vuole sempre andare oltre –. Le fece un mezzo sorrisetto, tra l'ironico e il benevolo, di cui Patanè, da vecchio marpione qual era, afferrò subito la vera sostanza. Vanina non se ne accorse nemmeno. Guardava assorta il telefono. L'ennesimo tentativo di rintracciare Paolo che aveva fatto prima di uscire dall'ufficio era stato vano.

– Dottoressa? – la riscosse Patanè.

Alzò gli occhi. – Cosa diceva, commissario?

Patanè le lesse in faccia che qualcosa non andava. Si preoccupò.

– Tutto bene?

Vanina raddrizzò le spalle. – Sí, certo. Tutto bene –. Infilò il telefono in tasca. Lui non se la bevve, ma evitò di insistere.

Stavano girando i tacchi per tornarsene verso via Umberto quando qualcuno chiamò il vicequestore.

– Dottoressa!

Lo Faro uscí da un portoncino stretto e li raggiunse.
– Lo Faro. Qua abiti? – fece Vanina.
– Sí, sí. Là sopra, – il ragazzo indicò l'ultimo piano di una vecchia palazzina il cui pian terreno era occupato da un pub.
– Vi ho visti passare e sono sceso di corsa. Ho fatto male?
– No, Lo Faro, per niente. Hai fatto benissimo –. Vanina guardò il portoncino da cui l'agente era uscito, i tavoli del locale gremiti di ragazzi, e di ragazze tirate a lucido. – Un bel posto ti scegliesti. Allegro, – si complimentò.
Il ragazzo si schermí. Li invitò a bere qualcosa, ma loro declinarono.
Vanina lo avvertí che l'indomani lo avrebbe affiancato a Nunnari per un lavoro. – Mi raccomando eh, che è importante. Mi fido di te, – aggiunse, magnanima.
L'agente se ne tornò a casa stordito. Felice per la dichiarazione di fiducia.
I tre ripresero la salita verso via Umberto.

Vanina e Patanè salirono sulla Mini. S'accesero una sigaretta per uno.
– Non dovrei lasciarla fumare, commissario, – disse Vanina. – Non le fa bene.
Patanè soffiò il fumo fuori dal finestrino.
– Già glielo dissi una volta, dottoressa. Sono io che non dovrei permettere a lei di fumare. Pi mmia, oramai, un paio di sigarette al giorno certo non possono fare la differenza. Ma per lei sí.
– Anch'io già glielo dissi una volta, commissario. Che se domani mi beccassi una pallottola, morire pure con la voglia di sigaretta mi abbutterebbe assai.
– Si fissò cu 'sta storia della pallottola! Taliasse a mmia: me ne andai in pensione che manco un graffio mai m'ero fatto.

Non è la stessa cosa, pensò Vanina. Ma poi si chiese se fosse davvero cosí.

Una volta, forse, quando era nell'antimafia. Adesso no. La probabilità che aveva di morire ammazzata in servizio, ora, era pari a quella che aveva avuto il commissario Patanè, che s'era occupato sempre e solo di omicidi «comuni». Non nulla, ovvio, ma nemmeno altissima.

Allora, però, il problema stava proprio lí. Forse dalla sua vecchia vita non era mai uscita del tutto. La febbre che l'aveva accompagnata per anni, giorno e notte, costringendola a scavare, scavare anche a mani nude, per abbrancare qualunque traccia che fetesse della fogna contro cui lei combatteva ogni giorno, e smontarla e rimontarla finché non l'avesse portata dritta dritta da qualcuno – chiunque, purché venisse da quella cloaca, meritava di finire dentro – quella febbre non l'aveva mai davvero abbandonata. Era lí latente, pronta a risalire, ad armarle la mano e a caricarla d'odio. Un odio cosí profondo che avrebbe annientato per prima lei stessa.

Solo Paolo aveva saputo aiutarla a ingabbiare tutto il livore che covava per trasformarlo in forza. Una forza smisurata che le aveva permesso di vincere battaglie su battaglie, di svuotare le fogne dalle bestie senza provare il desiderio di ucciderle una per una. Fino al giorno maledetto in cui uccidere era stato l'unico modo per salvare Paolo. Salvarlo come non aveva potuto fare con suo padre. Uccidere, con tutto l'odio che aveva in corpo.

– Dottoressa, si sente bene? – fece Patanè, preoccupato. Era livida, gli occhi lucidi.

L'angoscia per quelle telefonate mancate, per quelle cazzo di spunte che non diventavano blu, l'assalí all'improvviso stringendole la gola, accelerandole il respiro. Riuscí a infilarsi in una strada deserta. Accostò.

– Dottoressa! – gridò il commissario.

Vanina parò la mano davanti, come per tranquillizzarlo. Ma sentiva che non avrebbe retto. Aprí la portiera, uscí dall'auto. Prese piú aria possibile, ma piú ne prendeva piú le sembrava di soffocare.

Patanè la raggiunse e capí che doveva scuoterla. La afferrò per le spalle. – Vanina!

Il primo conato le serví a ricominciare a respirare. Il secondo sbloccò il nodo alla gola. Il terzo le annacquò gli occhi per un tempo interminabile. Ma alla fine la riportò in sé.

Si rese conto che Patanè la stava abbracciando.

Nei cinquanta minuti successivi, il commissario la ascoltò senza interromperla. Si rese conto di quanto grande e ingarbugliata fosse la matassa che Vanina si portava dentro, e le promise che l'avrebbe aiutata a sbrogliarla. Che ci sarebbe stato ogni volta che lei ne avesse avuto bisogno. Come un vero amico deve fare sempre. Purtroppo, però, quello di cui aveva bisogno Vanina in quel momento, Biagio Patanè non avrebbe potuto darglielo.

Al commissario Vanina aveva promesso che se ne sarebbe tornata subito a casa, ma non l'aveva fatto. S'era fermata in un bar, l'unico che aveva trovato aperto. Aveva preso un caffè ed era risalita in macchina. Invece di tornare indietro e imboccare la strada per Santo Stefano, era andata verso gli archi della marina.

Uscí da Catania che erano le undici e mezzo di sera. Prese l'Asse dei servizi, poi un pezzo di tangenziale fino allo svincolo.

Svoltò per Palermo.

12.

Entrare a Palermo a quell'ora di notte era facile. Niente traffico in via Oreto, Ztl non attiva, via Roma del tutto libera. L'unico residuo di gente che all'una girava ancora per la città era concentrato sull'isola pedonale di via Maqueda e ai Quattro Canti. E nelle stradine del centro, piene di locali e di giovani.

In via Mariano Stabile non c'era anima viva. Neanche la scorta di Paolo.

Vanina citofonò, nonostante il telefono che squillava a vuoto le suggerisse che in casa non c'era nessuno. L'assenza della scorta non era che una conferma. Positiva, a vederla da un certo punto di vista, negativa se invece la si vedeva da un altro. E Vanina, quando si trattava di Paolo, tendeva inevitabilmente verso il secondo. Anche quando la logica suggeriva che non ci fosse nulla di cui preoccuparsi. Figuriamoci poi dopo due giorni di silenzio assoluto.

Vanina s'allontanò dal marciapiede e guardò le finestre. Serrande abbassate, tutto sprangato. Il portone si aprí di colpo. La mano del vicequestore andò d'istinto alla Beretta. Un ragazzo uscí e la guardò strano. Che vuole questa?, pareva dirle. Ma poi si fermò. La fissò.

– Commissario Guarrasi? – disse.

Vanina si stupí. – Sí?

Il ragazzo sorrise.

– Non si ricorda di me?

– No, scusami ma non mi ricordo.

– Sono Tommaso, Tommaso Gulino.

Vanina ebbe la visione di un ragazzino con lo zainetto sulle spalle che usciva dalla casa dei nonni.

E ora si ritrovava davanti un metro e novanta di cristiano.

– Non t'avrei mai riconosciuto! Ma quanti anni hai?

– Diciannove. Deve entrare?

Vanina colse l'occasione al volo.

– Sí.

Il ragazzo le riaprí la porta.

– Grazie, Tommaso.

– È tornata a vivere qui anche lei? – le chiese, candido.

– No. Tu eri qui dai nonni?

– Sí, in questi giorni dormo qui. Lo sa come sono i miei genitori, sempre in viaggio per lavoro.

– E senti, per caso hai visto il dottor Malfitano?

Tommaso ci rifletté.

– No, veramente in questi giorni no.

Vanina lo salutò e si chiuse la porta dietro.

S'infilò nell'ascensore, che tre piani di scale non erano cosa per lei manco in tempi di pace, figuriamoci in quel momento col cuore che già di suo andava a tremila giri. Arrivò davanti alla porta. Mentre suonava il campanello si diede dell'idiota. Era evidente che in casa non ci fosse nessuno.

S'appoggiò al muro accanto alla porta e scivolò giú fino a sedersi. Si accese una sigaretta, tanto a quell'ora non se ne sarebbe accorto nessuno, e a lei serviva. La luce automaticamente si spense e lei non la riaccese.

Ripensò all'ultima volta che era stata lí. Pochi giorni prima, eppure parevano mesi. Era il giorno in cui era tornata a Catania.

La conclusione era stata la stessa di tutte le volte in cui Vanina se n'era andata via. Di nuovo aveva chiesto a Paolo di cancellare l'illusione di quei giorni e delle notti passate insieme. Lui le era sembrato piú rassegnato del solito nel farle quella promessa che non aveva mai saputo mantenere per piú di un paio di giorni. Andavano avanti cosí da due mesi: le chiamate di Paolo, i messaggi. Il ritardo con cui lei era solita rispondergli, e non c'erano dubbi che l'avrebbe fatto. Come sempre. E lui, come sempre, le avrebbe risposto al primo squillo.

Ma quel silenzio, assoluto, no. Non era normale.

E adesso era lí. Accovacciata davanti alla sua porta.

A quell'ora che avrebbe potuto fare? Di certo non andarsene a casa di sua madre, svegliando tutti nel cuore della notte. Poteva attraversare la strada e prendere una stanza in uno degli alberghi che avevano ricavato nell'edificio di fronte. E poi? Avrebbe dormito? No, era escluso.

C'era una sola persona di cui si fidava tanto da poterglisi rivolgere in un frangente anomalo come quello.

Prese il telefono e scrisse un WhatsApp ad Angelo Manzo. «Angelo sei sveglio?»

Quello lo lesse immediatamente. «Sí, sono di turno».

«Ti posso chiamare?»

Nemmeno ebbe il tempo di inviare che già il telefono stava squillando.

– Dottoressa. Che successe?

– Scusami, Angelo, ma ho bisogno di sapere una cosa: hai visto Paolo... il dottore Malfitano in questi giorni? – bisbigliò per non svegliare nessuno nel palazzo.

Manzo esitò prima di risponderle.

– Veramente no.

– Ma non è successo niente, vero?

– A lui? Non penso.

– Angelo, non mi stai prendendo per il culo, vero?

– Dottoressa, lei lo sa che non mi permetterei mai.

Vanina prese un respiro. Ci mancava solo un altro attacco di panico.

– Dottoressa, ma… dov'è? Perché parla a bassa voce?

Non ebbe il coraggio di confessargli che era sul pianerottolo di Paolo.

– Lascia stare, Angelo, stai tranquillo. Grazie, – tagliò corto.

Scese lentamente le scale. Uscí per la strada e raggiunse la macchina. Ci s'infilò dentro e si accese un'altra sigaretta.

Aveva fatto una minchiata.

Guardò il display del telefono, toccò il tasto laterale e vide comparire lo screensaver. L'Addaura. Fu come un lampo, una luce che s'accende all'improvviso.

Avviò il motore e partí.

Neanche due minuti dopo Manzo la chiamò.

– Dottoressa, dove se ne sta andando a quest'ora di notte?

Vanina rallentò, guardò nello specchietto.

L'auto di servizio la affiancò e lei abbassò il finestrino.

– Come hai fatto a trovarmi? – gli chiese.

– Capo, io sbirro sono. E puru spiertu, perché m'addestrò lei, non se lo scordasse. Se mi chiamava a quest'ora per chiedermi del dottore, parlando a voce bassa, solo in un posto poteva essere.

– Bravo. Ora che m'hai trovato però tornatene in ufficio a lavorare.

– Non rispose alla mia domanda: dove se ne sta andando a quest'ora? – insisté il viceispettore.

– Manzo, non sono fatti tuoi.

– Dovunque sia, da sola è pericoloso.

– Che fa, te lo scordasti che giro armata anche quando vado in bagno?

– No, ma non m'interessa lo stesso. Io la seguo, dovunque deve andare. E poi se è tutto a posto sparisco.

– Che camurría che sei, Angelo, – concluse Vanina. Tirò su il finestrino e ripartí.

Tanto non c'era che fare. Angelo di nome e di fatto era, quel picciotto.

Vanina prese la strada per il mare, passò l'Acquasanta, l'Arenella, s'inoltrò nella litoranea. Deserta. L'auto di servizio sempre attaccata dietro.

Arrivò all'Addaura col cuore in gola. Sperò di aver presagito giusto. Una curva, poi un'altra, piú si avvicinava alla meta piú aveva paura di fare un buco nell'acqua. Arrivò davanti al cancello di una villetta che non vedeva da piú di quattro anni. Quella che lei e Paolo affittavano ogni volta che volevano far perdere le loro tracce e scappare da tutto l'universo creato. Nascosta tra gli alberi, sul mare.

Scese dalla macchina e sbirciò attraverso il cancello. Le luci del vialetto erano accese. Ma chissà chi c'era dentro. Un nuovo affittuario, magari.

I fari di un'auto infrattata chissà dove si accesero all'improvviso e l'abbagliarono. La mano le andò alla pistola, di nuovo. Angelo era già fuori dall'auto e correva.

Vanina si sentí chiamare. – Dottoressa Guarrasi, è lei?

Nello Licitra, il capo della scorta di Paolo, era uscito dalla macchina e le stava andando incontro. Fece un cenno di saluto a Manzo, e lui senza dire nulla si dileguò.

Vanina riprese a respirare. – Nello, un colpo mi fece pigliare!

– Mi scusi, ma non vedevo chi era, – disse l'uomo. Prese il telefono, si mise di lato e fece una chiamata. Tornò da lei.

– Venga, la accompagno.

Scesero lungo il vialetto, raggiunsero la casa. Il freddo umido della notte sul mare penetrava attraverso i vestiti di Vanina, inadeguati.

Un agente uscí dall'ombra della pineta. – Ah, tu sei –. Intabarrato in un giubbottone. Un cappellino in testa. Una faccia sconosciuta.

Vanina andò verso la porta.

Paolo era là, appoggiato allo stipite. Braccia conserte, piedi incrociati. Jeans sformati, maglione largo, sneakers.

Incredula lo fissò mentre rientrava in casa. – Scusa ma fuori c'è freddo.

Entrò anche lei. Paolo si diresse in soggiorno. Zoppicava piú del solito, segno che era stanco. Il vecchio caminetto acceso era l'unico elemento familiare che Vanina riconobbe. Per il resto era tutto cambiato. Bianco e azzurro, lanterne di ceramica bianca al posto dei vecchi lumi, stuoie bianche per terra. Reti da pesca appese alle pareti con pesci e stelle marine di ceramica. Chissà chi l'aveva abitata in tutti quegli anni.

Paolo s'avvicinò al camino e riattizzò il fuoco come se niente fosse.

– Paolo, – lo richiamò. Sentiva la rabbia montarle dentro.

Lui si voltò. Zitto.

– Ti rendi conto che ti chiamo da due giorni e tu non mi rispondi, ti mando messaggi che tu manco leggi?

Paolo per tutta risposta sbottò in una risata. Una risata forzata, di quelle in cui gli occhi dicono altro. – E che ho fatto di particolare? Avevo bisogno di starmene per conto mio, lontano da tutto e da tutti. Anche dal telefono. Per due giorni ho fatto finta che tu non esistessi. Non è forse quello che fai pure tu? – Finse di ricordare qualcosa. – Ah,

no, scusami, dimenticavo: tu sei giustificata. Tu hai la missione di staccarti da me. Sono io che non te lo permetto –. Il tono di voce s'era alzato.

Vanina gli si avvicinò.

– Tu sei una testa di cazzo, Paolo! Mi hai fatto vivere nell'angoscia che ti stesse succedendo qualcosa, che fossi in pericolo, che fossi finito chissà dove. Ma come minchia ragioni?

– Ma come minchia ragioni tu, Vanina! Non ti rendi conto di quello che dici? Prima non devi piú vedermi, non devi piú sentirmi, la tua vita ormai è senza di me. Poi appena m'azzardo a non risponderti al telefono parti, ti fai centonovanta chilometri di notte, mi vieni a cercare. Chi ti ci portò fino a qua, Vanina, eh? Che cosa? Quel cazzo di screensaver che non levi dal telefonino manco ammazzata. E perché non lo levi, Vani?

Vanina non rispose, ma gli occhi le bruciavano.

– Te lo dico io perché, – fece Paolo, la faccia a dieci centimetri dalla sua, le mani in tasca per mantenere la distanza, – perché non ce la fai. Perché quel pezzo di mare è nostro, come 'sta casa, che mi viene voglia di comprare per smontarla e riportarla com'era allora.

Vanina si trascinò fino al divano, anche quello bianco, anche quello pieno di cuscini a tema marino. Si sedette da un lato, la testa tra le mani. Non s'accorse nemmeno che Paolo s'era seduto accanto a lei finché non sentí la sua mano sulla faccia bagnata.

Lo squillo del telefono risuonò nel silenzio assoluto come un colpo di cannone sparato sopra la testa.

Vanina fece appena in tempo a vedere che erano le otto e mezzo prima di rispondere a Carlo Alberto Colombo.

– Guarrasi, dove sei?

D'istinto si voltò verso Paolo, che dormiva nascosto sotto due piumoni.

Cercò qualcosa con cui coprirsi per non congelare. La stufa elettrica era sottodimensionata per il freddo umido di quella casa.

Trovò un giubbotto di Paolo e se lo infilò.

– A Palermo, – rispose, sottovoce.

– A Palermo? – ripeté quello, meravigliatissimo. – E a fare cosa?

E che poteva dirgli?

– Questioni di famiglia. Sai, mia madre...

– Capisco, – fece Carlo, dubbioso. – Anche se nel bel mezzo di un'indagine, Guarrasi, non è da te.

– Vabbe', capita –. L'occhio le cadde sull'agenda di Paolo, aperta sul tavolo. – Senza contare che oggi è pure domenica, Colombo.

Quello si meravigliò sempre di piú. – Oh, ma sei cambiata davvero tanto, allora. Mi sembrava di ricordare che per te non ci fossero sabati né domeniche. Com'è che dicevi a quei poveretti dei tuoi ragazzi? Ah sí: l'assassino weekend non ne fa, – imitò l'accento palermitano del vicequestore.

– Non farti strane idee, non sono cambiata per niente. È stato un caso. Un'emergenza. Oggi pomeriggio rientro a Catania.

– Ok, allora ne parliamo quando torni. Volevo farti vedere quello che mi ha mandato Trevis su Xavier Torres. Qualcosina d'interessante c'è.

– Non mi puoi anticipare niente?

– E perché toglierti il piacere di leggerlo da sola?

Vanina si lasciò scappare una risata.

– Colombo, sei un bastardo.

Paolo l'aveva raggiunta, completamente avvolto in uno dei due piumoni che aveva tirato via dal letto.

– Chi è bastardo?

– Carlo Alberto Colombo. È a Catania per collaborare al caso di cui mi sto occupando.

Paolo fece uno sforzo di memoria. – Colombo… Scip?

– Lui.

– Uno con i controcoglioni. E su chi stai indagando, scusa, per avere addirittura bisogno di lui?

Vanina s'era fiondata su una macchinetta per il caffè che aveva occhieggiato un attimo prima, e stava cercando qualcosa che somigliasse a una colazione.

– Ci sono solo dei biscotti secchi, – le annunciò Paolo.

– 'Na tristezza, – commentò Vanina, mentre ne addentava uno.

– Allora? 'Sto caso?

Gli raccontò la faccenda. Torres senior, Torres nipote, la Geraci e tutte le perplessità che l'accompagnavano. Lo trovò d'accordo su ogni cosa.

Arrivarono in via Mariano Stabile verso le undici e mezzo.

Salirono in casa. Nello per primo, perché dottore non si sa mai.

Paolo lo lasciò fare, con rassegnazione.

Poggiò la borsa piena di carte sulla poltrona grigia che troneggiava al centro del soggiorno, gemella di quel divano che Vanina si portava appresso a ogni trasloco.

Andò alla finestra e aprí la serranda, spalancò i vetri.

– Santo cristiano, non dovrebbe stare lí! – fece Nello Licitra, come tra sé e sé, ma abbastanza forte perché si sentisse.

Paolo non si mosse.

Vanina gli si avvicinò.

– Nello ti ricorda che non dovresti fare minchiate.

– Cosí disse?

– Il succo era quello.

– Che minchiate avrei fatto?

– Startene qua alla finestra per esempio. O sul pianerottolo –. La volta prima l'aveva trovato che l'aspettava fuori dalla porta di casa.

– Ca certo, metti che c'è qualche killer appostato dietro il palmizio del preside Vaccarella.

Il vicino di casa di Paolo era un preside in pensione, dotato di un ipertrofico pollice verde, che aveva trasformato il pianerottolo in una sorta di vivaio.

– Perché non assoldare il preside stesso, allora, – lo provocò Vanina.

Lui le rispose con un sorriso amaro.

– Invece non sai quanto sia utile a volte stare dietro i vetri a osservare. Ti puoi accorgere di cose che, pur avendo sotto il naso, non avevi mai capito, – fece una pausa, – o che forse non avevi voluto capire.

Vanina si appoggiò al bordo della finestra. I piedi incrociati, la sigaretta accesa.

– Cioè?

Paolo la fissò serio. Anzi, triste.

– Ti ho osservata, l'ultima volta, quando ti fermasti qua sotto. Guardavi la galleria lí di fronte come se da un momento all'altro dovesse uscirne un fantasma.

Vanina tacque, girò gli occhi sulla galleria.

– Perché, non ci sono fantasmi là dentro?

– No. Ci sono un paio di negozi, e l'entrata di una palazzina tutta adibita ad alberghi e bed and breakfast. Persino graziosi, mi hanno detto. Questo c'è ormai, per me. E sarebbe bene che fosse cosí pure per te. Anche se penso che non sia ancora possibile.

– Paolo, che vuoi dirmi?

Lui la fissò di nuovo, serio fino a essere contrito.

– Che finché in quella cazzo di galleria continuerai a vedere i fantasmi di quei bastardi, per noi due non ci sarà mai pace. Ormai l'ho capito, Vani. Tu hai fatto per me quello che non avevi potuto fare per tuo padre. Rivivere tutto questo per la terza volta supererebbe la tua capacità di sopportazione. Ecco il motivo per cui nonostante stanotte, nonostante quello che c'è e ci sarà sempre tra noi, alla fine te ne scapperai via di nuovo.

Vanina rimase in silenzio. Gli occhi sul marciapiede animato di fantasmi.

Paolo capí che doveva cogliere quel momento, perché difficilmente ne sarebbe capitato un altro di lí a breve. E la domanda che doveva farle cominciava a diventare improcrastinabile.

– Vani, però una cosa ti devo chiedere. Non rispondermi subito se vuoi, basta che mi rispondi sinceramente: è Palermo il problema o sono io? Se non stessi in questa città, in questa casa, se non facessi la vita che faccio, scapperesti ancora?

Vanina non avrebbe saputo cosa rispondergli. Non lo fece, e lui non ripeté la domanda. Quando lo salutò ebbe l'impressione che Paolo non gliel'avesse raccontata tutta.

13.

Il vicequestore Guarrasi entrò nel portone della squadra Mobile di Palermo. Andò verso la guardiola e si qualificò all'agente di turno, che era uscita dalla porticina laterale. Passò nel cortile interno e prese le scale per raggiungere la sezione Catturandi. Era domenica, e nei corridoi c'era pochissima gente.

Angelo Manzo le venne incontro a metà strada. Anche se era stato di turno tutta la notte, s'era trattenuto apposta per aspettarla.

La portò nel quartier generale del gruppo che era stato creato appositamente per ricercare Salvatore Fratta detto Bazzuca. Un gruppo blindato, fatto di elementi selezionati, che avrebbe lavorato per conto proprio. Quello che era successo la volta precedente, quando l'operazione cui aveva partecipato anche Vanina era fallita, non doveva ripetersi mai piú. La talpa che aveva determinato quel fallimento, chiunque fosse e da qualunque parte provenisse, andava stanata.

Nonostante avesse deciso di non accettare il distaccamento a Palermo che il questore era pronto – e molto propenso – a firmarle per dirigere la squadra, Vanina voleva che gli uomini e le donne che ne facevano parte sapessero che era disposta ad aiutarli come poteva.

Il grosso del lavoro su cui stavano costruendo la loro strategia si basava sui fascicoli delle indagini che proprio lei

aveva portato avanti negli anni di Palermo, per dimostrare che Bazzuca era piú vivo e piú vegeto di tutti gli altri.

Succede sempre cosí: quando i grandi sono tutti fuori gioco, anche una mezza cartuccia può diventare un pezzo da novanta. E questo era accaduto a Salvatore Fratta. Aveva fatto strada. Da bassa manovalanza qual era nei primi anni Novanta, quando aveva capeggiato il commando che aveva ucciso l'ispettore Guarrasi, era diventato una potenza. Capace di fare e disfare a suo piacimento.

Ma sempre una mezza cartuccia restava. Se per catturare i padrini c'erano voluti anni di duro lavoro, per stanare una negghia come quella Vanina era sicura che sarebbero bastati pochi mesi.

Manzo la aggiornò.

– La munnizza di Fratta, come lei aveva previsto, parlò assai. La telecamera di servizio di una farmacia vicina al covo riprese un uomo che da poco era andato a comprare quello stesso farmaco ipoglicemizzante che trovammo nella spazzatura. Di chi aveva le sembianze guarda caso, quest'uomo? Di Giuseppe Cuzzano.

Cuzzano era cugino di Fratta, un personaggio ambiguo, sempre ammucciato ma sempre presente negli snodi cruciali delle indagini.

– A quel punto abbiamo piazzato una telecamera fissa davanti all'abitazione del Cuzzano e abbiamo iniziato a seguirlo, – concluse Angelo.

– E del capello trovato sul letto che mi dici? – chiese Vanina.

– Il Dna ovviamente è femminile ma, manco a dirlo, non è presente in nessuna banca dati.

– Sappiamo che la merda aveva anche la fama di essere fimminaro. Cosa che per un latitante può essere un punto debole, non te lo scordare.

Nella mezz'ora successiva il vicequestore tirò fuori dalle sue vecchie carte alcune informazioni, e nomi che ora, alla luce dei nuovi riscontri, potevano diventare anelli di congiunzione.

Manzo sorrise. – Dottoressa, quando si decide a tornare tra noi, le giuro che faccio una festa.

Vanina neanche gli rispose.

Era appena uscita dalla Mobile quando la chiamò Marta.

– Vanina, sei in zona?

Un'altra a cui avrebbe dovuto confessare di non essere a Catania.

– Sono a Palermo da mia madre. Perché? Che è successo?

Percepí il suo stupore attraverso il telefono.

– Mi ha appena chiamato Lo Faro. Abbiamo trovato l'auto della Geraci. Ci avevi visto giusto: era all'aeroporto, nello stesso parcheggio dove hanno ucciso Esteban Torres.

Una botta di contentezza l'assalí. Con tutto quello che aveva combinato la sera prima s'era dimenticata di aver spedito Nunnari a fare il controllo all'aeroporto.

– Minchia, che bella notizia. E ora dov'è?

– La stanno portando nel nostro deposito.

– Di' a Fragapane di chiamare Pappalardo. Cosí quelli della Scientifica iniziano a lavorarci subito. Voglio che analizzino tutte le tracce, e bene. Avete avvertito Vassalli?

– Sí, ci ha parlato Tito.

– Allora già il pm di Messina sarà stato informato.

Chiuse con Marta e chiamò il maresciallo Labbate.

Prima di tornarsene a Catania, Vanina passò da sua madre. Dato l'orario rimase incastrata in un canonicissimo pranzo della domenica, che contemplava la presenza perfino dei futuri suoceri di Costanza. Al matrimonio di sua

sorella mancavano ancora piú di sei mesi, eppure se ne parlava come se fosse imminente. E da parte sua, in quanto testimone della sposa, ci si aspettava un coinvolgimento che in tutta franchezza lei, pur sentendosi vagamente in colpa, non provava.

Non fosse stato per il pranzo in sé, che a onor del vero valeva da solo una venuta a Palermo per come la signora Marianna s'era superata, quelle due ore perse seduta a tavola sarebbero state una tortura inenarrabile.

Quando uscí in terrazza a fumare una sigaretta Federico la seguí.

Le mise una sciarpa di sua madre sulle spalle. – T'ammazzi se no –. Si sedette accanto a lei. – Come stai, gioia mia? Sei pallida.

Poteva dirgli che era in giro dalla mattina precedente? Che s'era messa in macchina a un orario improponibile, reduce da un attacco di panico che le aveva fatto vomitare l'anima, e senza nemmeno passare da casa a cambiarsi? E che aveva passato quel che restava della nottata in una casa senza riscaldamenti insieme all'uomo con cui continuava a giurare di non voler tornare insieme?

– Non mi sono truccata granché, – giustificò.

Federico finse di crederci.

Sorrise e cambiò discorso.

– Ma lo sai che mi capitò? Mi venne a trovare la nuova capo area di un'azienda farmaceutica, una certa Canton, insieme a un informatore scientifico siciliano, che è di Catania. Appena videro la tua foto sulla mia scrivania e scoprirono che sei mia fi... – Si bloccò. Vanina lo vide in imbarazzo.

– Federico, puoi dirlo, – lo rassicurò. Poteva forse vietargli di considerarla sua figlia? Gli veniva spontaneo chiamarla cosí. Avrebbe dovuto ringraziarlo piuttosto.

Federico riprese: – Insomma, mi contarono che era sta-

ta la dottoressa Canton a trovare il morto su cui stai indagando tu. Il cubano americano. Un'ora mi tennero, a raccontarmi per filo e per segno tutta la storia.

'Sti due se la stavano *spacchiando* – per dirla alla catanese – un po' troppo, per i suoi gusti.

Però sentirli nominare le aveva suggerito qualcosa.

Carmelo Spanò se ne stava da mezz'ora acquattato dietro una siepe, munito di binocolo.

'Sta partita di tennis pareva non finire mai.

Aveva eluso qualunque telefonata, ma alla Guarrasi doveva rispondere per forza.

– Dottoressa, – fece, a bassa voce.

– Spanò, che fu? È afono?

– No, è che sono… a messa –. Come gli era venuto non lo sapeva manco lui. Non entrava in una chiesa dal giorno del battesimo di sua nipote. Dieci anni prima.

– Ah, capisco. Mi chiami quando esce allora.

– No no, dottoressa, mi dica pure.

Vanina gli comunicò la novità del ritrovamento dell'auto della Geraci e si stupí del fatto che lui non lo sapesse già.

– I due che hanno trovato il cadavere di Torres sono ancora a Catania? – gli chiese.

– Sí. Uno vive qua, all'altra dissi di avvertirci se se ne fosse andata.

– Va bene, allora faccia una cosa: prenda una foto di Xavier Torres e la mostri a tutti e due. Chieda se per caso si ricordano di averlo incrociato nel parcheggio.

– Li contatto subito.

– Anzi, guardi, li convochi direttamente domani mattina nel mio ufficio.

L'ispettore chiuse il telefono chiedendosi il perché di quella richiesta.

La verità era che di questo caso se ne stava occupando poco e niente. Sí, certo, un'idea sua se l'era fatta. Aveva interpellato le sue fonti, aveva accompagnato la Guarrasi ogni volta che lei aveva voluto, ma con la testa non c'era. S'era amminchiato con quest'altra storia e stava iniziando a sognarsela pure la notte. Perché se fosse stata vera, e se solo avesse potuto provarla, forse una speranza di recuperare la sua vita ce l'avrebbe avuta.

Se ne tornò tra i cespugli dov'era nascosto prima e riprese il binocolo. Lo puntò sul campo da tennis e sbiancò.

La partita era finita. I due erano scomparsi.

Vanina si fermò al solito autogrill, quello dove la beccava sempre Adriano. Ridendo e scherzando s'erano fatte le sette e mezzo e una fame lupigna l'aveva assalita. Prese una mezza baguette con la mortadella, una Coca-Cola, e si appoggiò a un tavolino di quelli alti.

Sul telefono c'era un messaggio di Paolo che voleva sapere se era arrivata. Iniziò a scrivere, poi cambiò idea e lo chiamò.

– Mi devo preoccupare? – le rispose subito.

– Perché?

– No perché stamattina quando te ne andasti mi pareva di aver capito che non dovessimo sentirci.

Era vero. Com'era vero pure che lui non aveva opposto granché di resistenza. Eppure qualcosa di non detto Vanina l'aveva percepito. Come se Paolo avesse vuotato il sacco solo a metà. Forse era per questo che aveva avuto l'impulso di chiamarlo.

– Stamattina non t'ho ringraziato.

Lo sentí stupirsi. – E per cosa?

– Per aver capito.

Stavolta fu lui a non rispondere.

Bettina la sentí arrivare e uscí subito dalla portafinestra.

– Vannina, ma dov'era finita? Mi preoccupai!

Ogni volta che non la vedeva rientrare, la vicina entrava in ambasce. Eppure a Vanina capitava spesso di dover passare nottate intere in servizio, e lei lo sapeva benissimo. Anzi, sapeva benissimo anche quanto la sua inquilina amasse fare gli straordinari. Come tutte le persone che si spaventano a rimanere sole con i propri pensieri.

– Ha ragione, Bettina, non l'ho avvertita che sarei andata a Palermo, – si scusò Vanina, mentre salivano insieme i gradini che portavano a casa sua.

La vicina ebbe un guizzo negli occhi. Stai a vedere che una candela oggi una candela domani, Padre Pio – la cui capacità miracolosa per Bettina superava quella della Madonna stessa – aveva ascoltato le sue preghiere e stava riavvicinando Vannina al beddu dottore Malfitano. Certo un poco le sarebbe dispiaciuto se poi la sua poliziotta adorata se ne fosse tornata a vivere a Palermo, ma lei si sarebbe sentita la coscienza a posto per aver contribuito alla sua felicità.

La prese alla larga, s'informò prima sulla salute della signora Marianna, che aveva avuto il piacere di vedere solo una volta, poi del professore Calderaro, poi di Costanza. Alla fine, quando Vanina aveva già aperto la porta di casa, con indifferenza, sganciò la domanda piú importante.

– E il dottore Malfitano come sta?

In un'altra occasione Vanina avrebbe glissato, ma quella sera era troppo stremata per inventarsi qualcosa.

– Magnificamente, – rispose.

La gioia di Bettina per la notizia ricevuta si tradusse in una truscia piena di roba da mangiare, avanzata la sera

prima. Vanina la onorò, dal primo al dolce, in preda alla piú incontrollabile fame da sfinimento.

Stanchezza non equivaleva a sonno, manco dopo la nottata campale che aveva passato.

Bagni caldi, litri di camomilla, tutte le poteva provare: il risultato non sarebbe cambiato. L'unica era scegliersi un film e mettersi comoda a guardarlo. Andò dritta alla mensola dei siciliani. Scorse i titoli cercando qualcosa di ricreativo. Alla fine optò per *La ragazza con la pistola* di Mario Monicelli. Monica Vitti/Assunta Patanè era appena partita alla volta dell'Inghilterra in cerca dell'uomo che l'aveva disonorata, per lavare l'affronto col sangue, quando Adriano Calí la chiamò.

Vanina mise in pausa e gli rispose.

– Ehi Calí, – si sentiva un rumore di sottofondo, come se fosse in macchina.

– Vanina, sento che sto facendo una minchiata, ma devo farla per forza.

– Che minchiata stai facendo?

– Sto andando a Noto. Luca mi ha detto che partiva all'improvviso per Roma, ma io sono convinto che invece si sia portato qualcuno a casa nostra. Se è cosí lo devo sgamare. Questo dubbio mi sta uccidendo.

– Adri, scusa, ma ragiona: secondo te Luca si porterebbe mai un altro nella vostra casa preferita? Non ci credo manco se lo vedo.

– Perché? È un classico: storie clandestine nelle case di villeggiatura ne sono fiorite a bizzeffe. Amuní, ma che te lo devo dire io? Che sbirra sei…

– Certo che è un classico, ma per il tipico marito fedifrago, insensibile e menefreghista. Non per uno come Luca.

– E invece magari proprio perché è l'ultimo posto in cui lo cercherei, lui se n'è andato lí.

– Vabbe', fai come vuoi –. In fondo lei, coi suoi viaggi notturni – sebbene mossi da altro genere di angosce –, non poteva certo biasimarlo.

– Cerca di stare attento. E casomai dovessi sgamarlo, mi raccomando: poche parole, orgoglio e testa alta. La dignità prima di tutto.

– Agli ordini. Anzi, come dice quel sovrintendente tuo, quello che si sente un veterano della marina americana? Signorsí, capo.

Chiuso con l'amico, Vanina prese il telecomando per riavviare il film. All'improvviso le parole di Adriano le tornarono in mente con la violenza di una mazzata sulla fronte.

– Cazzo! Com'è che non ci ho pensato prima.

Si vestí di corsa.

Passando davanti allo specchio si vide cadaverica. No, non poteva guidare per la seconda sera consecutiva. Rischiava davvero di fare un incidente.

Riprese il telefono e chiamò Spanò.

L'ispettore se ne stava in bilico su un muretto alto, avvinghiato a un lampione dell'Enel. Tirò fuori lentamente il telefono che gli vibrava in tasca. Cazzarola, ma sempre nei momenti topici la Guarrasi lo andava a chiamare?

– Dottoressa, – bisbigliò.

– Ispettore, non mi dica che è ancora a messa perché non ci credo.

– No no, è che... Niente, lassassi stari. Mi dica.

– Lei non è di turno, vero?

– No, c'è Fragapane. E penso macari la Bonazzoli. Ma perché lo vuole sapere?

– Ho bisogno che qualcuno mi accompagni in un posto. E se ho ragione, daremo una svolta importante all'indagine. Piú siamo meglio è.

Qualcosa si mosse nella direzione che l'ispettore stava puntando da due ore. Non poteva lasciarsi scappare l'occasione. Ma una convocazione della Guarrasi era una convocazione della Guarrasi. Passava avanti a tutto.

– Il tempo di prendere una macchina di servizio, radunare gli altri e sono da lei.

Spanò, Marta e Fragapane arrivarono in mezz'ora con Colombo al seguito. La Bonazzoli alla guida.

Vanina s'infilò nel posto del passeggero. S'era fatta un caffè, anche se non ce ne sarebbe stato bisogno. Bastava l'adrenalina che il suo fiuto sbirresco le aveva messo in corpo. E piú ce n'era, piú era sicura che stava andando nella direzione giusta.

Colombo era divertitissimo. Era da tanto che non stava sul campo, e l'azione gli mancava. Quando Vanina l'aveva chiamato era in giro per Catania con un collega della questura centrale, che gli stava facendo provare l'ebbrezza dello *sgriccio* al mandarino, bevuto al chiosco di piazza Spirito Santo. Una di quelle che la Guarrasi gli aveva indicato come «catanesate». S'era unito subito alla spedizione.

– Ora possiamo sapere dove stiamo andando? – fece Marta.

– A Noto.

Quelli sgranarono gli occhi. Si guardarono tra loro.

– Possibilmente veloci.

Marta partí in direzione dell'autostrada.

– Meno male che ho scelto questa macchina, – si limitò a osservare. Ma l'espressione sulla sua faccia parlava

da sola: quando ti leverai il vizio di non dirmi quello che hai in mente?

Ci misero un'ora scarsa.

Lungo il tragitto Adriano Calí aveva chiamato Vanina, felice di aver trovato la casa chiusa e vacante. Pure col frigorifero staccato, come lui e Luca l'avevano lasciato l'ultima volta. Ora bel bello se ne stava tornando a Catania, che lí il riscaldamento era disattivato e c'era un freddo cane.

Vanina aveva evitato di dirgli che si sarebbero incrociati lungo la strada.

Recuperarono l'indirizzo della Geraci.

– Dottoressa, ma secondo lei qua lo troviamo, a Torres giovane? – Spanò aveva capito tutto.

Vanina improvvisò una breve riunione di squadra.

– Picciotti, incrociamo due dati: la macchina della Geraci è transitata sulla Catania-Siracusa piú volte. Ne siamo sicuri perché la beccò l'autovelox della Stradale e il giorno dopo, mi disse Labbate, pure una telecamera della galleria. Il suo bancomat, che non poteva avere in mano altri che l'assassino, ha prelevato soldi in uno sportello bancario di Noto. Mettiamo che Xavier Torres, spaventato, abbia cercato un posto dove andarsi a infrattare. Le chiavi della casa di Noto erano nella borsetta, insieme al portafogli e al telefonino. I carabinieri mazzi di chiavi non ne trovarono. Poteva esserci un nascondiglio migliore di una casa lontana cento chilometri dal luogo del delitto, e per giunta di proprietà della morta?

– Ma scusasse, dottoressa, – intervenne Fragapane, – a quest'ora quello capace che se ne scappò.

– E perché? Ancora dell'omicidio della Geraci non se n'è parlato. Soprattutto non è mai stato pubblicamente collegato a quello di Esteban Torres. E non ci scordiamo

che ora Xavier è pure senza macchina, perché quella della Geraci la lasciò all'aeroporto.

– Dunque secondo te, – fece Colombo, – Xavier Torres avrebbe usato un altro mezzo per tornarsene a Noto.

– Piú o meno cosí.

– Può darsi.

– Nel dossier che ti mandarono su Xavier c'è qualche dato che può tornarci utile stasera?

– No. Stasera no. Ma ci sono un po' di cose sul suo conto che devi sapere per farti un quadro preciso.

– Ok. Allora me le dici dopo. Per adesso andiamo.

Scesero dalla macchina, che avevano parcheggiato distante. La casa della Geraci era nel centro storico in piena zona pedonale. In giro, alle undici e mezzo di domenica sera, non c'era quasi nessuno. L'ultima volta che Vanina era stata lí era fine settembre, e la città era ancora animata.

S'infilarono quatti nel cortile su cui dava la porta d'ingresso della Geraci. Un uomo e una donna sui sessanta con un cane al guinzaglio spuntarono alle loro spalle e si bloccarono, preoccupati. La fondina della Guarrasi era ben evidente, cosí come la pistola di Spanò.

Vanina si qualificò. A bassa voce chiese loro notizie sulla casa.

– È abitata in questo momento?

– Sí sí. La Bubi, poveretta, la teneva sempre in funzione. Se non ci stava lei la affittava –. Dovevano essere settentrionali.

Vanina si cavò di tasca la foto di Xavier.

– È lui l'inquilino?

I due si guardarono spaventati.

– Sí, è lui! Santo Dio, ma è un delinquente?

– Ci sono terrazze tra questi tetti? – chiese Vanina.

– Sí, in quasi tutte le abitazioni.
Potenziali vie di fuga, pensò il vicequestore.
Li liquidò dicendo loro di rientrare in casa e li ringraziò.
I due sparirono dentro un portoncino.
– Guarrasi, che facciamo? Sfondiamo? – fece Colombo.
– No. Temo che possa scapparci. È un rischio che non voglio correre.
– E allora?
Vanina guardò Marta.
– Bonazzoli, te la senti di fare da apripista?
– Certo. Come?
– Bussa alla porta. Digli che sei una turista in difficoltà, che non hai trovato un posto dove dormire. E hai visto la casa su Airbnb. Piú padana che puoi, mi raccomando.
Si nascosero e la Bonazzoli entrò in azione.
– Guarrasi, se le capita qualcosa Macchia t'ammazza. Lo sai, vero? – le sussurrò Colombo.
– Non le capita niente.
Marta suonò la prima volta. Poi la seconda. Bussò forte.
Una signora s'affacciò alla finestra della casa accanto.
– Cerca a qualcuno? – fece.
Solo quella ci mancava.
– Mi scusi, signora, ho trovato questa casa su Airbnb. Dovrebbe esserci qualcuno ad aprirmi, ma non rispondono.
– C'è 'n autru inquilino, ma mi pare che è nella terrazza. Ora ce lo vado a chiamare. Aspittassi.
Pure amicizie aveva fatto, Torres?
Vanina iniziò a temere di aver sbagliato e che Marta stesse per svegliare qualche persona davvero di passaggio nella casa. Ma com'era entrata, 'sta persona, se Bubi era morta? Probabilmente la Geraci aveva a Noto un equivalente di Nuzzarello a Trecastagni.

La finestrella sopra il portone si aprí, lentamente. Vanina, Spanò e Colombo si erano nascosti.

– Buonasera, – fece Marta, l'aria angelica da ragazza smarrita.

– Buonasera, – rispose l'uomo. L'accento americano.

– Mi scusi, ho trovato questa casa su Airbnb.

L'uomo le rispose in inglese, con un'inflessione spagnola inconfondibile.

– Mi dispiace, io sono solo un inquilino, come lei. Non posso aprire.

Marta fece la faccia disperata.

– La prego! Non so come fare. È tardi, negli altri alberghi non c'è posto...

– La casa è occupata.

La Bonazzoli si superò.

– E le dispiacerebbe dividerla con me? Sarebbe cosí gentile... Le giuro che domattina me ne vado.

Vanina notò che l'uomo ci metteva un po' a rispondere. Certo, quando gli ricapitava di accogliere in casa una strafiga come la Bonazzoli? Col suo mestiere, capace che gli toccava farsela sempre con donne piú agé.

– Come ti chiami? – le chiese.

– Betti.

– Di dove sei?

– Di Bassano del Grappa.

– E che ci fai qui?

– Ero in vacanza col mio fidanzato. Ma... lui se n'è andato e mi ha lasciata sola. Per piacere, solo per stanotte...

– Aspetta, Betti.

Chiuse la finestra.

– Ci siamo, – fece Vanina.

Marta aspettò serafica che la porta si aprisse.

Xavier Alejandro Torres comparve davanti a lei.

– Entra, *niña*.

Non ebbe nemmeno il tempo di accorgersi che le *niñe* erano diventate due, e che una era armata. L'ispettore capo Spanò l'aveva già bloccato faccia al muro.

L'espressione di Macchia quando gli avevano raccontato lo stratagemma con cui la Guarrasi aveva stanato Xavier Torres era da filmare. Cosí come l'occhiata apprensiva che aveva lanciato alla sua Marta nel momento in cui s'erano trovati a notte fonda negli uffici della Mobile, dove Torres era stato appena condotto.

Nella sala interrogatori insieme all'uomo c'erano Vanina e Colombo. Spanò assisteva da fuori, insieme al primo dirigente e alla Bonazzoli, che invece era fresca come una rosa e per niente provata. Un'attrice nata, l'aveva presa in giro la Guarrasi. In effetti la recita le era riuscita bene. Xavier Torres era stato cosí pollo da credere davvero che una ragazza come lei gli si stesse offrendo in quel modo.

Gli elementi indiziali piú importanti a suo carico riguardavano l'omicidio della Geraci. Tecnicamente perciò l'arresto doveva essere verbalizzato dai carabinieri di Taormina, che stavano per arrivare.

Nell'appartamento netino della donna, Vanina aveva recuperato tutto quello che mancava all'appello. Computer, telefono e portafogli della vittima.

– Lei conosceva suo zio Esteban Torres? – chiese Vanina, in inglese.

Xavier la fissò in silenzio. Gli occhi verdi cerchiati di scuro. Un James Dean quarantenne in versione ispanica.

– Signor Torres, mi risponda: lei conosceva Esteban Torres, suo zio?

– Sí.

– L'ha conosciuto qui in Italia in questi giorni?

– Sí.

– È stata Roberta Geraci a farvi conoscere?

L'uomo non rispose.

– Signor Torres, lei ha ucciso anche suo zio, oltre alla signora Geraci?

Xavier serrò le labbra.

– Io non ho ucciso nessuno.

In quel momento Marta entrò nella stanza.

L'uomo la guardò. – *Hola niña!* Peccato, ti saresti divertita, – disse. Un sorrisetto sardonico sulle labbra.

Il vicequestore scattò, batté la mano sul tavolo. – Oh, Torres. Stai attento a quello che dici. Non ti permettere mai piú di rivolgerti cosí a un ispettore di polizia altrimenti ti giuro che divento la tua peggior nemica.

Quello mantenne il ghigno.

La Bonazzoli lo ignorò. Si limitò a comunicare a Vanina che erano arrivati i carabinieri.

– Non abbiamo finito. Ci rivediamo in carcere, Torres, – gli promise il vicequestore, prima di lasciarlo al capitano Silvani e al maresciallo Labbate.

Un'ora dopo Xavier Alejandro Torres varcava i cancelli del carcere di piazza Lanza.

14.

Vanina aprí la porta di casa che erano le sei del mattino. Stanca come mai prima di allora, ma assolutamente incapace di prendere sonno. Si preparò una tazza di latte. Il televisore era rimasto bloccato sull'immagine di Monica Vitti. Rilassarsi per rilassarsi, tanto valeva finire il film che aveva lasciato a metà.

Assunta aveva appena abbandonato Vincenzo su un molo e s'era imbarcata su un traghetto diretta verso l'isola del suo professore, quando a Vanina venne in mente una cosa.

Guardò l'orologio: le sei e quarantacinque. Pazienza, Angelina avrebbe smadonnato un po', ma lei aveva bisogno di un confronto. E poi, se le andava bene, avrebbe risposto Patanè in persona.

– Prontooo.

Alzò gli occhi al cielo. Che camurría!

– Buongiorno, signora, sono il vicequestore Guarrasi. Avrei bisogno di parlare col commissario.

Angelina ci mise qualche secondo a risponderle.

– Se non dorme, – fece. Probabilmente parlava da un cordless, perché Vanina sentí i passi marziali sul pavimento del corridoio, la televisione accesa. La voce di Patanè. – Angelina, cu è? – Infine distintamente, nonostante il tentativo malriuscito di tappare la cornetta che la donna doveva aver fatto: – E cu po' essiri? L'amica tua.

Ma era mai possibile che 'sta santa donna fosse cosí gelosa di lei?

– Dottoressa, come sta?

– Meglio, commissario, grazie.

– Fece buon viaggio?

Vanina restò interdetta. E che ne sapeva lui?

– Come?

Patanè sospirò, risolente.

– Perché sicunnu lei io m'ammuccavo che l'altra sera lei se ne stava andando a casa, no? La mappa dell'autostrada Catania-Palermo ce l'aveva dipinta in faccia, quando mi lasciò.

A Vanina venne da ridere. Tutto intuiva, 'sto sbirro nato.

– Vabbe', m'arrendo: mi sgamò. Però ho fatto bene, commissario.

– Poi se vuole me lo conta. Intanto mi dica perché m'aveva telefonato, che sicuramente il motivo non era questo.

– Sa, stavo vedendo un film della mia collezione, *La ragazza con la pistola*.

– A 'st'ura? E che si sente male? – scherzò il commissario.

Vanina sorrise. Vero era, non era orario per lei. Prima gli raccontò dell'arresto di Xavier, che il commissario seguí esilarato.

– Brava dottoressa! Ma scusi, il film che ci trase?

– Ci trase perché la protagonista, che di cognome oltretutto fa Patanè, se ne parte per l'Inghilterra con l'unico scopo di ammazzare una persona. E allora mi venne in mente una cosa: e se Xavier Torres fosse arrivato in Italia con l'intenzione precisa di fare fuori lo zio?

– Tutto premeditato, cioè?

– Un regolamento di conti familiare.

– Può funzionare, ma a una sola condizione: che il torto che gli aveva fatto 'sto zio era accussí grande da scatenargli la voglia di vendetta.

Vanina aveva aperto gli occhi alle undici, ma le sembrava di essere in piena notte. Indolenzita che pareva l'avessero presa a timpulate. Considerato che era andata a dormire alle sette, e che in un giorno s'era praticamente girata mezza Sicilia, era pure comprensibile. Senza contare che anche la notte prima aveva dormito poco e niente, per giunta in una stanza che pareva un frigorifero. Altro che dolori. Già era assai che non si fosse presa un accidente.

S'era vestita di corsa e s'era fiondata al bar *Santo Stefano*, rassegnata al fatto che a quell'ora i pezzi di colazione – preparati uno per uno artigianalmente e perciò non tantissimi – fossero stati ormai ampiamente sostituiti dalla rosticceria salata. E invece. Un panzerotto al cioccolato era rimasto lí, orfano e solitario. Se l'era divorato in un minuto con due cappuccini, e rinfrancata si era diretta in ufficio.

Lungo la strada aveva richiamato Patanè e gli aveva detto di raggiungerla.

E ora se ne stavano tutti lí, commissario compreso, nell'ufficio di Vanina.

Macchia era comodamente piazzato sulla poltrona del vicequestore. Sigaro spento in bocca e maniche di camicia, anche se la temperatura si era abbassata di nuovo. La collera per il ruolo di Marta nel blitz della sera prima stava scemando. Per non incorrere nelle ire della ragazza e per non rovinare l'equilibrio creatosi da quando lei aveva accettato di ufficializzare la loro storia, Tito aveva evitato di esternare la sua contrarietà con la Guarrasi.

Patanè aveva dovuto accettare di sederglisi accanto, anche se si sentiva in imbarazzo. Un conto era la Guarrasi, e un conto era una riunione ufficiale.

Vanina se ne stava seduta su una delle poltroncine accanto al dirigente dello Scip, che iniziò il suo resoconto sull'arrestato.

– Xavier Alejandro Torres non ha un passato limpidissimo. È arrivato negli Stati Uniti via mare, come molti cubani in quegli anni. E come molti cubani ha goduto del cosiddetto Cuban Adjustment Act. La regola del «wet foot, dry foot» per cui se ti beccano ancora in mare ti rimandano indietro, ma se sei riuscito a scendere letteralmente con i piedi sul suolo americano, entro un anno puoi iniziare a richiedere la cittadinanza. Una legge federale che il Congresso degli Stati Uniti ha creato per aiutare chi voleva scappare dalla dittatura castrista. Xavier Torres, come Esteban trent'anni prima, è entrato in America cosí. Residente a Miami. Nel '99 l'Fbi lo tiene sotto osservazione perché frequenta abitualmente una ricca colombiana, indagata per presunti legami col narcotraffico. Non viene fuori nulla, anche perché la donna nel 2000 se ne torna in Colombia. Nel 2003 viene denunciato per prostituzione da un uomo, ma l'ex moglie di questo lo scagiona dichiarando che è un suo assistente personale. Ufficialmente fa l'indossatore.

– Che Xavier Torres faccia il gigolò ormai mi pare assodato, – disse Vanina. – Com'è assodato che cosí ha agganciato la Geraci. La Postale sta già lavorando su telefono e computer della donna per recuperare le chat che lui deve aver cancellato e che secondo me ci diranno molto. Anche sul legame tra i due omicidi.

– Perché pensi che la chat possa rivelare qualcosa? – chiese Macchia.

– Perché ho la sensazione, però bada, è solo una sensazione, che se Xavier s'è deciso a conoscere suo zio proprio adesso dopo piú di vent'anni, dev'essere successo qualcosa

di importante. E l'amicizia... vabbe', diciamo cosí, con Bubi era un ottimo viatico.

– Quindi tu pensi che la Geraci avesse parlato di Esteban a Xavier?

– È l'unica possibilità. Ragioniamo, Tito: Xavier vola a Catania proprio quando suo zio è qui. Se voleva vederlo, la cosa piú logica sarebbe stata andare a cercarlo in Svizzera o a Milano. E invece no. Lui s'arricampa qui proprio nei giorni in cui Bubi sta aspettando che arrivi Esteban. Come se l'incontro con lo zio dovesse avvenire a sorpresa. Per lui ma anche per Bubi. Esteban ritarda una settimana e lui, per non perdere l'occasione, si trova costretto a far compagnia alla Geraci. Ma qualcosa va storto. I due litigano, e nella colluttazione la donna cade e va a sbattere la testa sulla pietra del pozzo. Il resto ormai sappiamo com'è andato, visto che Torres ai carabinieri l'ha confessato appena gli hanno messo davanti i risultati dell'esame del Dna.

Labbate le aveva raccontato tutto poco prima che iniziasse quella riunione.

La versione di Xavier si limitava al rapporto con la donna, al fatto che s'erano incontrati a Taormina e che avevano passato del tempo insieme. Poi per un banale litigio era successo quello che era successo e lui aveva perso la testa. Aveva bisogno di soldi, per questo aveva usato il bancomat di Bubi e alla fine aveva preso la sua macchina ed era andato a nascondersi a Noto.

– Dopodiché, – proseguí Vanina, – Xavier contatta suo zio, probabilmente utilizzando il numero che trova nel cellulare della Geraci. Pochi giorni dopo Esteban muore, ammazzato dalla sua stessa pistola. Ci dev'essere una connessione, Tito. E l'unico modo per trovarla è leggere quello che si dicevano Xavier e la Geraci.

– Sul fatto che Xavier abbia deciso proprio adesso di farsi vivo con suo zio, però, posso azzardare un'ipotesi, – disse Colombo, che ancora non aveva finito di leggere il dossier. – Ultimamente le sue attività devono aver avuto una «flessione», perché risulta a suo carico uno sfratto per mancato pagamento, denunciato dal locatore circa un mese fa e reso esecutivo il 15 novembre, quando lui era già in Italia. Lo sceriffo ha sfondato la porta e liberato l'appartamento. Negli Stati Uniti si fa cosí. L'*eviction*, lo sfratto, è veloce e spietato. Se l'inquilino non lo rispetta viene buttato fuori, e tutti i suoi effetti personali diventano di proprietà del locatore.

– Perciò se Xavier tornasse negli Stati Uniti non avrebbe nemmeno una casa dove vivere? – intervenne Marta. Se Vanina la conosceva bene, si stava già impietosendo.

– E allora questo spiegherebbe anche un'altra cosa, – fece il vicequestore. – La sera in cui è morta, la Geraci chiamò Paparone per dirgli che aveva bisogno di un biglietto aereo urgente per Miami per un suo amico. Questo amico non si presentò mai. Io l'idea che si trattasse di Xavier l'ho sempre avuta in testa. Ora quadra ancora meglio: perché Xavier negli Stati Uniti poteva tornarci solo dopo aver parlato con suo zio, avergli chiesto aiuto e possibilmente essersi fatto dare dei soldi.

– Scusi, dottoressa, – intervenne Spanò, – ma perché la Geraci avrebbe dovuto impedirglielo, o addirittura mandarlo via? Ammesso che quello le avesse detto che voleva parlare con suo zio, a lei che le cambiava?

– Spanò, la Geraci a Xavier lo pagava per farci sesso. Esteban era il suo amante da tanti anni, l'unico amante fisso, con cui aveva una parvenza di storia d'amore. Ora, secondo lei, una come la Geraci, poteva mai rischiare che il suo amante venisse a sapere che se la faceva con i gigolò?

– E chistu è veru.

Patanè annuiva da un'ora a tutto quello che diceva Vanina. Non osava prendere parola, ma la pensava come lei. Il nodo della morte della Geraci era strettamente connesso con la parentela di Xavier ed Esteban.

– Nunnari e Marta, fate una cosa, – disse la Guarrasi, chiudendo la riunione, – recuperate i filmati delle telecamere del parcheggio, quelli che abbiamo preso il primo giorno in aeroporto. Ora sappiamo chi cercare. Capiamo dalla telecamera alla sbarra se la macchina della Geraci con a bordo Xavier è arrivata prima di quella di Torres, o se la seguiva. E controlliamo anche chi entrava e chi usciva a piedi.

Nunnari bloccò la mano per non portarla alla fronte, che altrimenti davanti a tutti quelli faceva la figura del cretino. Seguí la Bonazzoli come un cagnolino adorante. Senza piú nessuna speranza.

Vanina riprese possesso della sua poltrona, che dopo aver ospitato il Grande Capo per ben due volte basculava di nuovo.

– Qua mi sa che bisogna dare di nuovo un'attrantatina al bullone, – comunicò a Spanò. L'ispettore ogni volta si armava di tenaglia e stringeva il bullone che col peso fuori misura di Macchia s'allentava sempre. Autodifesa, scherzò Patanè.

Erano rimasti loro tre da soli.

Vanina aprí la pagina del Sistema utente investigativo e cercò Esteban Torres. Le vennero fuori tutte le notizie che sapeva già. Si focalizzò sull'arma dichiarata.

Makarov 9 mm rilesse. Anno di fabbricazione 1966.

Fragapane bussò alla porta.

– Dottoressa, ci sono i due signori che trovarono il cadavere di Torres.

Il vicequestore alzò gli occhi al soffitto. Se li era completamente dimenticati.

– Falli entrare.

Li aveva convocati solo per togliersi uno sfizio, questione di cinque minuti.

I due avanzarono nell'ufficio timorosi.

Le notizie che avevano raccolto in giro sulla Guarrasi concordavano tutte sulla sua grande abilità e sulla sua integrità, ma non si parlava granché bene del suo carattere. Burbero, a detta di alcuni. Irascibile, a detta di altri. Senza dimenticare poi le parole raggelanti dell'ispettora bionda in merito a un'eventuale convocazione, che dovevano augurarsi non accadesse.

Si presentarono. Lella Canton, Antonino Falsaperla. Lui insalamato in un abito bluette. Lei senza un capello fuori posto, cappottino, foularino e trucco a prova di tsunami.

Vanina li fece accomodare.

Spanò tirò subito fuori la foto di Xavier Torres che doveva mostrare loro.

– Ricordate per caso di aver incrociato quest'uomo, l'altro giorno, nel parcheggio dell'aeroporto?

I due si concentrarono sulla fotografia.

La Canton negò. Falsaperla rimase a pensarci su.

– Può essere che avesse un cappellino in testa? – chiese. Domanda cui nessuno di loro avrebbe potuto dare risposta.

– Non lo possiamo sapere. Faremo una verifica, se è necessario.

– Un giubbotto nero di pelle? – insisté quello.

– Come sopra, – rispose Spanò.

– Una moto...

– Signor Falsaperla, ma che moto e moto, – sbottò Vanina. – La domanda è semplice: ha visto questo tizio oppure no?

– No, – si rassegnò. Quanto gli sarebbe piaciuto dare il suo contributo.

– Signora Canton, lei per caso s'è ricordata qualcosa in piú rispetto a quello che ha raccontato la prima volta?

– No, dottoressa.

– Lo sportello del passeggero, nella macchina di Torres, per esempio: era aperto o era chiuso?

Questo Spanò non gliel'aveva domandato.

– Forse era aperto. Anzi era aperto di sicuro. Infatti l'ho soltanto scostato per guardare dentro e... madonnina mia, mi spavento al solo pensarci!

– E fa bene. Dietro a questa storia potrebbe esserci chiunque, anche la mafia americana. Andare a raccontare la faccenda a tutti i medici che avete incontrato è stato irresponsabile.

I due impallidirono.

– Ma noi...

Vanina non li lasciò finire. – Vorrei riferirvi che, a causa delle vostre chiacchiere, siamo stati costretti a fronteggiare una fuga di notizie che avrebbe potuto mandare a monte le indagini. Voi avete divulgato informazioni importanti, e solo il mio intervento vi ha evitato conseguenze da parte del magistrato inquirente.

Spanò non sapeva dove guardare. Patanè fissava un punto lontano per trattenere le risate.

– Mischinazzi, dottoressa! – commentò il commissario appena i due se ne furono andati.

Vanina s'era già mezzo pentita di ciò che aveva fatto, ma quel genere di personaggi le scatenava sempre istinti vendicativi.

– Una cosa però l'abbiamo scoperta: che lo sportello del passeggero era aperto.

Alzò il telefono e chiamò la Scientifica. Chiese direttamente di Pappalardo.

– Buongiorno, dottoressa.

– Pappalardo, buongiorno. Ci lavorò lei sulla macchina della Geraci?

– La A2 che trovammo ieri all'aeroporto? Sí.

– Bene. Avete scoperto niente?

– Mah, tutti 'mmarazzi riconducibili alla proprietaria. Li abbiamo catalogati, se vuole glieli mando.

– Sí, grazie, cosí diamo un'occhiata. Invece la macchina di Esteban Torres è ancora nel nostro deposito?

– Certo.

– Allora mi faccia una cortesia: cerchi se tra le varie impronte digitali che ci saranno sicuramente sullo sportello del passeggero, all'altezza della maniglia, ce n'è qualcuna riconoscibile di Xavier Torres, l'uomo che abbiamo preso stanotte e che i carabinieri hanno arrestato per l'omicidio della Geraci.

– Eseguo subito.

– Senta, Pappalardo, se Manenti le dovesse fare storie, mi chiami che ci penso io.

– Non si preoccupi, dottoressa, non penso che ne farà. Per ora è impegnato in altre questioni.

– Cioè?

– Oggi comunicarono che martedí arriva il nuovo dirigente.

Il vicequestore evitò di esternare la sua soddisfazione.

Colombo nel frattempo era rientrato.

Vanina chiuse il telefono e si alzò, iniziò a recuperare le sue cose come quando doveva uscire. Spanò e Patanè scattarono in piedi, ognuno alla sua velocità. Incerti.

– Andiamo, – fece Vanina.

– Ca amuní, – disse Patanè.

– Posso sapere dove? – chiese Colombo, mentre scendevano le scale.

– A mangiare qualcosa e poi all'*Hotel Palace*. Voglio parlare con la moglie e l'ex moglie di Torres.

– Certo ca chistu si spusava e si lassava nel tempo di un caffè! – constatò Patanè.

– Però l'unica con cui non mantenne rapporti è la Álvarez, perché con l'americana invece rimase macari socio, – commentò Spanò.

S'infilarono nell'auto di servizio.

Colombo rispose a Spanò. – Be', l'americana è anche la figlia di Frank Cristallo, l'uomo che gli ha fatto da trampolino di lancio verso affari che lui non avrebbe mai immaginato. Nonché quello che sicuramente l'ha traghettato verso la famiglia mafiosa di Tampa. Una delle varie con cui Torres dovrebbe aver avuto contatti, sebbene come vi ho detto non ve ne sia traccia. Per non parlare del fatto che la signora stessa è tuttora socia per metà in alcuni business molto importanti. La Álvarez invece era solo un amore di gioventú, il rapporto meno rilevante, per un uomo come quello.

Andarono al bar all'angolo, davanti al tribunale, e ordinarono tre cartocciate. Mentre mangiavano seduti a un tavolino d'angolo comparve la Recupero.

Vanina la invitò a sedersi.

– No, grazie, dottoressa. Sono di fretta. Dottor Colombo stavo per chiamarla. Mi raggiunge nel mio ufficio, appena finisce?

Raccomandò a Vanina di farsi vedere ogni tanto. Anche per un caffè. Piú che un semplice invito, a Vanina sembrò una velata richiesta di colloquio. Le promise che sarebbe passata da lei al piú presto.

Le due signore Torres la stavano aspettando.

– Dottoressa, – esordí subito la Visconti, – quando pensa che potremo portare via la salma di Esteban? Chiedo per regolarci. Evelyn e io oggi dovremo fare un salto a Milano. Ma domani saremo di ritorno.

Vanina diede una risposta vaga.

– Avete mai visto quest'uomo? – chiese, tirando fuori la fotografia di Xavier.

Le due inforcarono gli occhiali e se la studiarono.

Scossero la testa, convinte. Era evidente che non mentivano.

– Senta, signora Visconti, ho bisogno di qualche informazione sulla pistola di Esteban.

Si misero in ascolto entrambe.

– Suo marito era solito portarsela dietro sempre?

– Sí, sempre. Ma la maggior parte delle volte la teneva nel cruscotto della macchina.

– E come mai? Non temeva che potessero prendergliela?

– Esteban non aveva mai paura che qualcuno potesse derubarlo. Dovrebbero solo provarci, rispondeva, se qualcuno gli paventava questo pericolo. Si metterebbero in un guaio da cui non uscirebbero piú, se soltanto s'azzardassero. Lui era fatto cosí. Un po' spaccone, un po' incosciente…

– O forse semplicemente molto sicuro di sé, – aggiunse l'americana, che evidentemente aveva capito.

Vanina tirò fuori la foto della pistola.

– Era questa?

– Sí, era questa, – risposero entrambe.

– Esteban ce l'aveva da sempre. Da prima ancora che ci conoscessimo. Poi quando ha cominciato a diventare piú ricco, e ad avere troppi soldi da spostare da un posto

all'altro, ha preso la licenza per portarsela dappertutto, – disse Evelyn.

– Il porto d'armi, – corresse Vanina.

– Perché ci chiede della pistola di Esteban? – fece la Visconti.

– Perché suo marito è stato ucciso con un colpo sparato dalla sua stessa pistola, che adesso ovviamente è scomparsa, – rispose il vicequestore. Stava per congedarle quando si ricordò una cosa.

– Ah scusatemi, signore. Avrei bisogno di una fotografia di Esteban da vivo. Una in cui si veda bene.

La Visconti tirò fuori il telefono.

– Non ne ho molte... Ho cambiato telefono e le ho trasferite sul computer. Ho questa, può andar bene? Eravamo in barca, a Capri.

Esteban era in costume da bagno.

Vanina disse che andava bene. Se la fece mandare.

Appena le due donne se ne furono andate l'aprí e la inviò via WhatsApp al numero di Aleja Álvarez. «I promised», le scrisse.

La donna le rispose subito. La ringraziò.

Colombo era andato in tribunale dalla Recupero. Spanò era rimasto fuori, assorto sul telefono.

Vanina raggiunse Patanè che stava facendo due chiacchiere con il barman del *Palace*, una sua vecchia conoscenza.

Mancavano poco piú di due ore all'interrogatorio in carcere per il quale aveva ottenuto la delega d'indagine da Vassalli, che di sentire Xavier Torres non aveva nessun bisogno. Tanto per il magistrato non c'era alcun dubbio che l'assassino di Esteban fosse lui. Questione di trovare le prove, un movente... Cosa fatta, va!

Sul telefono c'erano una chiamata persa di Labbate e una di Marta.

Vanina richiamò prima il maresciallo.

– Dottoressa, riguardo al computer della Geraci ci aveva visto giusto. Ha letto le trascrizioni delle chat che trovarono quelli della Postale?

– No, – dovevano essere arrivate quando lei era uscita. Anzi, probabilmente Marta voleva parlarle proprio di questo.

– Allora non le anticipo niente. Però posso dirle che servono piú a lei che a mé.

Il vicequestore chiuse e chiamò Marta, la quale confermò l'arrivo delle trascrizioni.

Spanò e Patanè stavano parlottando tra loro. Il commissario aveva la faccia severa, come se lo stesse rimproverando. Si bloccarono appena la videro.

Vanina li fissò abbastanza da lasciar intendere che non la facevano fessa. E che prima o poi avrebbe saputo cosa si stessero dicendo.

– Dobbiamo tornare in ufficio, – comunicò.

Lungo la strada si accese una sigaretta.

– Posso sapere cosa stavate tramando alle mie spalle? – disse, scherzosa ma non del tutto.

– Niente, dottoressa, – rispose subito Spanò.

Patanè non fiatò, ma aveva rimesso su la faccia severa. Lui e Vanina si guardarono attraverso lo specchietto retrovisore. Lei preferí non insistere, tanto era solo questione di tempo. Ci avrebbe scommesso che la questione riguardava l'ispettore in prima persona.

Nunnari la aspettava sulla porta dell'ufficio. Eccitato.

– Capo!

– Che fu, Nunnari?

– Lo trovai!

– Chi?

– A Torres giovane.

Andarono nella stanza dei carusi, dove Marta e Fragapane stavano dando un'occhiata alle trascrizioni dei messaggi.

Nunnari si diresse alla sua scrivania e recuperò il primo filmato, bloccato nel punto in cui si vedeva la A2 della Geraci entrare nel parcheggio dell'aeroporto. Poi aprí il secondo, anche quello fermo sul fotogramma che interessava loro: Xavier Torres che passa a piedi nella zona in cui avevano trovato il cadavere. Cinque minuti scarsi e poi ripassa, di corsa, guardandosi indietro.

– Capo, qua mi pare che dubbi non ce ne sono, – fece Spanò.

– No, Spanò. Non sembrano essercene, – confermò Vanina.

Una prova cosí importante cambiava tutto, certo non era schiacciante ma poteva bastare. Anche solo un altro riscontro, e Xavier Torres in galera ci sarebbe rimasto per parecchio tempo. Ma il movente? Quello bisognava capire.

Bonazzoli le consegnò le trascrizioni e la seguí nel suo ufficio, insieme a Spanò e Patanè.

Vanina si sedette alla scrivania. Il commissario accanto, l'ispettore e Marta di fronte.

Iniziò dalla prima conversazione, la piú remota. Risaliva a maggio. Sembrava il momento in cui i due si erano trovati su Facebook. O meglio: la Geraci aveva trovato lui. Una conversazione scherzosa, in cui Bubi gli ricordava la volta in cui si erano conosciuti, a Cuba.

Scorse velocemente le altre, tutte simili, finché non apparve il nome di Esteban Torres. Da lí in poi lesse tutto con attenzione. Tornò indietro, segnò le date.

Patanè aveva allungato il collo per leggere meglio. Occhialini sul naso, faccia contrariata per la conversazione scritta tutta in lingua inglese.

Vanina leggeva passando man mano i fogli a Marta, l'unica che non aveva bisogno di traduzione.

Ci misero un'ora buona. Alla fine trassero le conclusioni e Vanina fece un resoconto.

– In sintesi, – disse, rileggendo qua e là, – Bubi e Xavier si conoscono a Cuba nel 1991 e hanno qualche incontro, a quanto si evince con tanto di balli caraibici, – fece una pausa. – Picciotti, lui aveva diciott'anni, rendetevi conto! – Poi proseguí: – A maggio di quest'anno, qualche tempo prima di partire per Miami con l'amica sua, cercando tra i siti dei gigolò locali – se la doveva organizzare bene la vacanza, no? – la Geraci becca quello di un certo Alex Green Eyes. Riconosce che è Xavier Alejandro Torres e lo contatta. Diventano amici su Facebook e iniziano a chattare. Si capisce che la parentela tra Xavier e Esteban dev'essere stata scoperta da Bubi già a Cuba, probabilmente per puro caso. Ma fino a un certo punto sembra che lui non ne voglia parlare o che, se capita, riservi allo zio solo battute ostili. È chiaro che la Geraci non parlerà mai a Esteban di suo nipote, perché, come dice qui: «lui non capirebbe la nostra conoscenza». Interpretando: lui non accetterebbe mai che la sua amante vada in giro a cercare gigolò e perciò la cosa finirebbe male. Per di piú prima Bubi dice chiaramente che Esteban disprezza il sesso a pagamento.

– Ma viri tu. Il mondo s'accappottò, – commentò Patanè. – Iddu non concepisce di andare con le prostitute e idda invece si va a cercare i picciutteddi imberbi e si organizza le vacanze osé.

Vanina proseguí: – Dopo l'incontro a Miami, però, succede qualcosa. Chattano sempre piú spesso. Xavier inizia

a chiedere, anche se con noncuranza, notizie di suo zio. Dove vive, cosa fa. Se si ricorda ancora di Cuba, visto che non si è mai fatto togliere il tatuaggio dal braccio. Un tatuaggio che a quanto pare ha anche lui. La Geraci all'inizio scherza sulle analogie tra loro, gli dice pure che suo zio è molto meno bello di lui. Però alla fine qualche cosa gliela conta. Un pezzo oggi un pezzo domani, gli fa un quadro completo di Esteban. Pare che quasi quasi se lo vanti. A un certo punto, a metà ottobre, Bubi racconta a Xavier che a breve vedrà suo zio, che verrà a Taormina eccetera eccetera. Lui non commenta. Pochi giorni dopo, di punto in bianco, le comunica che ha organizzato un viaggio in Italia. Giusto giusto in Sicilia. Zona Catania, addirittura. Lei è categorica sul fatto che non si sarebbero potuti vedere assolutamente, anzi che per due mesi non gli avrebbe neanche piú scritto. Esteban è Esteban. La sua attenzione dev'essere tutta per lui. Xavier non risponde piú. La saluta e basta.

– E arriviamo al 15 novembre, – fece Marta. Lei s'era studiata soprattutto quelle conversazioni.

– Esatto. Lui le manda un messaggio: «Ma se volessi vedere che faccia ha? Senza farmi notare e senza disturbarti, ovvio». Bubi gli risponde che lui arriverà con qualche giorno di ritardo. Pare seccata. Dice che le è venuta un'idea: gli propone di farle compagnia. Due giorni a Taormina, ma con la massima discrezione. Naturalmente lo pagherà bene. Esteban se lo merita, cosí impara a lasciarla in tredici. Xavier accetta al volo. Lei gli dà anche il suo numero di telefono e si mettono d'accordo –. Vanina allontanò il foglio. – Fine.

Patanè sospirò. – Fine piddaveru, per quella mischina.

– Mi pare che Xavier cercasse scuse per vedere suo zio, – congetturò Spanò.

– È anche fin troppo evidente, ispettore. Quello che dobbiamo capire, ora, è per quale motivo. Se sta in piedi l'ipotesi di Colombo, aveva bisogno di soldi.

– Capace che quello glieli negò. E lui lo ammazzò, – ipotizzò l'ispettore.

Vanina incrociò lo sguardo con quello di Patanè, che si stava grattando il mento. Erano incerti entrambi.

– Può essere.

Guardò l'orologio.

– Tra poco sentiamo che ci dice Xavier in persona.

Colombo era appena rientrato, carico di materiale dell'antimafia utile per la sua inchiesta, ma che continuava a non evidenziare alcun collegamento con l'omicidio. Non fosse stato per uno scivolone che Esteban doveva aver preso, come sempre accade, mosso dall'angoscia per la scomparsa di Bubi, Carlo non avrebbe recuperato nemmeno quattro informazioni.

E invece.

– Questa gente alla fine la freghi sempre cosí: perdono il controllo un attimo, e tu devi essere pronto a cogliere la défaillance. Torres s'è cagato sotto che la sua amante fosse finita male per qualcosa che lo riguardava, e ha fatto la fesseria di telefonare a un numero che risulta intestato a un morto. E che agganciava la cella del quartiere San Cristoforo.

– Altissima densità mafiosa, – commentò Vanina. – Torres ha chiesto aiuto agli amici suoi?

Carlo fece una smorfia. – Penso piú che altro che abbia comandato di aiutarlo. Comunque, là dove si suppone lui avesse le amicizie, non credo ci sia qualcuno che per uccidere abbia bisogno di sottrarre l'arma alla vittima. Questi, lo sai molto meglio di me, hanno arsenali.

Eccome se lo sapeva.

– Come fu che Nunnari 'sta chiamata non la trovò? – chiese.

– Ah, non chiedere a me.

Vanina tirò fuori i tabulati di Torres. Li confrontò con quelli che aveva Carlo. In effetti c'erano chiamate fatte a numeri intestati a diverse persone, alcune residenti a Milano. Tra cui una al deceduto che diceva Colombo.

Vanina s'affacciò nella stanza dei «veterani», dove Patanè stava parlando con Spanò. Fragapane era accanto a lui. Appena la videro entrare s'interruppero.

Li guardò storto.

Il commissario si alzò, salutò e la seguí verso l'uscita. Colombo era già fuori, davanti al portone.

Vanina si fermò a metà scala e trattenne Patanè per un braccio.

– Commissario, cosa mi state nascondendo?

– Niente, dottoressa. Questioni di Carmelo.

– Cioè?

Patanè nicchiò. – Lassassi stari. Fissariate ca cummina ddú santo caruso.

– Commissario, Spanò non è un *caruso*. Ha cinquantasei anni. È un mio collaboratore, anzi il mio braccio destro. E in quest'indagine mi pare piú confuso di Lo Faro.

– È tanticchia confuso, vero. Ma creda a me, dottoressa: il lavoro non ci trase niente. Questioni personali sono. E io piú di questo non le posso dire.

Vanina non insistette oltre.

Stavano per uscire dal portone quando arrivò la chiamata di Pappalardo.

– Dottoressa, buonasera.

– Oh, Pappalardo, buonasera.

– Completai ora ora il lavoro sulla portiera della Mercedes. Sullo sportello del passeggero impronte ce n'erano assai, macari troppe. Una corrisponde significativamente

a quella di Xavier Torres. Però non era sulla maniglia. Era sul montante, lato esterno.

– Grazie, Pappalardo.

– Sempre a disposizione, dottoressa.

Vanina chiuse pensierosa.

– Che trovò Pappalardo? – chiese Patanè.

– L'impronta digitale di Xavier. Sul montante della portiera.

– Perciò abbiamo anche quella, oltre alla ripresa della telecamera. Piú il fatto che se ne scappò lasciando la macchina della signora Geraci là. Sicunnu mia al pm ci basta e ci avanza, – concluse il commissario.

Ma al vicequestore i dubbi restavano, e Patanè lo capí subito.

– Vediamo che ci dice di nuovo Xavier, – concluse Vanina.

La Mini era parcheggiata poco piú avanti.

– Non prendiamo l'auto di servizio? – chiese Colombo.

– No. Cosí quando finiamo non mi tocca tornare qui.

Salutarono Patanè e s'infilarono in macchina.

In via Ventimiglia c'era già una fila di macchine strombazzanti.

Vanina tornò verso via Sangiuliano, poi svoltò nella traversa di Nino e raggiunse corso Sicilia. Andò verso piazza Stesicoro.

Via Etnea era piena di gente. Gente che passeggiava, che si fermava nei bar, che entrava e usciva dalla Rinascente o da Coin, o da uno delle decine di negozi disseminati lungo i marciapiedi. Porta Uzeda da una parte, verso il mare. Villa Bellini dall'altra, dove iniziava la salita. L'Etna che dominava la città.

A Vanina venne in mente che, nella frenesia di quella giornata, aveva risposto con un possibilista «Forse ce la faccio»

a un invito di Giuli che aveva organizzato uno dei suoi superaffollati aperitivi serali. Stavolta, invece dei soliti locali japan fusion, l'avvocato De Rosa aveva scelto il rooftop di un hotel proprio in via Etnea. Vista Muntagna. Un posto che a Carlo Colombo sarebbe piaciuto. Come del resto gli sarebbero piaciuti anche i venti-venticinque amici che Giuli aveva sicuramente coinvolto. Per non parlare dell'avvocata stessa. Portarcelo poteva essere una buona idea.

Glielo propose.

Carlo, manco a dirlo, accettò al volo.

Per tutto il tragitto dalla Mobile a casa sua, il commissario Patanè continuò a pensare allo scambio epistolare della Geraci con il nipote di Torres. Epistolare, sí. Perché anche se veicolate da un computer o da altre diavolerie elettroniche, quelle sempre lettere scritte erano. E il significato delle parole scritte non è mai facile capirlo fino in fondo. Poi c'erano tutte quelle prove, indiziarie vero, ma gravi, precise, concordanti. Eppure. Di nuovo c'era qualcosa che gli furriava per la testa e lui non riusciva ad afferrarla. Santa pazienza, 'sta vicciania! E l'anca perché era l'anca, e la memoria perché era la memoria, e la pillola per la pressione, e quella per fluidificare il sangue, e quella per il colesterolo. Ma la Guarrasi, quella aveva lo stesso fiuto che aveva lui all'età sua. Sicuramente macari a lei qualche cosa di tutta la storia non quadrava.

Trovò un posto risicatissimo per la Panda in una traversa di via Umberto. Ci si infilò santiando e ammaccando a turno le due macchine che avevano avuto la sventura di capitargli a tiro, una davanti e una dietro. Aveva ragione suo nipote Andrea: si doveva accattare un'auto con il servosterzo. Che poi oramai tutte cosí le facevano. Addirit-

tura in alcune c'era una mavaría per cui premevi un pulsante e quella si parcheggiava da sola.

Tornò verso casa a passo lento. Liquidò Angelina con un abbraccio veloce e, sotto i suoi occhi contrariati, s'infilò nello studiolo dove suo nipote, diligente, aveva fatto quello che lui gli aveva chiesto: aveva scaricato e stampato informazioni riguardanti Cuba e il suo esercito. Con un'attenzione particolare alle armi.

Vanina e Colombo entrarono nel carcere di piazza Lanza alle diciassette e trenta spaccate. Il detenuto Torres Xavier Alejandro fu condotto nella sala dov'era già stato quella mattina, interrogato dal Gip per l'omicidio di Roberta Geraci.

Aveva gli occhi ancora piú cerchiati della notte prima.

Vanina gli si sedette di fronte.

– Xavier, le devo fare qualche domanda, – esordí. Maledisse quell'indagine in cui il cinquanta per cento delle conversazioni doveva svolgersi in inglese. Meno male che si sapeva dare da fare, altrimenti avrebbe avuto bisogno di un interprete, e avrebbe anche accucchiato una malacumparsa con Colombo, che invece era cosí internazionale.

Quello allargò le mani, come per dire: qua sono.

– Roberta Geraci ha scoperto la sua parentela con Esteban Torres a Cuba, giusto?

Xavier rimase interdetto. Non rispose.

– La avverto, ho letto tutte le vostre chat.

– Sí, – ammise l'uomo.

– Lei per molto tempo non ha voluto né vedere né sentire suo zio. Non ha nemmeno voluto sentirne parlare. Poi all'improvviso ha cominciato a chiedere sue notizie. Perché?

– Perché avevo cambiato idea.

– Forse perché aveva bisogno di soldi?

Quello non rispose.

– Senta, Xavier, lo sa che appena io esco di qui, qualunque cosa lei mi dica, il magistrato firmerà il secondo ordine di custodia cautelare in carcere nei suoi confronti? Ma l'accusa stavolta sarà di omicidio volontario.

– E chi avrei ucciso? – chiese Xavier.

– Suo zio, Esteban Torres.

L'uomo impallidí leggermente.

– Io non ho ucciso mio zio Esteban.

– Purtroppo ci sono gravi indizi che ci dicono il contrario.

Vanina gli disse della telecamera che lo immortalava mentre fuggiva, ma non delle impronte.

Xavier si passò una mano tra i capelli. Scosse la testa.

– Non l'ho ucciso io.

– Xavier, le rifaccio la domanda: come mai di punto in bianco aveva deciso di conoscere suo zio?

– Cosí. M'incuriosiva.

– O magari invece era stato sfrattato dal suo appartamento, una volta tornato a Miami non avrebbe avuto i soldi per affittarne un altro e sperava che il suo unico parente ricco potesse aiutarla, nonostante l'odio che lei provava da sempre nei suoi confronti?

Xavier alzò gli occhi. Aveva uno sguardo indecifrabile. Incandescente, rancoroso.

– Io non ho mai odiato mio zio Esteban. Lui non era colpevole di nulla.

– E allora come mai non l'aveva mai cercato prima?

– L'avevo promesso a mia madre. Lei lo considerava un traditore, del suo Paese e della sua famiglia. La pensa ancora cosí. Quando sono scappato ha considerato un traditore pure me. Ma in quel caso era diverso. Morivamo di

fame. L'unica cosa che mi ha chiesto è di non cercare mai zio Esteban. E io l'ho mantenuta.

– Fino a pochi giorni fa, – obiettò Vanina.

Di nuovo silenzio.

– Lei si rende conto che molto probabilmente sarà condannato, vero? – fece il vicequestore.

Capiva che quello sguardo strano nascondeva qualcosa. Qualcosa che Xavier non avrebbe detto.

– Mi dica, Xavier, – riprese, – il primo incontro tra lei e Roberta Geraci, a Cuba, era avvenuto per caso?

– Quasi, per caso.

– Si spieghi meglio.

– Lei cercava un ragazzo per passare la serata. Ha sentito da qualcuno che il mio cognome era Torres. Aveva conosciuto da poco mio zio, e mi ha chiesto se eravamo parenti. Le ho detto di sí, ma che non lo conoscevo. Allora ha deciso che la serata l'avrebbe passata con me. Le piacevano i Torres, a Bubi, – gli scappò un sorrisetto sardonico.

Vanina lo gelò.

– Signor Torres, Roberta Geraci è morta. Per causa sua. Eviti di fare dell'ironia.

– È stato un incidente, glielo giuro, – disse subito lui. Che fosse la verità gli si leggeva in faccia.

– Com'è successo?

– Abbiamo litigato. Lei ha iniziato ad aggredirmi. E io l'ho spinta... ma non volevo farle del male.

– Perché Bubi voleva rispedirla a Miami? – sparò Vanina. Il nodo era quello.

– Perché temeva che io potessi incontrare davvero Esteban e rivelargli che mi aveva pagato per fare sesso.

– Lei con il suo comportamento gliel'aveva fatto temere?

– No. Io volevo solo incontrarlo. Zio Esteban, – scandí il nome dello zio, e il sorrisetto sardonico saltò fuori di nuovo.

Vanina ebbe la strana sensazione che quel ghigno raccontasse piú delle parole.

– Perché? – tornò a chiedergli.

Era un gioco che durante gli interrogatori poteva servire. Fare piú volte la stessa domanda in contesti diversi per portare il colpevole a contraddirsi. Ma con Xavier non accadde.

Il silenzio piombò di nuovo tra loro.

– Allora azzardo un'ipotesi io, – s'intromise Colombo. – Lei voleva chiedergli dei soldi, senza i quali in America non avrebbe saputo come sbarcare il lunario. Lui glieli ha negati, e lei l'ha ucciso. Sa bene di essere l'unico parente, a parte la moglie. E probabilmente avrebbe ereditato qualcosa. Qualcosa che, considerate le finanze sconfinate di suo zio, sarebbe bastato a garantirle di campare tranquillo per il resto della sua vita.

– Io non ho bisogno di soldi, guadagno col mio lavoro, – replicò l'uomo.

– Il suo *lavoro*, Xavier, si può fare quando si è giovani. Lei mi sembra già un po' oltre con l'età. Anche se non dubito che qualche anziana signora danarosa cui fare da accompagnatore avrebbe potuto trovarla. Ma adesso lei è qua. Accusato di due omicidi.

Xavier s'agitò.

– Io non ho ammazzato quell'uomo!

– E allora che ci facevi all'aeroporto proprio all'ora dell'omicidio? – gridò Vanina.

– Volevo parlargli, prima che partisse.

– Di cosa?

Xavier non rispose di nuovo.

– Gli hai parlato? – insisté Vanina.

– No.

– E perché?

– Perché quando l'ho trovato era già morto.

15.

– Guarrasi, questa terrazza è fantastica, – fece Colombo.

Il cielo s'era pulito di nuovo e la luna quasi piena lo rischiarava abbastanza da creare il contrasto con la montagna che si stagliava a destra, in alto, a dominare la città. La cima, imbiancata nei precedenti giorni di freddo anomalo, era ancora spruzzata di neve.

A sinistra si vedeva tutta via Etnea con le sue cupole. La basilica della Collegiata, piazza Università e in fondo piazza Duomo e Porta Uzeda.

L'avvocato Maria Giulia De Rosa saettava Carlo Colombo con occhiate che definire curiose sarebbe stato un eufemismo. In cinque minuti l'aveva introdotto nel suo giro di amici. Il gruppo aveva colonizzato il rooftop dove a quell'ora si serviva l'aperitivo. Schiamazzavano, ridevano, sbevazzavano. Il tutto senza perdere mai l'aria fighetta da ex *monfiano* anni Novanta ormai cresciuto.

Quella dei *monfiani* e dei *mammoriani* era una delle storie piú esilaranti che Vanina si fosse segnata sulle note del suo iPhone alla voce «catanesate», un elenco in continuo aggiornamento di caratteristiche, modi di dire e abitudini sociali tipiche dei catanesi. Il *monfiano* – ovvero frequentatore Vespa-munito di via Monfalcone, la strada che soprattutto all'epoca raccontata da Giuli era un po' il salotto buono della città – era uno snobbetto, firmato dalla testa ai piedi e in genere rampollo di buona famiglia. Il *mammo-*

riano, invece, veniva da quartieri meno altolocati, guidava motorini smarmittati, vestiva in modo vistoso e non brillava certo per savoir-faire. Il suo nome derivava dall'espressione dialettale *mammorriri me omà* – letteralmente «mi deve morire la mamma» – che valeva come un giuramento talmente importante da essere fatto addirittura sulla madre.

Vanina sperava nella presenza di Adriano, che in quelle occasioni era sempre la sua salvezza. Ma l'amico l'aveva già avvertita che non ci sarebbe stato.

Era a Noto, rinchiuso nel *buen retiro* barocco insieme a Luca, in ritrovata sintonia. Anzi, meglio di prima, aveva azzardato il medico.

Colombo le si avvicinò, bicchiere in mano, mentre lei se ne stava fuori a fumare. Con la mano libera controllava le notifiche sul cellulare.

C'erano due messaggi che messi uno appresso all'altro le davano una strana sensazione. Uno era di Paolo. Quello immediatamente dopo, invece, era di Manfredi Monterreale che la invitava a cena nella sua casa vista faraglioni promettendole un menu gourmet.

Rispose a entrambi. Declinando, seppur a malincuore, l'invito del secondo. Una serata insieme a Manfredi poteva essere molto piacevole. Anzi, quell'uomo aveva poteri quasi taumaturgici. Ma non si sapeva come sarebbe andata a finire e non era il caso di rischiare. Soprattutto per lui.

Carlo le offrí il suo bicchiere. – Ne vuoi un po'?

– Cos'è?

– Un omaggio all'indagine: Cuba libre.

Vanina fece una smorfia.

– Questa sola ci manca –. 'Sto caso internazionale iniziava a essere un incubo: la necessità di condurre gli interrogatori in inglese, il doversi barcamenare tra notizie parziali e di difficile approfondimento poiché provenienti da oltreoceano.

Pane con la meusa le ci voleva, per recuperare il suo equilibrio. Versione completa, per giunta. Cunzato. Altro che Cuba libre.

Manco a farlo apposta, il telefono suonò e sul display comparve un numero lunghissimo.

– Isp... detective... Sono Aleja Álvarez, – la donna non trovava l'equivalente americano di vicequestore.

– Signora Álvarez. Buonasera.

– Mi scusi se la disturbo, non so lí che ore sono, ma c'è una cosa su cui mi sto scervellando da quando mi ha mandato quella fotografia.

– Nessun disturbo, mi dica.

Colombo era curiosissimo, gli cedette uno dei due auricolari.

– Appena ho guardato la foto di Esteban ho capito che aveva qualcosa di strano. Ma sa com'è: non lo vedevo da talmente tanto tempo che era ovvio fosse cambiato. Poi però l'ho osservato con piú attenzione, ho preso anche una lente d'ingrandimento e ho capito cosa c'era che non andava. Mi ha fatto paura.

Vanina iniziò ad avere la sensazione che la matassa si stesse sbrogliando di colpo. – Perché? Cos'ha visto?

– Il tatuaggio, dottoressa. Esteban non l'aveva.

– E non può esserselo fatto in seguito?

– Lo escludo. Quella stella era una specie di simbolo della rivoluzione, che alcuni ragazzi avevano deciso di farsi stampare sul braccio. Esteban non l'aveva voluto neanche quando era a Cuba.

La voce della donna era agitata.

– Perché ha avuto paura, Aleja? – chiese Vanina. Anche se lei la risposta l'aveva già intuita.

– Perché quello era il tatuaggio di Juan.

Marta Bonazzoli s'era affittata una casetta antica dentro il borgo di San Giovanni Li Cuti, un agglomerato di case in riva al mare, con porticciolo e spiaggia – ovviamente nera – delimitata da massi di pietra lavica. Un posto che d'estate diventava poco vivibile per la quantità di pizzerie, ristoranti e locali che negli anni avevano occupato molti di quegli edifici, ma che d'inverno aveva un fascino tutto speciale.

Vanina aveva appena lasciato Colombo alla Mobile, tra le mani sante di Fragapane che era di turno e che per quel genere di lavoro era pure il piú indicato. Il dirigente doveva attaccarsi al telefono, mandare delle email. Bisognava riesumare qualsiasi notizia sul decesso di Juan Torres e bisognava muoversi subito per via del fuso orario. Era un cubano, ed era morto negli Stati Uniti. Carlo era sicuro che un fascicolo da qualche parte dovesse esserci.

Vanina bussò alla porticina marrone e venne ad aprirle Macchia.

– Ciao Guarrasi.

L'aveva chiamato mezz'ora prima per riferirgli le novità, e lui le aveva detto di raggiungerlo a casa di Marta.

La Bonazzoli non era ancora rientrata dalla sua corsa serale.

– Stamattina non aveva potuto e lo sai com'è fatta, no? Deve recuperare, – spiegò Tito, con la solita bonaria ironia.

Aprí un piccolo frigobar piazzato nel soggiorno e le offrí da bere.

– Lato mio o lato di Marta? – chiese.

Vanina si mise a ridere. Non aveva mai visto un frigorifero piú schizofrenico di quello. Da una parte birra, vino bianco, bibite gassate. Dall'altra succhi biologici, tè verde e integratori salini.

– Se vuoi abbiamo anche qualcosa di caldo. Infusi, tisane, e del tè bancha, – fece una faccia che pareva non credesse nemmeno lui a ciò che diceva.

– Birra, grazie.

Tito stappò due bottiglie e si sedette accanto a lei occupando tre quarti del divano. Per rispetto nei confronti della padrona di casa, che oltretutto poteva arrivare da un momento all'altro e coglierli in flagrante, evitarono di accendersi sigari e sigarette.

Vanina gli raccontò per filo e per segno quello che le aveva detto la Álvarez. Che non s'era limitata alla questione del tatuaggio. Da quello era risalita ad altre stranezze dei tempi dopo il divorzio a cui ora ripensava.

– In sintesi, tu sei convinta che il morto dell'aeroporto non sia il vero Esteban ma suo fratello gemello Juan. Quindi Juan non sarebbe morto per davvero?

– Sí e no.

– Come sarebbe sí e no? O è morto o non lo è.

– Uno dei due fratelli era morto di sicuro. Bisogna vedere però chi dei due fosse.

Macchia annuí. Iniziava a capire.

– Rifletti un momento: Aleja ai tempi se lo chiese, come mai Esteban di punto in bianco non avesse piú voluto vederla. S'erano lasciati «bene», poteva anche capitare di rivedersi. Lui invece, dopo la morte di Juan, aveva tagliato i ponti. Non solo. Non frequentava piú nessuno dei loro amici e s'era messo a giocare a poker in modo pesante. Sbancava, si faceva i soldi. Un bel cambiamento, dato che secondo Aleja fino a quando erano stati insieme lui era stato moderato nel gioco. Lei aveva attribuito quel cambiamento alle sue nuove frequentazioni. Che Frank Cristallo fosse un punto di riferimento per il gioco d'azzardo non era un segreto per nessuno. Però oggi la cosa

inizia a non quadrarle: Esteban a carte non è mai stato un fuoriclasse. Se la cavava, sí, ma non era capace di organizzare veri e propri tornei spennapolli come quelli di cui Aleja ai tempi aveva sentito parlare. Il vero fuoriclasse a poker era sempre stato Juan. Esteban per primo, già a Cuba, pensava fosse un peccato che Carmen, sua moglie nonché madre di Xavier, gli avesse vietato di giocare. Erano giovanissimi, allora. Insieme avrebbero potuto mettere da parte abbastanza dollari per andarsene in America. Ma Juan viveva appresso a Carmen e ai suoi compagni votati alla rivoluzione.

– Perciò Juan, pentito delle sue scelte, avrebbe rubato l'identità del fratello morto?

Marta s'era fermata sulla soglia e aveva ascoltato stupita quelle ultime parole. Tuta, piumino, scarpe da running, fascia sui capelli.

– Cosa mi sono persa?

Tito si voltò verso di lei.

– Se fossi stata qui, invece di correre per tutto il lungomare, l'avresti saputo. Ormai aspetti.

Vanina si sforzò per non ridere. Piú opposti di cosí quei due non potevano essere.

Eppure.

La ragazza se ne andò verso la sua stanza. – Quindici anni, altro che cinquanta! – reclamò.

Macchia rise.

– Torniamo a noi, Guarrasi: dimmi com'è andata secondo te, tanto sono convinto che tu a quest'ora di 'sto film hai già scritto tutta la sceneggiatura.

– Io ipotizzo, Tito. Ipotizzo e basta, – iniziò Vanina. Marta si materializzò di nuovo. – Potrebbe essere andata cosí: Juan Torres nel 1975 va a trovare suo fratello a Miami. All'improvviso, proprio mentre lui è lí, Esteban

muore. Sono loro due da soli in casa, nessuno sa nulla. Juan capisce che ha davanti la possibilità di scappare da una vita di cui probabilmente s'è pentito da anni, e prendersi quella di suo fratello. Basta chiamare il 911 e dichiararsi deceduto. Juan decide di farlo. Al diavolo Carmen, al diavolo la rivoluzione. Da ora in poi lui ricomincerà da zero, anzi dal punto in cui era arrivato suo fratello. Non ha nemmeno il problema di Aleja, l'unica che potrebbe riconoscerlo, dato che Esteban ha già divorziato da lei. Basta non vederla e non sentirla mai piú. Gli altri, tutti gli altri, non li hanno mai visti insieme e quindi non potrebbero immaginare. Non torna nemmeno a Cuba per riportare la salma, fa cremare il fratello onde evitare problemi. Inizia a giocare a poker, a stravincere, s'infila in ambienti che il suo gemello non aveva mai frequentato e conosce Frank Cristallo. Si sposa con Evelyn, entra nel giro del suocero. Da là in poi è tutta un'ascesa.

– E Xavier resta orfano, – fece Marta. Quell'uomo, in fondo, le faceva pena.

– E qui arriviamo a noi. Xavier cresce a Cuba con la madre. A una certa età per guadagnare qualcosa e passarsela un po' meglio inizia a fare il gigolò. Ma solo per donne straniere e ricche. Per caso conosce Bubi Geraci, che lo sceglie proprio per via del suo cognome: Torres. Lo stesso dell'uomo americano che ha appena conosciuto in Italia. A Xavier di Esteban non gliene frega niente, anzi, la madre gli ha inculcato l'idea che è un traditore, uno che se n'è andato invece di combattere per il suo Paese. Uno che pur di non tornare a Cuba aveva costretto il fratello a brigare per farsi dare un permesso speciale. Aleja dice che Carmen aveva amicizie all'interno dello Stato maggiore di Fidel, perciò Juan era riuscito a ottenerlo. E cosí era finita che Juan, pur di andare a trovare Esteban, era morto lon-

tano. Ma torniamo a Xavier: il ragazzo per compiacere la cliente si sopporta pure di sentirla parlare di suo zio. Cosí come se lo sopporta molti anni dopo, quando si ritrovano a Miami in una situazione analoga. Lui gigolò, seppur di lusso, e lei cliente. Solo che stavolta a Bubi scappa di bocca un particolare che cambia tutto e scatena in Xavier una smania incoercibile di incontrare Esteban. O meglio quello che a torto lui e sua madre hanno sempre ritenuto essere Esteban, ma che quasi certamente non lo è. E a dargliene la certezza è proprio quel piccolo particolare.

– Il tatuaggio, – indovinò Tito.

– Il tatuaggio, – confermò Vanina.

– Quindi il movente potrebbe non essere di natura economica. Potrebbe essere una questione privata, una sorta di regolamento di conti familiare? Una vendetta nei confronti di un padre che l'ha abbandonato in povertà.

– Potrebbe. L'idea che Xavier avesse intrapreso il viaggio al solo scopo di uccidere suo zio m'era venuta già un paio di giorni fa –. *La ragazza con la pistola*, la telefonata mattutina a Patanè. – Ma una cosa simile implicava un odio viscerale, con radici profonde. La scoperta che Esteban fosse in realtà Juan, il padre che l'aveva abbandonato con un sotterfugio per rifarsi una vita da ricco nababbo americano, può aver scatenato un desiderio di vendetta. Probabilmente Xavier voleva usare Bubi come tramite per raggiungere suo padre. Poi però le cose non sono andate come pensava: Esteban non arriva, la donna gli chiede di farle compagnia a Taormina, e lui non può dirle di no. Sia perché non ha un soldo in tasca, sia perché altrimenti salta il piano per cui s'è scapicollato fino in Sicilia. Al secondo giorno Xavier commette un errore: racconta a Bubi la verità. Lei non può accettare che qualcosa o qualcuno alteri l'equilibrio che c'è con Esteban, e se quello avesse deciso

di raccontare al padre i loro rapporti l'avrebbe rovinata. Con Torres non si scherza, ha amicizie potenti, in tre minuti se vuole manda a gambe all'aria lei e la sua agenzia. Allora gli dice che gli darà dei soldi e che gli pagherà il viaggio purché lui se ne torni a Miami. Chiama anche Paparone. Xavier non si fa convincere, e nella colluttazione lei finisce con la tempia sulla pietra. A quel punto Xavier la depreda di tutto e campa letteralmente a spese sue per i giorni successivi, in attesa che arrivi Esteban.

– Come fa a sapere dove trovarlo? – chiese Tito.

– Basta leggere sulle note del telefono di Bubi. È scritto lí –. Una volta acceso il telefono della Geraci, avevano controllato ogni cosa. Nunnari s'era spulciato nome per nome l'intera rubrica. Le note le aveva lette subito e aveva riferito a Vanina. Sul momento le dicevano poco. Ma ora.

Macchia si convinse. – Vabbuo', domani mattina comunica tutto a Vassalli, cosí avrà un altro movente da aggiungere al caso. Per lui, te lo dico, è già risolto.

Vanina se ne andò verso l'uscita. Si fermò sulla porta.

– Tito, io ho tirato a indovinare. Ho fatto un ragionamento e ho cercato di intuire quale possibile legame ci fosse. Questo non vuol dire...

– Guarra', tu dici sempre cosí, ma una volta che tirassi veramente a indovinare ancora non mi è capitata.

Uscí da casa di Marta verso le dieci e mezzo. Le olive e i due pezzetti di parmigiano che era riuscita ad afferrare al buffet dell'aperitivo, prima che la chiamata di Aleja scombinasse tutto, per il suo stomaco erano già un ricordo lontano. E la birra le aveva dato il colpo di grazia finale.

Aveva una fame che si sarebbe fatta fuori mezzo chilo di pasta.

Recuperò la macchina e partí verso Santo Stefano.

Manco il tempo di aprire il portoncino di ferro che Bettina spuntò dalla portafinestra.

– Cenò? – le chiese subito.

Vanina stava per accennare un no con la testa, ma la vicina l'anticipò.

– Trasisse, mi facissi un poco di compagnia che a taliarmi la televisione sola sola mi viene la tristezza.

La solita scialuppa di salvataggio, amabilmente mascherata da richiesta di compagnia. Come se fosse lei a farle un piacere e non il contrario.

Vanina ammise con sé stessa di averci sperato. A casa sua non avrebbe rimediato piú di due uova fritte – pure cotte male – e un residuo di formaggio.

La tavola nell'anticucina era ancora cunzata, anche se era evidente che Bettina aveva finito di cenare da un po'.

Tovaglia decorata a punto croce da lei medesima, piatti «buoni» – che meglio usarli, tanto uno le cose nella tomba non se le può portare –, bicchieri idem. Tempo un minuto, il posto per *Vannina* fu approntato.

La televisione accesa, un ricamo appoggiato di lato, insieme alla «Settimana Enigmistica». Un mobile enorme, che occupava un'intera parete, pieno di libri di cucina, riviste impilate e fotografie dei nipoti.

A Vanina quella stanza trasmetteva un calore umano e un senso di benessere che raramente aveva trovato altrove. Forse da bambina, nella casa dei nonni di Castelbuono, i genitori dell'ispettore Guarrasi. Quella casa che la signora Marianna aveva venduto a nemmeno due mesi dalla sua morte.

Bettina tirò fuori un pezzo di pane fatto da lei e due nodi di salsiccia secca, tanto per intuppare il buco nello stomaco.

– Gliela riscaldo un poco di parmigiana? La preparai per… le amiche mie.

Vanina drizzò le antenne su quel momento di esitazione. Evitò di approfondire. Ma il suo fiuto sbirresco raramente si sbagliava.

Ringraziò.

La parmigiana non fu che l'inizio di una cena luculliana.

Se ne stava da una decina di minuti seduta in veranda, avvolta nel plaid che di solito teneva sul divano. Ultima sigaretta accesa e bicchierino di amaro all'arancia per digerire la cena da applauso di Bettina.

Il venticello leggero che le arrivava addosso passava attraverso il giardino portandosi dietro l'odore degli agrumi, che con l'aria frizzante montanara creava un contrasto curioso. Montagna e agrumi. Neve e mare. Il tutto a breve distanza. Questa era la Sicilia etnea. Un'isola nell'isola, con una doppia anima.

Guardò di nuovo i due messaggi che aveva ricevuto quella sera. Come avrebbe risposto all'invito a cena di Manfredi Monterreale se prima non avesse letto il messaggio di Paolo? E soprattutto: in che rapporti sarebbe, ora, con quel medico la cui compagnia era capace di farla stare cosí bene, se Paolo non fosse stato ancora tanto presente nella sua vita? Non ci voleva assai a capire il responso.

La mattina dopo Vanina si svegliò presto. Talmente presto che dovette aspettare per mezz'ora buona che il bar *Santo Stefano* aprisse, e che Alfio iniziasse a tirare fuori la colazione. Attesa subito ricompensata con una raviola appena uscita dal forno che poteva raddrizzare qualunque giornata. Se la gustò senza fretta, seduta a un tavolino di una saletta laterale, insieme a due cappuccini fatti a regola d'arte. Certo che se uno s'abituava alla colazione di Alfio, apprezzarne altre diventava difficile.

Le capitava cosí raramente di essere in giro a quell'ora, che quasi si sentiva fuori contesto. Gli avventori del bar erano diversi da quelli che incontrava al solito orario. Alcuni la guardavano con curiosità.

Sfogliò «La Gazzetta Siciliana». L'arresto di Xavier Torres manco a dirlo era in prima pagina. Azione congiunta di carabinieri e polizia, indagine internazionale, chissà cosa c'era dietro. Stavolta accanto alla sua fotografia – la solita orribile con la sigaretta in bocca che ai giornalisti doveva piacere tanto – c'era quella del capitano Rodolfo Silvani, in alta uniforme.

Per una volta riuscí a mettersi in macchina prima che il popolo scolastico invadesse le strade. In meno di dieci minuti era già a Catania.

Anche parcheggiare davanti alla Mobile a quell'ora era piú semplice. La piazza era piena di posti vuoti che parevano aspettare la sua Mini. Ne scelse uno e salí in ufficio.

Si sedette alla scrivania e accese una sigaretta.

Spanò bussò e infilò la testa, il bicchierino del caffè in mano.

– Capo, che ci fa qua?

Erano le otto meno un quarto.

– E che ci faccio, mi svegliai prestissimo, – allargò le braccia, con rassegnazione. Quasi con contrarietà.

– Buon segno, – fece l'ispettore, accomodandosi su una poltroncina.

– Perché?

– Perché quando lei s'arrusbigghia presto significa che il caso oramai è quasi risolto.

– Bella questa!

Però era vero.

Il caso, infatti, era quasi risolto. Quasi.

– E lei invece che mi conta, ispettore? – gli chiese a bruciapelo.

Spanò rimase interdetto, poi s'aggiustò subito.
– Dell'indagine?
– No, parlavo di lei.
– E che le dovrei contare, dottoressa. Solita vita, – aveva abbassato gli occhi.
– Sicuro, Spanò?
L'ispettore la guardò. Che poteva risponderle? No, dottoressa, non è per niente sicuro? Se la Guarrasi avesse saputo quello che stava combinando, le voci che avrebbe fatto si sarebbero sentite fino alla questura centrale. Si limitò ad annuire.
Vanina allora cambiò discorso e gli raccontò le ultime su Xavier Torres.
Spanò non finiva piú di stupirsi.
– Ecco pirchí Fragapane quando lo incrociai che se ne stava tornando a casa mi disse che c'erano grandi novità!
– Ovviamente dobbiamo tornare in carcere e parlare ancora con Torres. Appena si fa l'ora chiamo Vassalli.
– Il commissario lo sa? – chiese Spanò.
Vanina guardò l'orologio. Patanè era in piedi di sicuro.

– Dottoressa, lo sa che l'avrei chiamata tra poco? Che fu, cascò dal letto? – scherzò il commissario.
– Ogni tanto capita, commissario. Perché mi avrebbe chiamato? Doveva dirmi qualche cosa?
– Sí, ma prima mi dicissi lei perché mi chiamò.
– Prima gli anziani, – insistette Vanina.
– Ma viri tu! Anziano! – protestò Patanè, ridendo. – In poche parole: ieri sera mi studiai un poco di cose di Cuba. Si ricorda quando Carmelo disse che la Makarov era una pistola usata dai militari cubani? Ragione aveva. Lí per lí la cosa a me e a lei ci entusiasmò, ma poi ieri sera ci ragionai, e capii che c'era qualche cosa che non quadrava. La pistola di Torres era stata prodotta in Russia nel 1966.

Torres viveva in America dal 1960 e con Cuba non ci ebbe piú niente a che fare. Ora io mi domando e dico: è mai possibile che un amiricanu, come Torres si considerava a tutti gli effetti, nel 1966 in piena Guerra fredda si andasse ad accattare giusto giusto una pistola russa? Come se la ritrovava Torres 'sta pistola? Io un'ipotesi ce l'ho: sicunnu mia gliela fregò a suo fratello, quando quello morí a casa sua. E capace che il nodo del suo omicidio sta proprio lí. Xavier magari aveva scoperto che suo padre non era morto di morte naturale, che era stato lo zio ad ammazzarlo, e per vendetta gli sparò proprio con quella pistola.

Vanina sorrise. Niente, c'era poco da fare. Patanè era capace di arrivare da solo piú lontano di lei, Colombo e Macchia messi insieme. In questo caso aveva quasi sfiorato una verità su cui solo la testimonianza di Aleja aveva permesso a lei di aprire gli occhi.

– Commissario, ha da fare?

– Schiffarato completo sono.

– Le va di raggiungermi in ufficio?

Manco riuscí a finire la frase.

Venti minuti dopo, il commissario bussava alla sua porta. Giacca di tweed marrone, cravatta regimental sul verde scuro, cappotto cammello. Una scia di dopobarba che si sentiva anche a tre metri di distanza.

Ascoltò tutta la storia e alla fine disse la sua.

– Qua la cosa si sta 'mbrugghiando, però. Potrebbe essere che Torres giovane si volesse vendicare di suo padre perché l'abbandonò quand'era picciriddo. Per farla piú completa gli sparò con la sua stessa pistola. 'Sta famosa Makarov. Giuàn, come si chiamava, sí che se la poteva trovare in mano, visto e considerato che era compagno di parrocchia di quelli dell'esercito rivoluzionario.

– Cose turche, – fece Spanò.

– Che vuoi dire, Carmelo?

– Ci finí a parrari dell'esercito rivoluzionario, di Cuba, di gente morta in America... Accussí, come se fosse cosa di tutti i giorni.

Vanina non riusciva a dargli torto. Ma l'evidenza dei fatti questo diceva. L'unica pista percorribile per la risoluzione del caso sembrava essere la piú complicata.

– *Intrigo internazionale*, – commentò. Cubani di mezzo lí non ce n'erano, ma il titolo ci stava perfetto.

Patanè si mise a ridere.

– Dottoressa, ma lei veramente arcaica assai è, in quanto a gusti cinematografici. *Intrigo internazionale* lo stavo per dire io!

La Bonazzoli bussò ed entrando si stupí di vederli tutti lí riuniti.

– Sai com'è: cascai dal letto, – rispose Vanina. – Dimmi.

Marta s'avvicinò.

– Mi ha appena telefonato Nuzzarello, per riferire due cose. La prima è che i ragazzi danesi hanno lasciato la casa di Trecastagni e gli hanno pagato il soggiorno. Mi ha chiesto a chi deve dare i soldi e gli ho detto di tenerli lui, per il momento.

– Hai fatto bene. Anche perché non sappiamo con esattezza se ci siano volontà testamentarie di Torres al riguardo.

– Ha detto anche che le due signore Torres sono già passate da loro l'altro ieri, per capire come fossero organizzati. Sono andate persino a vedere la casa. Hanno chiesto al custode, Filadelfo Lavía, e lui ha organizzato il giro turistico.

– Non persero tempo, – fece Patanè.

– E l'altra cosa che ti disse Nuzzarello? – chiese Vanina.

– Ah, sí, questa è importante: la madre del suo socio, quella che ha l'agenzia di viaggi, s'è ricordata un particolare dell'ultima volta che Torres era andato a farsi fare il

biglietto per Milano. Pare che Esteban non avesse dimestichezza con le prenotazioni online. Mentre lei organizzava il viaggio, lui parlava al telefono in spagnolo, e sembrava molto alterato. La signora ricorda che il nome della persona con cui parlava era Carmen.

– Potrebbe essere la Gutiérrez. La madre di Xavier.

– È quello che ho immaginato anch'io.

Spanò e Patanè si scambiarono un'occhiata.

Vanina uscí dall'ufficio, recuperò una macchina e s'avviò verso la procura.

Patanè se n'era appena andato, ma le era parso piú confuso che persuaso. Rifletteva, si grattava il mento. Vederlo cosí dubbioso contribuiva a renderla insicura.

Un altro indizio grave ci voleva. E in piú qualcosa che la convincesse al cento per cento di uno dei due possibili moventi. Altrimenti sapeva benissimo che avrebbe continuato a ragionarci all'infinito.

Girò per i soliti tre quarti d'ora, alla fine mollò l'auto in piazza Verga, in un posto che non si capiva se fosse blu o bianco. Nell'incertezza andò a cercare un parcometro per fare il biglietto. La prima colonnina che trovò era fuori servizio. La seconda invece era del tipo nuovo, e ci voleva la targa. Tornò indietro santiando, scattò una foto alla targa onde evitare di dimenticarla, e ritornò alla colonnina. Inserí tutti i dati, le monete, e finalmente entrò in possesso dell'agognato scontrino.

Entrò in procura e se ne andò dritta dritta nella stanza di Vassalli.

Davanti alla porta incrociò il pm Terrasini.

– Dottoressa Guarrasi! Come va col caso del cubano? Ma lo sa che mi dispiace assai essermelo perso? Secondo me è un'indagine interessante.

– Non sa quanto dispiace a me, dottore.

– Ma so che ormai l'avete praticamente risolto.

Vanina nicchiò un momento prima di rispondergli.

– Quasi risolto, sí, – s'affrettò poi a confermare.

Si salutarono mentre lei bussava alla porta di Vassalli.

Il magistrato era seduto alla scrivania. Un beverone di spremuta d'arancia alla sua destra, una stufetta elettrica puntata sulle gambe. Si alzò e le andò incontro, cordiale. Nella stanza c'era un caldo asfissiante.

Vanina sperò di fare presto. Gli raccontò per filo e per segno le novità e le ipotesi della sera prima.

– A questo punto, dottoressa, mi pare che il caso sia chiuso, – disse il magistrato.

– Quasi, dottor Vassalli. Certo, abbiamo un filmato che fornisce un grave indizio di colpevolezza. Abbiamo la correlazione con l'omicidio della Geraci, ma sappiamo anche che quello fu preterintenzionale. Abbiamo un possibile movente, di natura economica, piú l'ipotesi di una motivazione personale. Ma perlopiú si tratta di teorie. Soprattutto le ultime sono pressoché impossibili da provare. Io, se non le spiace, vorrei sottoporre Xavier Alejandro Torres a un secondo interrogatorio in carcere.

Vassalli sospirò. – Dottoressa Guarrasi, ma mi dice che altro c'è da chiedergli?

– Molte cose. Per esempio una conferma di quanto abbiamo ipotizzato riguardo alla sua famiglia. Chissà che magari con questi nuovi argomenti non gli strappiamo una confessione.

– Non confesserà, ascolti me. Confessò l'omicidio della Geraci perché era preterintenzionale, e perché le prove erano praticamente inconfutabili. Ma qua si tratta di omicidio volontario.

– Io vorrei tentare lo stesso, – insisté Vanina.

Era evidente che chiudere la faccenda avrebbe messo al riparo Vassalli da possibili ulteriori sviluppi. Specie dopo che aveva incrociato Carlo Alberto Colombo insieme a Eliana Recupero. Se non si sbrigava, capace che quella disgraziata della sua collega andava a tirare fuori un possibile nesso con qualche famiglia mafiosa e addio sonni tranquilli.

– Senta, dottoressa Guarrasi, le do un'ultima possibilità. Vada in carcere, ci parli, se però entro domani non riesce a ottenere niente io firmo l'ordinanza di custodia cautelare in carcere anche per l'omicidio di Esteban Torres.

A Vanina andava benissimo.

Doveva guardare Xavier Torres negli occhi mentre gli raccontava la storia di suo padre e di suo zio. Doveva capire quanto sapeva e studiarne le reazioni. Era importante.

Uscí dall'ufficio di Vassalli con in mano la delega d'indagine per l'interrogatorio in carcere.

Ne approfittò per andare a cercare Eliana Recupero. L'ultima volta la sua proposta di prendere un caffè insieme le era parsa piú di un invito. Voleva capire se la sua era stata solo un'impressione.

Eliana Recupero era nella sua stanza, sempre piú sepolta dalle carte.

– Dottoressa Guarrasi, – la accolse.

Chissà perché continuavano a darsi del lei.

La fece accomodare.

– Come va con l'omicidio del cubano? – le chiese subito.

– Siamo a un punto cruciale: per il dottor Vassalli abbiamo quanto basta, ma io non ne sono convinta.

– Colombo mi ha raccontato qualcosa. Certo che le è capitato un caso complicatuccio! Se non altro perché ha implicazioni internazionali, che rallentano. Meno male che abbiamo escluso sin dall'inizio la possibilità di una

pista mafiosa, altrimenti a quest'ora combatterebbe con un groviglio di ipotesi.

– Piú di quanto non faccia già? Tra interrogatori in inglese e telefonate intercontinentali? – fece Vanina.

– E se no non sarebbe la grande Guarrasi.

Era un complimento, mascherato da battuta.

– Mi dica, – riprese la Recupero, saltando da un argomento all'altro con nonchalance, – come sta il mio collega Malfitano?

E due, pensò Vanina. Era la seconda volta che la pm le tirava fuori l'argomento. Tanto valeva andare in fondo alla faccenda e capire cosa voleva dirle.

– Bene.

– Ma, mi scusi se le faccio una domanda indiscreta: vi frequentate di nuovo?

Vanina non avrebbe voluto risponderle. Piú che altro non sapeva cosa rispondere.

– È difficile da spiegare, dottoressa, – disse.

La Recupero la guardò come se volesse interpretare le sue parole. Alla fine decise di andare al sodo e tirò fuori quello che voleva dirle.

La lasciò di sasso.

Vanina uscí dal tribunale a velocità. Oltrepassò il piazzale, attraversò corso Italia e tirò dritto verso la macchina di servizio. S'infilò al posto di guida, accese una sigaretta e prese il telefono. Non poteva aspettare, doveva sapere se era vero.

Ripensò alle ultime parole che s'erano detti a Palermo. Alle domande su Catania e alle mezze frasi sibilline che Paolo aveva buttato là nelle ultime settimane.

Ora tutto tornava.

Il telefono squillò a lungo prima che lui rispondesse.

Voce bassa. – Vanina, sono in ufficio. Scusami, dobbiamo sentirci piú tardi.

– Non me ne frega niente se stai lavorando, – gli disse, il respiro corto. – A una domanda sola devi rispondere: ti sei presentato al concorso per procuratore aggiunto a Catania?

Paolo rimase zitto un attimo.

– Sí, anche a Catania, – rispose.

– Era tutto quello che volevo sapere. Buon lavoro.

Vanina riagganciò.

16.

Colombo la raggiunse con Spanò al carcere di piazza Lanza quando era già mezzogiorno passato. Non portava notizie particolari. Juan Torres risultava deceduto a Miami il 9 giugno 1975. Causa del decesso: emorragia cerebrale.

Xavier Alejandro Torres si sedette davanti a loro con la faccia di chi si aspettava di rivederli.

Vanina lo salutò. Era piú pallido e piú sciupato rispetto alla volta precedente. Gli occhi verdi, sempre strani, parevano ancora piú cerchiati. I capelli neri, lisci, gli cadevano sulla fronte.

– Buongiorno, Xavier.

– Buongiorno.

– Tutto bene? – gli chiese.

Quello si stupí della domanda.

– Perché? Le interessa?

Colombo cominciava a innervosirsi. Vanina gli pestò un piede sotto il tavolo.

– Tu te la ricordi Aleja Álvarez, Xavier? – chiese il vicequestore.

L'uomo strinse gli occhi, cercando di ricordare.

– Ti aiuto io: era la prima moglie di Esteban.

– Ah, sí. Certo che me la ricordo. È cubana. Una brava donna, – sembrava stesse per aggiungere qualcosa, ma si fermò.

– Lei purtroppo non era piú sposata con tuo zio, quando accadde la disgrazia di tuo padre, ma dice che le dispiacque molto.

Xavier s'irrigidí di colpo. Non parlò.

– Sai, – proseguí Vanina, – Aleja ha voluto che le mandassi una foto di Esteban. Voleva vedere com'era diventato. Ma invece di essere contenta, appena l'ha vista s'è spaventata. E vuoi sapere perché? Perché ha notato addosso a lui qualcosa che suo marito non aveva mai avuto. Qualcosa che invece hai tu.

L'uomo rimase impassibile, stringeva appena le mascelle. Vanina andò avanti.

– Qualcosa di cui Bubi Geraci ti aveva parlato quella volta a Miami, te lo ricordi?

– No, – rispose Xavier.

– Allora te lo ricordo io: Esteban, o meglio l'Esteban che aveva conosciuto Bubi, aveva un tatuaggio sul braccio. Tale e quale a quello che hai tu. Una stella. Un simbolo della rivoluzione. Peccato che Esteban, il vero Esteban, quel tatuaggio non se l'era mai fatto –. Xavier non fiatò. Il colorito era sempre piú terreo.

– Devo dirtelo io chi ce l'aveva, quel tatuaggio, oppure prosegui tu?

– Cosa vuole da me?

– Voglio che mi racconti esattamente come sono andate le cose.

– Come sono andate veramente, o come lei vuole che io gliele racconti?

– Voglio la verità, Xavier. Conviene anche a te dirmela, te l'assicuro.

– La verità... Quale verità? Lo sa come sono cresciuto io? Nella miseria. In un *solar* con dieci tuguri e un solo bagno in comune, dove l'acqua non sempre arrivava. Con

una madre fanatica, che mi amava ma che non era in grado di darmi da mangiare. Che mi ha allevato nel mito del Che, di Fidel e di mio padre, esattamente in quest'ordine. Quel padre che neanche ricordavo, morto in un Paese straniero dove mi era vietato andare. Per Esteban, il *gusano*, il verme che aveva tradito la rivoluzione e abbandonato la sua famiglia, bisognava solo provare disprezzo. Uno che aveva fatto quello che io speravo di riuscire a fare prima o poi. Raggranellare dei dollari, e scappare. Poi qualche mese fa a Miami arriva una donna, una delle tante con cui ero andato, e mi dice che mio zio Esteban ha il mio stesso tatuaggio. Ma io quel tatuaggio ce l'ho soltanto per un motivo: perché ce l'aveva mio padre. E sapevo per certo che mio zio non l'aveva mai avuto. Se l'immagina che cos'è stato per me scoprire che mio padre era vivo? Lui nel lusso e suo figlio a fare il gigolò per vivere.

– Per questo l'hai ucciso, per vendicarti?

– Non l'ho ucciso io, come devo dirglielo? – s'agitò Xavier. – Avrei voluto farlo, questo è vero. Era un pezzo di merda. E ha continuato a comportarsi da pezzo di merda fino alla fine.

– Spiegati meglio, – ordinò Vanina.

– Mi ha trattato come se fossi un pericolo da neutralizzare. Nessun segno d'affetto, nessun pentimento, nessun riguardo nemmeno nei confronti di mia madre. L'ha insultata al telefono, l'ha trattata come se fosse stata lei l'origine del mio male. Quella che l'ha costretto a fuggire.

– Dunque tu avresti capito dal racconto di Bubi che Esteban in realtà era tuo padre.

– L'ho intuito. Ma la certezza l'ho avuta quando l'ho incontrato. Mia madre mi aveva detto che il modo migliore per esserne sicuri era guardare il polso destro. Una frattura che s'era fatto a Cuba gliel'aveva deviato.

– L'hai affrontato, hai cercato di parlargli, ma lui ha reagito male. Il giorno del suo omicidio, guarda caso, tu sei andato a cercarlo fino al parcheggio dell'aeroporto e l'hai trovato morto, – sintetizzò il vicequestore.

– È cosí.

– E perché saresti andato a cercarlo proprio lí? Esteban sarebbe tornato il giorno dopo.

– Ma io questo non lo sapevo. Sapevo solo che partiva per la Svizzera, e temevo non tornasse piú. Al telefono non rispondeva mai. Volevo dirgli che non mi interessava la sua elemosina.

– Che elemosina?

– Voleva liquidarmi con la casa sull'Etna. Lui l'avrebbe venduta e io avrei preso i soldi, – fece un sorriso storto. – Una casetta.

– E quindi? Cosa volevi dirgli di preciso quella mattina?

– Che se la poteva tenere, la sua casa sul vulcano. Ma non ho potuto perché quando l'ho raggiunto era morto.

Vanina rifletté.

– Senti, Xavier, lo sportello del passeggero era aperto o chiuso?

Quello rimase sorpreso. – Lo sportello del passeggero? Aperto.

– E poi che hai fatto?

– Poi sono scappato via.

– Perché hai lasciato la macchina della Geraci lí?

– Avevo causato la morte di Bubi, rubato la sua macchina, ero entrato in un parcheggio e trovato mio... padre morto. Rischiavo che accusaste me anche dell'omicidio, come infatti state facendo. Cosí ho preso il primo autobus e sono tornato a Noto. La casa di Bubi mi sembrava un posto sicuro.

Colombo lo guardava dubbioso.

– Finché non ti sei fatto fregare dalle moine inscenate dell'ispettore Bonazzoli. Certo che è incredibile quanto possa far rincitrullire una femmina, eh! – gli disse.

Vanina fissò Xavier. Adesso era lei ad apparire indecifrabile.

– Lo sai qual è il tuo problema, Xavier? Che la tua versione dei fatti è talmente priva di verosimiglianza che non convincerà mai il magistrato.

– Perché, lei invece l'ho convinta?

La macchina di servizio era parcheggiata sotto gli alberi, vicino a un chiosco. Vanina, Colombo e Spanò la raggiunsero in silenzio.

– Capo, mi dicisse una cosa: lei alla colpevolezza di Torres ci crede o non ci crede? – chiese l'ispettore.

– Non lo so, Spanò.

Entrarono in auto.

– No, perché altrimenti, scusi se glielo dico, non riesco a capire che direzione dobbiamo prendere.

– Che direzione? *Da Nino*, senza manco pensarci un minuto. Le due passate sono.

Colombo manifestò il suo gradimento.

Spanò sorrise e partí.

– Dottoressa, non faccia finta di non capire. Che dobbiamo cercare? Una prova che lo inchiodi oppure qualcosa che lo scagioni?

Se la Guarrasi si fissava che uno non era colpevole, era capace di non cambiare idea manco davanti a dieci indizi da manuale.

Colombo si fece attento.

– Che vuol dire, una prova che lo scagioni? – domandò, diffidente. Vanina era una mina vagante da quel punto di vista, non se l'era dimenticato. Il vicequesto-

re si voltò sul sedile, un occhio a Spanò, che guidava, e uno a Colombo.

– Picciotti, qua c'è una cosa che non quadra.

I due la ascoltarono.

– Xavier non indossa guanti, si vede benissimo dal filmato. Ora, se fosse stato lui l'assassino, per ammazzare Torres con la sua stessa arma avrebbe dovuto quantomeno aprire la portiera, e avrebbe lasciato qualche impronta anche sulla maniglia. Invece l'impronta è solo sul montante, com'è logico che sia visto che la portiera Xavier dice di averla trovata aperta. Come del resto la trovò pure la Canton.

– Quindi secondo te siamo al punto di partenza? – chiese Colombo, atterrito all'idea di ricominciare da zero, per poi magari arrivare alla stessa conclusione.

– Carlo, non sono sicura di niente. L'unica cosa che so è che, se prima non sono convinta io, un caso non lo chiudo.

L'ispettore non commentò, ma si vedeva dalla faccia che era d'accordo con la Guarrasi.

Vanina chiamò Pappalardo e gli chiese di ricontrollare le impronte presenti nell'auto di Torres. Fuori e dentro. Rivedere se c'erano capelli, tracce di qualunque genere. Catalogare tutto di nuovo se era necessario.

Doveva capire.

Uscito dalla Mobile, il commissario Patanè non era tornato a casa. Aveva preso la Panda e aveva corso piú di quanto l'età del catorcio, oltre che la sua, potesse consentire.

Aveva resistito a stento a non esternare la sua frenesia davanti alla Guarrasi, perché non gli pareva il caso di confonderla con pensieri ancora troppo vaghi. Con qualcosa che nemmeno lui aveva idea se potesse entrarci o meno. Finalmente il particolare che da giorni continuava a frul-

largli nella testa senza che lui riuscisse ad afferrarlo s'era palesato e ora il commissario non stava piú nella pelle. Doveva capire se quello che s'era ricordato fosse frutto della sua fantasia o se per davvero la «banca dati» del suo cervello funzionava ancora bene.

Un nome era, santa pace. Un nome che nei giorni precedenti doveva essergli passato di mente.

E adesso era arrivato all'archivio della questura centrale, scortato dall'assistente Pippo Turillo, che aveva lavorato nella sua squadra per tanti anni e che ora, prossimo alla pensione, era in servizio lí. Turillo lo stava aiutando a scartabellare tra tutti i fascicoli inerenti ai fatti che lui aveva riesumato. In cerca di qualcosa che Patanè era convinto di riuscire a ritrovare.

Mentre aspettavano i piatti che avevano ordinato, Vanina aveva razziato il bancone degli antipasti. Zucchine gratinate, melanzane, peperoni arrosto. Verdure, avrebbe detto Bettina. Cose «dietetiche».

Mangiucchiava, rimuginando tra sé e sé, mentre Colombo intratteneva Spanò con racconti di «intrighi internazionali». La telefonata con Paolo al momento aveva scalzato l'interrogatorio di Xavier dai suoi pensieri.

– Vanina!

Si voltò indietro. Manfredi Monterreale era lí. Casco in mano.

Il medico s'avvicinò al loro tavolo. Disse che non aveva voglia di pranzare a casa, al policlinico si sarebbe dovuto accontentare di un panino, il suo studio privato invece era da quelle parti. Tutte scuse, e Vanina finse di bersele per non metterlo in imbarazzo. Manfredi sapeva che Nino era una sua meta giornaliera, non c'era posto migliore per incontrarla «casualmente».

Vanina lo invitò a sedersi con loro, tanto altro da dire sul caso non c'era. Lui non se lo fece ripetere due volte. Con Spanò ormai aveva una certa confidenza, e per il tipo che era, conoscere uno come Colombo avrebbe solo potuto fargli piacere.

Nino arrivò subito a salutarlo e gli prese l'ordinazione, identica a quella di Vanina. Spaghetti al nero di seppia.

Manco dieci minuti dopo serví tutti e quattro.

Vanina s'accorse che Colombo non parlava granché, osservava Monterreale come se volesse studiarlo. Ogni tanto buttava l'occhio su di lei, specie nei momenti in cui la sua confidenza col medico pareva piú evidente.

Ma vedi tu che a quello scimunito di Carlo gli pigliò una botta di gelosia. L'idea la divertiva.

Come, era inutile negarlo, la divertiva la compagnia di Manfredi.

Si salutarono sul marciapiede davanti all'entrata della trattoria. Mentre il vicequestore s'accendeva la sigaretta e Spanò mostrava a Colombo la moto parcheggiata là davanti, Manfredi approfittò per replicare l'invito della sera prima.

Stavolta Vanina accettò.

– Guarra', parliamoci chiaro: tu non sei per niente convinta che Xavier Torres abbia ucciso suo zio, – sintetizzò Macchia, mentre s'infilava giacca e cappotto.

Si diresse verso le scale e Vanina lo seguí.

– Io penso solo che forse abbiamo sbagliato a dare per scontato che la morte della Geraci e quella di Torres fossero opera della stessa mano. Anche perché una è stata pressoché accidentale, mentre l'altra mi dà la sensazione di essere frutto di una premeditazione. Ora, vero è che io per prima ho pensato che Xavier potesse aver progettato l'omicidio, ma parlando con lui mi sono resa conto che il

suo viaggio in Italia era piú finalizzato a una richiesta di spiegazioni che a una spedizione punitiva. Al massimo a un tornaconto.

– E qui potrebbe starci il movente economico. Il padre gli nega i soldi e lui lo ammazza. Non è premeditato ma è possibile. Non ci scordiamo che quello, Xavier, sta con l'acqua alla gola e che l'hanno sfrattato pure, – obiettò Tito, già vicino al portone. Fissò la guardiola ormai inutilizzata che deturpava l'ingresso. – 'Sta schifezza oggi o domani la faccio smontare, – brontolò. Lo diceva da mesi. Poi riportò l'attenzione su Vanina.

– Solo che, al contrario, Xavier sostiene di essere andato a cercare il padre quella mattina per dirgli che non voleva la sua elemosina. Che, a quanto lui dice, consisteva nell'offerta di vendere la casa di Trecastagni e dargli il ricavato.

Tito la guardò fisso.

– Guarra', andiamo al sodo: che vuoi fare?

– Voglio continuare a indagare, però se Vassalli si fissa che vuole chiudere il caso con quello che abbiamo...

– Ho capito. Se non riesci a convincerlo ci parlo io.

Vanina se ne tornò nel suo ufficio, dove nel frattempo Carlo Colombo s'era accomodato alla scrivania e stava usando il computer.

– Ma figurati, Carlo, fai come se fossi a casa tua, – gli disse.

– Guarrasi, ti ricordo che sono piú alto in grado di te –. Si alzò e le lasciò la poltrona. – Anche se in tutta sincerità non capisco perché.

– Perché cosa?

– Perché non siamo pari grado, tu e io.

– Forse perché a trentanove anni primo dirigente è un po' difficile diventarci? – fece Vanina, aprendo il casset-

tino della scrivania. La scorta di cioccolata al settanta per cento che le aveva regalato Patanè stava per finire. Doveva procurarsene dell'altra. Tirò fuori una tavoletta e la offrí a Colombo.

– Speriamo che questo caso si risolva presto, – disse il dirigente.

– Se t'abbutta tanto stare qua puoi sempre tornartene a Roma. Tanto che la mafia con l'omicidio di Torres non c'entri niente mi pare l'unico dato certo.

– Guarrasi, tu non immagini quante cose sto scoprendo grazie alla tua amica Recupero sui rapporti mafiosi di Torres, e di conseguenza anche sulla gente che gli girava intorno sia in Italia che a New York. Quando l'inchiesta per l'omicidio sarà conclusa, la signora Evelyn Cristallo ex Torres ci dovrà spiegare un bel po' di fatti. E probabilmente anche la signora Luisa Visconti, vedova Torres. Per ora lasciamole lí a cuocere.

Vanina si ricordò che s'era ripromessa di tornare a parlare con le due donne, appena rientrate da Milano dov'erano tornate il giorno prima per poche ore finalizzate all'apertura del testamento di Esteban.

Poteva chiamare la Visconti e chiederle tutto per telefono, ma starsene con le mani in mano non era cosa per lei. Si sarebbe spazzolata la scorta di cioccolata, con ovvie ripercussioni, e fumata mezzo pacchetto di sigarette.

Vanina e Marta raggiunsero le due signore, ormai inseparabili, in via Etnea. Erano reduci da un tour culturale che comprendeva via Crociferi, il monastero dei Benedettini, il Duomo e perfino il Castello Ursino. Cicco e Cola, parevano.

– 'Ste due si stanno facendo la vacanza, in poche parole, – commentò Vanina, a bassa voce. Marta trattenne un sorriso.

Si sedettero in un bar con i tavolini all'esterno.

– Signore, volevo chiedervi un'informazione, – attaccò Vanina. – Voi siete state nella casa di Trecastagni?

Rispose la Visconti. – Sí, ci siamo state prima di tornare a Milano. Non avevo idea che Esteban possedesse una casa qui, me l'ha comunicato l'ispettore Bonazzoli quando sono arrivata. Deve averla comprata senza dirmi nulla. È anche una bella casa. Poi quel signor Lavía la tiene benissimo. E a quanto ho visto frutta pure qualcosa, dato che c'erano degli affittuari.

Stava già catalogando i beni, la signora.

– So che è stato aperto il testamento di suo marito, – disse Vanina.

– Sí, ieri. Presso un notaio di Milano.

– Ha riservato sorprese?

– Assolutamente no. Era quello che ci aspettavamo. Lascia tutto il patrimonio italiano piú una percentuale di quello americano a me e a mio nipote, che ha lavorato spesso con lui negli scambi con gli Stati Uniti e gli era affezionato. Il resto del patrimonio americano diventa tutto di Evelyn e di una sua nipote che lavora alla produzione dei cosmetici, anche lei molto affezionata allo zio.

Nessun riferimento a nipoti propri, né alla famiglia d'origine. Nessuna pietà, nemmeno nella morte. Ecco perché voleva liquidare Xavier vendendo la casa di Trecastagni, perché era l'unica che la moglie ignorasse e della quale non doveva rendere conto a nessuno. Non poteva certo rischiare di essere smascherato, il sedicente Esteban.

– Posso sapere il nome del notaio?

La donna rispose con un attimo di ritardo, il fare irritato di chi non tollera intrusioni ma deve fare buon viso a cattivo gioco.

– Naturalmente.

Glielo diede e Marta lo appuntò.

– E della casa di Trecastagni cosa intende farsene? – chiese Vanina alla Visconti.

– Nulla di particolare. I due ragazzi che la gestiscono dicono che è molto richiesta. E il custode ha confermato che mio marito non aveva intenzione di venderla. C'era una trattativa privata, che aveva intrapreso con un tizio di Treviso, uno che aveva affittato la casa tempo fa e voleva farci un alberghetto. Ma era finita in un nulla di fatto.

– Dunque se la terrà?

– Certo! Una casa in Sicilia vale sempre la pena.

– Wonderful Sicily, – aggiunse Evelyn, casomai non fosse già chiaro come se la stessero scialando a Catania, alla faccia del marito – o ex marito – ancora da seppellire.

Le lasciarono lí e ripresero la strada verso l'ufficio. *Pedibus calcantibus*, manco a dirlo. Che se no dobbiamo parcheggiare, ma che ci vuole a fare due passi, stiamo sedute tutto il giorno. Solite motivazioni di Marta, che alla fine la fregava sempre.

– Due minuti ancora e le mandavo affanculo, a tutte e due, – fece Vanina.

– Erano affezionate, eh, al povero Esteban ucciso! – Marta tacque un momento. – Posso chiederti perché non hai mai detto loro dell'esistenza di Xavier?

– Perché voglio che lo sappiano quand'è il momento giusto. Sai com'è: un nipote, o un figlio addirittura, se dimostra di esserlo può sconzare mezzo testamento. Per non parlare di quello che accadrebbe se si mettesse in discussione l'autenticità del soggetto Esteban. Juan era già sposato a Cuba. Non so come si metterebbero le cose.

– Tu pensi che si possa provare in qualche modo che il morto non è Esteban ma Juan?

– Non credo sia facile. Forse con qualche particolare, come il tatuaggio, oppure la frattura al polso.

– Ma scusa, cosa temi possano fare, nel caso in cui dovessi dire loro la verità?

– Qualunque cosa. Per esempio tirare fuori qualche stronzata, prontamente suggerita da un avvocato strapagato, pur di affossare del tutto la posizione di Xavier e assicurarsi che si becchi l'ergastolo.

Marta non commentò.

Rientrarono in ufficio in tempo per incrociare Tito che, superato il minuto di rincoglionimento che lo pigliava quando incontrava la sua amata in corridoio, comunicò a Vanina che aveva incontrato Vassalli.

Avevano altre ventiquattr'ore di tempo, non una di piú.

stronzata
- stronzare
- strapagato
- l'ergastolo: prison, 'life'.
- beccarsi: to catch something

17.

Maria Giulia De Rosa l'aspettava fuori dal portone.

L'aveva chiamata mezz'ora prima, doveva vederla. Aveva bisogno di parlare con qualcuno e, nonostante lei fosse la piú recente tra le sue amicizie, era pure quella piú sincera. L'unica con cui si sentiva di confidarsi.

Avevano poco tempo entrambe. Vanina perché ormai l'invito di Manfredi l'aveva accettato e l'avvocata perché incastrata in una cena, mondana sí, ma questa volta familiare.

Giuli rifiutò la proposta di sedersi al bar di piazza Cutelli e optò per la sua macchina.

– Allora, finalmente ti decidesti a dirmi che t'è successo? – attaccò Vanina.

L'amica strinse le mani sul volante, la guardò, poi tornò a guardare davanti a sé. Alla fine prese fiato e sparò: – Sono incinta.

La prima cosa che venne in mente a Vanina fu che Giuli avesse voglia di babbiare. Era persino sul punto di ridere, ma la sua faccia seria, quasi affranta, la convinse che non c'era da divertirsi. Era vero.

– Oh cazzo, – le scappò.

L'amica annuí, continuando a stringere il volante come se ci si volesse appendere.

– Scusa ma, da quanto lo sai? – domandò Vanina.

– Da poco, una settimana.

Giuli partí con un racconto dettagliatissimo di dove, quando e perché era avvenuto il fatto. A Roma, per puro caso. Anzi, per destino, perché poteva chiamarsi in altro modo un incontro come quello? Due persone che si conoscono da una vita, s'incrociano per caso in una via di Roma. Bevono qualcosa, poi qualcos'altro poi esagerano e finiscono in un alberghetto in piazza Navona. Una volta sola. Una cosa iniziata e finita lí e che il giorno dopo va dimenticata. Se non fosse che...

– Giuli, – l'interruppe Vanina, – chi è?

L'avvocata esitò, poi chiuse gli occhi e sparò per la seconda volta.

– Luca.

Vanina restò senza parole. Ci mise due minuti buoni a recuperare il fiato.

– Ma Luca quel Luca?

– Luca Zammataro, mio amico da una vita e compagno di uno dei miei migliori amici. Gay, – precisò, qualora ce ne fosse stato bisogno.

A Vanina tornava tutto. La crisi di Luca, la preoccupazione di Adriano che lui avesse un altro. Quello che non avrebbe mai immaginato era che il tutto derivasse da una donna. E men che meno poi da Giuli.

– E lui lo sa?

– No! E non lo deve sapere! – scattò la De Rosa.

Questo spiegava il ritorno all'ovile di Luca, che passata la crisi per il tradimento ora se ne stava bel bello tra le braccia del suo Adriano. Ignari entrambi della tegola che stava per piombare sulla loro testa.

Giuli si accorse che Vanina la stava guardando male e protestò. Non l'avrebbe mai fatta cosí bacchettona. Ma la contrarietà del vicequestore con il puritanesimo non c'entrava proprio niente, e l'avvocato lo sapeva benissimo.

Questione di poco, e sarebbe partita una faida. Adriano tradito da una parte, in guerra con Giuli la mantide, capace di traviare un uomo fedele. E lei si sarebbe trovata in mezzo.

Non ne aveva nessuna voglia.

Vanina arrivò ad Aci Castello in anticipo. Parcheggiò davanti a casa di Manfredi Monterreale, sul lungomare Scardamiano – altrimenti noto ai catanesi come «ai muretti» – e decise di fare una passeggiata verso il paese. Era incredibile ma stavolta aveva voglia di camminare. Come piaceva a lei, ovvio. Passo lento e sigaretta accesa. Risalí fino a piazza Castello, dove alle sette di sera dei primi di dicembre non c'era praticamente nessuno. Il bar era semivuoto, il ristorante accanto aveva appena aperto.

S'affacciò sul mare. Gli scogli sotto il castello normanno parevano piú neri di quanto non fossero già di giorno, la rocca piú imponente. Quasi sinistra.

Le confidenze di Giuli le avevano lasciato addosso un senso di amarezza. Per lei, che pur di avere Luca s'era accontentata di una botta e via e aveva avuto pure la sfiga di rimanerci incastrata. Per Luca, perché una relazione bella come quella tra lui e Adriano era raro trovarla in giro.

Decise di non pensarci piú e si mise a guardare il mare. Un po' mosso, piú nero della pece.

Il lungomare dove abitava Manfredi e gli scogli di Aci Castello erano stati il teatro di una delle indagini piú complicate che Vanina aveva svolto a Catania. L'ultima prima di andarsene a Palermo per due settimane. Quella durante la quale aveva conosciuto il dottor Monterreale.

Arrivò fino all'uscita del paese dall'altro lato, dove ricordava un bar che faceva delle crispelle di riso quasi pa-

ragonabili a quelle di Bettina. Ne comprò una vaschetta e riprese lentamente la strada verso casa del medico.

Mentre scendeva di nuovo in direzione del lungomare chiamò Patanè. Il confronto con lui era sempre utile, a volte illuminante.

Angelina le rispose al primo squillo. Vanina si scusò come al solito – ormai le pareva una farsa – e chiese del commissario.

– Ma pirchí, non è con lei? – fece la donna preoccupata.

– No, io non lo vedo da stamattina.

– A pranzo mi disse che non tornava perché doveva lavorare in questura. Marunnuzza santissima, che ci capitò?

Anche Vanina iniziò a impensierirsi. Come, in questura? Ma se quando l'aveva salutato lui aveva detto... Però, ripensandoci, non aveva detto che sarebbe rientrato a casa. E che c'era andato a fare in questura?

– Non si preoccupi, ora chiamo là, – fece Vanina.

– Mi facissi sapiri, mi raccomando!

Glielo promise.

Fece il numero della questura centrale. Sudò sette camicie per trovare qualcuno che conoscesse il commissario. La maggior parte degli agenti che le risposero era troppo giovane anche solo per averlo sentito nominare. Alla fine recuperò un ispettore che l'aveva incrociato quella mattina assieme all'assistente Turillo. Altro però non sapeva.

Che stava combinando Patanè?

Richiamò Angelina per capire se nel frattempo fosse tornato, ma il tono allarmato della donna rispose da solo. Decise che era meglio tranquillizzarla, e le disse che aveva parlato con un collega della questura e il commissario era lí. La sentí borbottare che st'abitudine di non portarsi appresso il telefonino Gino se la doveva levare.

Angelina s'era calmata, ma Vanina rimase in apprensione.

Arrivata sotto casa di Manfredi le arrivò un messaggio di Paolo.

«Possiamo sentirci appena sei libera?»

Decise di non segnarlo come letto per non alimentare attese immediate.

Monterreale nel frattempo s'era affacciato dal suo terrazzino al secondo piano, vista faraglioni, e stava seguendo i suoi movimenti. Bicchiere di vino in una mano, l'altra nella tasca dei jeans. Grembiule da cuoco ancora addosso.

Appena la vide le aprí il cancello.

Dalla cucina del medico arrivava un profumo che a Vanina faceva venire voglia di sollevare uno per uno i coperchi delle pentole, che se ne stavano piazzate sui fornelli in ordine meticoloso. In una c'era l'acqua tenuta quasi a bollore, pronta per calarci dentro le linguine da condire con un sugo all'astice. In un'altra c'era una caponata di tonno che la volta precedente l'aveva mandata fuori di testa. Nel forno, sotto uno strato di sale, un denticiotto che Manfredi era andato a prendere a Riposto da un pescatore che conosceva.

Tra la confessione di Giuli, la faccenda di Patanè e la telefonata di Paolo, Vanina dovette fare uno sforzo per godersi appieno quella cena da dieci e lode nonché la compagnia di Manfredi. Pareva che si fossero messi d'accordo tutti e tre per rovinarle la serata. Ma l'atmosfera rilassante di quel soggiorno pieno di cimeli anni Ottanta, con le canzoni di De André in sottofondo, il vino bianco ghiacciato, la serenità che quell'uomo le trasmetteva, era tutto talmente piacevole che per finire a rotolare sulla stuoia per terra non ci volle granché.

Il salto successivo sarebbe avvenuto in cinque minuti, se il telefono di Vanina non avesse iniziato a suonare provvidenziale, rompendo di colpo l'atmosfera.

La persuasione che si trattasse di Paolo le mise addosso un senso di colpa che faticò a mascherare mentre si lanciava verso la tasca del giubbotto. Ma che le diceva la testa? Prima amici amici amici e poi alla prima occasione ci dava sotto.

Il numero che compariva sul display era sconosciuto. Rispose incerta.

– Dottoressa! – Era la voce di Patanè.

– Commissario, ma che fine ha fatto? Ho dovuto tranquillizzare Angelina, ho chiamato mezza questura...

– Vabbe', vabbe', poi glielo spiego. La sto chiamando col telefono di Pippo Turillo, un assistente mio. 'Na iurnata sana ci stesi, ma alla fine ne venni a capo! – Era eccitatissimo.

– Ma di che cosa, venne a capo?

– Ce l'ha presente la casa di Trecastagni, alla Salita dei Saponari?

– Certo.

– Ecco, lo sa come l'ebbe Torres 'sta casa? La vinse al gioco, in una bisca.

– Una bisca clandestina?

– Esatto. All'inizio degli anni Novanta a Catania bische ce n'erano assai, la maggior parte gestite da cosa nostra. La Mobile per esempio ne fece chiudere almeno tre. Torres ovviamente non fu pizzicato mai, ma l'uomo a cui scippò la casa sí. Piú di una volta e in piú di una bisca. Per questo mi ricordavo il nome.

Vanina s'era seduta e ascoltava il commissario.

– Ne è sicuro?

– Come la morte, dottoressa. Me lo disse per certo un vecchio confidente mio, ammanigliato con quegli ambienti, che si ricorda ancora tutte cose. Disse che la persona in questione da un giorno all'altro dovette cedere la casa

cosí com'era a un americano mezzo cubano, che comandava macari gli Zinna, e che gliela vinse al gioco.

– Quando successe?

– Il punto non è quando successe, dottoressa, ma chi era l'uomo che perse la casa.

Di turno alla Mobile c'era Spanò. Se ne stava seduto alla scrivania e fissava assente lo schermo del computer.

Vanina lo risvegliò dallo stato di catalessi.

– Dottoressa, – saltò in piedi.

– Venga con me, Spanò, che abbiamo novità importanti.

Si andò a sedere sulla poltrona e accese il computer.

– Senta, la casa nella Salita dei Saponari, Torres da chi risulta che la comprò?

– Non lo so. Ci dev'essere tra le ricerche che abbiamo fatto, però.

– Chi le ha fatte?

– Lo Faro.

Vanina alzò gli occhi al soffitto, mentre si accendeva una sigaretta.

– Perciò capace che ci toccherà rifarle.

– Aspittassi che vado a controllare.

– Lasci stare, lo vediamo da qui. Se è il nome che dico io, abbiamo da lavorare.

Si misero a smanettare col sistema, entrarono nelle informazioni riguardanti l'immobile, e infine trovarono quello che serviva.

Spanò rimase a bocca aperta.

– Minchia! – si fece sfuggire.

Vanina si abbandonò sulla spalliera. – Ispettore, abbiamo poco tempo: dobbiamo capire come stanno le cose.

18.

Vanina e Spanò avevano fatto nottata.

L'ispettore s'era andato a spulciare tutti i fascicoli che il commissario Patanè aveva trovato in archivio e che l'assistente Turillo, sant'uomo, gli aveva portato fino alla Mobile.

Vanina aveva buttato giú dal letto Nuzzarello alle undici di sera e l'aveva subissato di domande. Il ragazzo le aveva riferito un po' di storie che si raccontavano in paese sull'argomento che le interessava. Le aveva risposto che sí, una mezza idea di vendere la casa dei Saponari Torres l'aveva avuta, ma poi s'era risolta in un nulla di fatto. L'acquirente potenziale, di cui le aveva fornito anche il nome, era un ingegnere del trevigiano che era stato ospite in affitto e s'era innamorato della casa.

La prima persona che Vanina aveva chiamato la mattina dopo.

Gli aveva chiesto ogni dettaglio della fallita compravendita.

– Fino a un mese fa il signor Torres diceva che doveva ancora pensarci, – aveva riferito l'ingegnere. – Poi, circa una settimana prima di morire, mi aveva chiamato all'improvviso per dirmi che si era deciso. Mi aveva dato un appuntamento a Trecastagni per quattro giorni fa. Io sono anche venuto giú, per capire se la vendita si sarebbe fatta lo stesso. Sa, era un progetto cui tenevo. Un alberghetto

di charme, poche camere, una bella piscina nel patio interno. Peccato.

Vanina gli aveva fatto l'ultima domanda, quella piú importante.

– Chi fu a dirle che il signor Torres prima di morire aveva cambiato idea?

La risposta suonò come una conferma.

Subito dopo Vanina aveva sentito Adriano Calí e gli aveva fatto due domande precise: per come si presentava il cadavere, Torres era stato preso alla sprovvista oppure l'assassino aveva avuto il tempo di sottrargli – non si sa come – la pistola e spararagli? La seconda domanda era sulla distanza di sparo. Adriano aveva escluso che l'omicida avesse avuto il tempo di prendere l'arma di Torres davanti ai suoi occhi, perché altrimenti ci sarebbe stato qualche tentativo di difesa, mentre la posizione di quiete del cadavere suggeriva che la vittima fosse stata presa alla sprovvista. Aveva ribadito poi che il colpo era stato attinto da destra e da una distanza sicuramente superiore a cinquanta centimetri data l'assenza di residui solidi combusti intorno al foro d'entrata e sulla camicia.

Il che per Vanina significava una sola cosa: l'arma doveva essere già nelle mani dell'assassino quando aveva raggiunto Torres nel parcheggio dell'aeroporto per ucciderlo.

La moglie di Torres aveva raccontato che suo marito teneva spavaldamente la pistola nel cassettino dell'auto. Sempre. Anche quando la parcheggiava, se era al sicuro e custodita.

C'era solo un posto dove l'assassino poteva aver sottratto nottetempo la pistola di Torres, e se il fiuto di Vanina non s'era sbagliato sarebbe bastato controllare quello per risolvere il caso.

instinct

Il maresciallo Labbate era stato un fulmine. Neanche cinque minuti dopo che la Guarrasi l'aveva chiamato, in via del tutto amichevole, s'era fiondato nell'albergo dove avevano ritrovato il cadavere della Geraci e aveva acquisito tutti i filmati di videosorveglianza del garage dove Torres, eletto tra gli eletti, «aveva sempre un posto riservato». Li aveva consegnati nelle mani della Bonazzoli e di Nunnari, che nel frattempo erano corsi a Taormina e avevano formalizzato l'acquisizione.

E ora Vanina era con i suoi davanti al monitor su cui Nunnari stava selezionando le immagini che potevano servire. Spanò e Marta erano appoggiati al muro, dietro la sua poltrona.

Patanè era piazzato accanto a lei, al posto d'onore. Se i filmati mostravano quello che la Guarrasi immaginava, la sua intuizione era stata determinante.

Cercarono l'orario in cui Torres aveva parcheggiato, che il guardiano aveva segnato in un promemoria. Per com'era posizionata la telecamera, si vedeva che prima di scendere dall'auto l'uomo s'era attardato. L'immagine era nitida. S'era chinato verso il posto del passeggero. Secondo le abitudini riferite dalla moglie, probabilmente aveva controllato il cassettino.

– Ma tu viri 'stu scimunito che lasciava la pistola nella macchina! – fece Patanè.

Macchia concordò.

– Delirio di onnipotenza, commissario. È inutile, prima o poi li fotte sempre. In un modo o in un altro, – disse Vanina.

Nunnari andò veloce.

– A occhio e croce, se prima non s'allontana il guardiano non può succedere niente, – suggerí il vicequestore.

Identificarono l'attimo in cui il guardiano usciva dalla guardiola e si spostava verso la porticina di servizio. Nunnari rallentò le immagini.

– Ora o mai piú, – fece Vanina.

Si vide prima un movimento, poi una figura maschile che s'avvicinava all'auto di Torres, apriva con una chiave dal lato del passeggero, si chinava dentro, estraeva qualcosa. Infine richiudeva l'auto e correva verso l'uscita del garage. Il guardiano non era ancora rientrato.

Vanina l'aveva riconosciuto subito, ma aveva bisogno di una conferma.

Chiese a Nunnari di tornare indietro, bloccare il fotogramma dove l'uomo si vedeva di faccia, e ingrandire.

– Tombola! – fece Patanè.

Erano tutti lí, al numero 183 della Salita dei Saponari. La sezione al completo piú Patanè.

Fragapane e Lo Faro presidiavano l'ingresso secondario, per evitare possibili fughe.

Filadelfo Lavía aprí la porta al vicequestore Guarrasi in tenuta da giardinaggio.

– Scusate, stavo sistemando delle piante che si debbono potare ora se no non fioriscono bene, – spiegò.

Vanina finse di volerlo seguire in giardino, mentre Spanò e Marta sfilavano di lato invisibili ed entravano nelle due stanze che l'uomo abitava. Patanè la seguí.

– Le piace il giardinaggio, eh, signor Lavía?

– Assai.

– Questo giardino poi dev'essere il suo orgoglio.

– Modestamente, è merito mio se campa da tutti questi anni, – si chinò, aggiustò un vaso.

– Del resto, chi meglio di lei può conoscerlo, – fece Vanina. – Prima era di suo nonno, poi di suo padre.

Lavía si alzò piano piano, sollevò lo sguardo. Liquido, quasi lacrimoso.

– Dev'essere stata dura per lei, in tutti questi anni, vivere da custode in casa sua. L'unica casa che abbia mai avuto.

L'uomo appoggiò le forbici e la paletta per terra. Girò gli occhi verso la porta d'ingresso delle sue due stanze e vide che era aperta. Le mani gli tremavano.

– Vuole sentirla una storia, signor Lavía? – fece Vanina, tranquilla.

Quello accennò un sí.

– Allora diciamo che, circa una trentina d'anni fa, un uomo si gioca a poker poco per volta tutto il patrimonio che la buonanima di suo padre gli ha lasciato. Che non è molto, ma che è ugualmente frutto di una vita di sacrifici. L'ultima cosa che gli resta è la casa in cui la sua famiglia vive da sempre. Un giorno quest'uomo finisce in una bisca particolarmente pericolosa, gestita addirittura dalla famiglia Zinna. Si siede al tavolo sbagliato e perde anche l'ultimo bene che gli è rimasto. Cosí com'è, da un momento all'altro, è costretto a lasciare la casa nelle mani di qualcuno che poi farà da intermediario con colui che ne diventerà il proprietario, quello che lei ha conosciuto al tavolo da gioco. Lo chiamiamo Esteban. Registrano un falso atto di compravendita. L'uomo non sa dove andare ad abitare, supplica Esteban di farlo restare lí, anche in un sottoscala, ed Esteban glielo concede, a patto che lui si occupi della manutenzione della casa. Lo relega in due stanze, riempie di telecamere le altre per essere certo che non vengano abitate. Un giorno si profila all'orizzonte un compratore. Questo vuole acquistare la casa per farci un albergo, con tanto di piscina ricavata sventrando il cortile. Esteban sul principio non è convinto della faccenda. Poi però succede qualcosa che lo induce a velocizzare la

trattativa. Prima di partire per Milano, Esteban comunica all'uomo che dovrà sbaraccare dalle sue due stanze perché a breve sarà conclusa la vendita della casa e per lui non ci sarà piú spazio, – si fermò un attimo.

Filadelfo tremava. Aveva iniziato a grondare sudore e s'era seduto su una panchina di pietra.

– Vuole continuare lei, signor Lavía? – propose Vanina. Lui la guardò con la rassegnazione di chi sa di aver fallito in tutto nella vita.

– 'Sta casa la costruí mio nonno, – attaccò, – pietra per pietra, muro per muro. Era stata una conquista, lo sa, dottoressa? Qua a Trecastagni da ragazzo ci veniva appresso a suo padre, a scangiari pezzi di sapone in cambio di qualche oggetto da rivendere per guadagnare pochi piccioli. Questo posto, 'sta salita, ci piaceva assai. Tanto che appena poté s'accattò un pezzo di terreno e si costruí 'sta casa. Me' patri nasciu ccà. Macari iu nascii ccà: u chhiú disgraziato di tutta la famiglia. Uno ca sapeva sulu iocare. Ri picciriddu con le tre carte, poi a scopa, finché non incagghiai quello che m'insegnò il poker. Fu la mia fine.

– Esteban Torres la raggirò? – domandò Vanina.

– E cchi ni sacciu, dottoressa. Nenti accapii quella sera. Accuminciai che vincevo. Poi a un certo punto s'assittò l'amiricano. Si vedeva ca sapeva iucari. Come maniava le carte, come taliava l'avversari. 'N animale a sangu friddu. L'occhi che parevano ghiaccio, la faccia senza espressione. Due giri e pirdii tutto. Macari le mutanne che tenevo addosso. Lo pregai in cento modi, ci giurai che avrei pagato il debito, un poco alla volta. Manco mi rispose. Alla fine s'apprisintò uno della famigghia Zinna e mi riaccompagnò ccà. Mi disse che dovevo ringraziare se non mi ittavanu fora quella notte stessa, e che mi conveniva pigghiarimi quello che potevo pirchí l'indomani si sarebbe presentato

l'amiricanu e avrebbe preso possesso della casa. E cosí fu. Andammo da un notaio e firmammo come una vendita. Supplicai a Torres di lassarimi qua dentro. Che potevo fare il servo, chiddu che voleva, basta che mi dava una stanza. Mi fici piniari per due giorni, dicennu ca ci doveva pinsari, che uno com'a mmia capace che non sapeva fare manco il servo. Alla fine mi disse che siccome viveva a Milano, doveva pigghiari per forza qualcuno, un custode. E che siccome aveva l'animo buono, mi faceva la grazia di lassarimi ccà. Dovevo abitare nel sottoscala e pinsari a tutti i servizi. Se la prossima volta trovava qualche cosa che non andava, mi ittava fora in due minuti. Non mi parse vero. Tutto avissi fatto, basta che mi lassava dentro la me' casa. Piú di vent'anni passarono, e ancora sugnu ccà. Perché la verità è che come la curo io 'sta casa, 'sto giardino, nessuno sarebbe capace di fare.

Patanè lo guardava quasi amareggiato. Gli faceva pena, quel cristiano.

Spanò e Marta riemersero dalle due stanze, il sottoscala per l'appunto. L'ispettore fece un cenno affermativo con la testa, alzò la mano guantata con cui teneva una custodia di pelle. Nell'altra un mazzo di chiavi. – Erano sotto il materasso, – disse.

– Signor Lavía, penso che ce la debba raccontare tutta, – fece Vanina.

L'uomo guardò Spanò.

– Vero è che nun sugnu cosa di fare nenti. Manco ammucciare bene la pistola con cui ammazzai l'uomo che odiai di piú in vita mia.

Dalla casa che suo nonno aveva costruito pietra per pietra, Filadelfo Lavía uscí ammanettato. Oltre alla pistola e alle chiavi dell'auto di Torres, sotto il materasso aveva-

no trovato anche i documenti del cubano, compresi quelli relativi alla casa, e il suo computer. Spanò lo fece entrare in una delle auto, con Nunnari e Lo Faro. Lo portarono alla Mobile, dove alla presenza del vicequestore aggiunto Giovanna Guarrasi e del primo dirigente Tito Macchia raccontò tutto quello che Vanina aveva intuito mettendo insieme i vari pezzi.

Confessò di aver concepito l'idea di uccidere Torres nel momento in cui lui gli aveva comunicato che tempo un mese sarebbe dovuto uscire per sempre da quella casa che amava tanto. Stava per essere venduta a una persona che voleva buttare tutto a terra e trasformarla in un albergo. Delfo s'era sentito perso. Gettato per la strada all'età sua, senza un lavoro, senza un tetto. Pregare e supplicare stavolta non era servito a niente. Torres sarebbe partito per Milano e una volta tornato avrebbe firmato l'atto di vendita. L'unica possibilità di salvezza per lui era che Torres morisse. Il solo modo che a Delfo era venuto in mente era sparargli. Lui lo sapeva fare bene, perché da ragazzo andava a caccia. Non possedeva una pistola e se avesse cercato di procurarsene una avrebbe dato troppo nell'occhio, perciò aveva deciso di ammazzarlo con la sua stessa arma.

Quante volte l'aveva visto infilarla nel cassettino della macchina e lasciarla là, come se nessuno potesse arrischiarsi a rubarla? Intoccabile, come lui. Le doppie chiavi di quell'auto erano conservate lí, nel cassetto della scrivania con la bandiera dietro.

Delfo sapeva che Torres stava a Taormina. L'aveva seguito, e aveva visto dove parcheggiava la macchina di notte. La mattina in cui sarebbe partito gli era sembrata la migliore per attuare il suo piano. L'orario della partenza lo sapeva, perché Torres il biglietto se l'era fatto fare

a Trecastagni da un'agenzia di viaggi che poi gli aveva recapitato la ricevuta a casa.

La sera prima Delfo gli si era messo alle calcagna. L'aveva seguito fino a Taormina, l'aveva visto entrare nel garage dell'albergo, aveva mollato la sua Ritmo scassata di lato al cancello e senza farsene accorgere s'era infilato nel garage appena in tempo prima che si chiudesse. E s'era nascosto. Aveva aspettato con pazienza che l'uomo alla guardiola s'allontanasse e aveva fatto quello che doveva fare. Aveva aperto l'auto, il cassettino, preso la pistola. Ed era scappato.

L'indomani mattina era arrivato in aeroporto in anticipo, aveva atteso che l'auto di Torres entrasse nel parcheggio. Sapeva che l'uomo aveva l'abitudine di cercare un posto in una zona un po' isolata. Aveva pochi minuti prima che quello si accorgesse che nel cassettino non c'era piú la pistola.

L'aveva raggiunto che stava ancora finendo la manovra. Aveva aperto lo sportello del passeggero, aveva puntato al cuore e aveva sparato.

19.

Dal momento in cui il commissario Patanè aveva scoperto che Torres aveva scippato la casa a Filadelfo Lavía al tavolo da gioco, per Vanina i pezzi avevano cominciato a mettersi a posto da soli. Un fatto simile non poteva essere una coincidenza.

Le era bastato sentire il racconto di Nuzzarello, che descriveva Fliadelfo Lavía come un vecchio rimbambito, fissato con quella casa che vantava a destra e a sinistra manco fosse ancora sua. Il resto l'aveva immaginato piú o meno come poi Lavía aveva confessato che era andata.

Caso chiuso, colpevole trovato.

Ma stavolta Vanina non riusciva a esultare. Per quanto assassino, per quanto meritevole del massimo della pena, Filadelfo Lavía era stato una vittima. Probabilmente di un gioco che del poker aveva solo le sembianze. Torres era riuscito a spennare un altro pollo.

La Bonazzoli raccontò quello che lei e Spanò avevano trovato nelle stanze di Lavía.

– Un museo. Mobili antichi, quadri. Un letto di ferro alto, con delle vecchie bambole poggiate sopra, che occupava per intero una camera. Il comò pieno di fotografie in bianco e nero incorniciate.

Tutti i ricordi che l'uomo era riuscito a conservare nel suo sottoscala.

Una tristezza infinita.

Vanina si stirò sulla sua poltrona. L'ultima sigaretta e se ne sarebbe tornata a Santo Stefano. Il telefono pullulava di messaggi e di chiamate. Rimandò alla sera quelli della famiglia. Rispose a Giuli, giusto per non farla sentire abbandonata, ma rifiutò di raggiungerla all'inaugurazione di non sapeva bene quale locale. Nonostante la gravidanza, la vita mondana dell'avvocata non aveva subito rallentamenti. Manco a farlo apposta si ritrovò subito dopo il messaggio di Adriano, che aveva già saputo dell'arresto.

C'era il solito invito di Paolo a chiamarlo. Ma lei per il momento non aveva voglia di sentirlo. Non sapeva neanche bene perché. O forse preferiva non saperlo.

Tra le chiamate senza risposta ce n'erano ben quattro di Angelo Manzo.

Che aveva da dirle di cosí importante da chiamarla quattro volte?

Avviò la telefonata.

– Capo, mi deve scusare se l'ho cercata tutte queste volte.

– Angelo, che fu?

– Non lo lesse il giornale?

– No.

– Ieri acchiappammo un galoppino di Bazzuca. Uno che un tempo era un pesce piccolo, ma che ora a quanto pare pigliò penne. Nell'articolo che uscí stamattina è citata pure lei, oltre al dottor Ortès e al dottore Malfitano. Perché fu la prima a indagare su questo giro quando ancora nessuno l'aveva sgamato –. Angelo lo disse quasi scusandosi. Sapeva quanto la Guarrasi odiasse finire sui giornali.

Naturalmente non fece cenno all'operazione per la cattura di Bazzuca, che il capo della Mobile, d'accordo col questore, aveva deciso di blindare. Una talpa c'era stata,

non potevano permettere che colpisse di nuovo. Di quello che riguardava la caccia al latitante non si parlava se non tra le quattro mura della stanza a essa dedicata, all'interno della Catturandi.

Quando Vanina uscí dal suo ufficio, Marta era nella stanza di Macchia.

Il resto della squadra era disperso. Colombo se n'era tornato in albergo, a rifare la valigia per prendere il volo per Roma l'indomani mattina. Era l'ultima sera, ci si doveva salutare per bene, aveva tentato il colpo di invitarla a cena. Vanina aveva declinato. L'aveva ringraziato per tutto l'aiuto che le aveva dato in un caso cosí internazionale.

– Guarrasi, non è che io alla fine abbia fatto granché! Come sempre hai risolto tutto da sola. Anzi no: col tuo collaboratore preferito. Un po' agé...

S'erano abbracciati.

Vanina vide la Bonazzoli che usciva insieme al Grande Capo.

– Facciamo progressi, – li provocò.

Marta non commentò, Tito si limitò a sorridere. Conosceva il ruolo che aveva giocato lei in quella svolta improvvisa e glien'era grato.

– Quindi Xavier avrà solo la pena per omicidio preterintenzionale, – concluse Marta, mentre scendevano le scale.

Tito la guardò storto.

– Tutta 'st'empatia nei confronti di quel gigolò cubano me la devi spiegare.

Marta gli rispose con una risata.

Prima di arrivare al portone Vanina si accorse che mancava qualcosa. La guardiola era stata smontata. Macchia si girò soddisfatto verso il muro nudo.

– L'avevo detto che prima o poi quella fetenzia l'avrei fatta togliere.

Vanina andò a recuperare la Mini. Dovette fare uno sforzo per ricordare dove l'aveva lasciata. Salí in auto e mise un po' di musica. Classica, ovvio. Violino possibilmente.
Dopo pochi minuti il telefono iniziò a squillare.
– Dottoressa Guarrasi?
– Sí.
In sottofondo Vanina riconobbe il tipico rumore delle radio nelle volanti. Le partí la tachicardia: era successo qualcosa a Paolo?
– Sono l'assistente Trovato, del commissariato di Acireale.
Si tranquillizzò.
– Mi dica.
– Abbiamo un problema con un collega della Mobile, che credo lavori nella sua sezione: l'ispettore capo Carmelo Spanò.
Vanina saltò sul sedile, preoccupata.
– Che vuol dire un problema? Gli è successo qualcosa?
– Non proprio. In realtà... abbiamo ricevuto una denuncia, per stalking e violazione di proprietà privata.
– Una denuncia a Spanò, ma che state babbiando?
– Purtroppo no, dottoressa.
Si fece dire dove si trovavano.
Chiamò Patanè, che sicuramente di quella storia ne sapeva piú di lei.
Il commissario cominciò a sdilliriare.
– U sapeva iu, ca finiva accussí!
Passò a prenderlo.
Lungo la strada il commissario le raccontò quello che s'era messo a fare Carmelo.

– Si fissò che deve dimostrare a so' mugghieri, anzi ex mugghieri, che 'st'avvocato per cui lo lasciò le fa le corna. Si mise a pedinarlo, a fare gli appostamenti. 'Na malattia addivintò, dottoressa. Io glielo dissi, che quello non è cretino. Anzi, penso che è uno sperto assai. E oltretutto, a quanto ne so, è macari un avvocato serio, e persona perbene.

Arrivarono sulla collina tra Aci Trezza e Acireale. Si fermarono di fronte a una villetta, accanto a una volante della polizia.

Spanò era di lato, e parlava con un collega in divisa.

Davanti al cancello, in posizione quasi marziale, c'era l'avvocato Enzo Greco. Noto civilista catanese, reo di essere l'uomo per cui Maria Rosaria Urso, ex Spanò, aveva lasciato il marito. Accanto a lui c'era una donna, sconosciuta.

Vanina e Patanè s'avvicinarono all'ispettore.

– Dottoressa, mi deve scusare, sono... mortificato.

L'assistente Trovato si presentò.

L'avvocato Greco li aveva chiamati segnalando che da piú giorni una persona lo seguiva e che in quel momento stava spiando dentro casa sua. Quand'erano arrivati avevano beccato Spanò arrampicato su una ringhiera, binocolo in mano.

Vanina ci mise mezz'ora a convincere Greco a soprassedere sulla denuncia. La donna con cui Spanò continuava a incrociarlo si chiamava Caterina Greco ed era sua sorella. Tornata dalla Francia da un mese.

I colleghi di Acireale se ne andarono, e l'avvocato e la sorella rientrarono in casa.

Spanò si ritrovò solo con la Guarrasi e Patanè.

Dalle facce che avevano non sapeva chi dei due l'avrebbe fatto piú nero.

Vanina non aveva mai invitato il commissario Patanè a casa sua. Un po' perché raramente rientrava in orari decenti, un po' per timore che Angelina poi venisse a chiederle conto e ragione.

Stavolta però le era venuto spontaneo. Erano insieme, a un passo da Santo Stefano, e a lei avrebbe fatto piacere. Aveva messo subito le mani avanti sulla qualità di quello che i suoi fornelli avrebbero potuto offrirgli, ma c'era sempre la speranza che Bettina le venisse in aiuto.

Patanè aveva accettato di buon grado, sfidando il pericolo di finire a spaghetti col burro. L'importante era la compagnia, per il resto macari pane e salame bastavano e avanzavano.

Vanina aprí il cancelletto di ferro e gli fece strada. Bettina spuntò quasi subito dalla sua portafinestra e si bloccò sull'uscio, stupita. Va bene che Vannina grossi problemi a invitare uomini a casa non se ne faceva, ma chistu come minimo era coetaneo suo!

– Biagio Patanè, – si presentò il commissario, accennando un baciamano.

La vicina s'illuminò. Questo era, il famoso commissario Patanè di cui Vannina parlava sempre.

– Che piacere! – esclamò.

Li invitò a entrare. Stava cenando, ma se aspettavano qualche minuto ad aggiungere due posti a tavola niente ci voleva. Come al solito aveva cucinato per un reggimento. Quella sera, poi, aveva anche la possibilità di preservare il commissario dal tentativo malriuscito di cucina che la vicequestora gli avrebbe propinato. Vannina era tanto brava nel suo lavoro, tanto buona e tanto cara, ma cucinare non era cosa sua.

Ma Vanina insisteva che il commissario l'aveva invitato a cena lei, perciò toccava a lei ospitarlo. Anzi, rilanciò ed estese l'invito anche a Bettina.

Per salvare capra e cavoli la vicina avvolse tutto il ben di Dio che aveva cucinato in tre canovacci, pronto per essere trasferito in casa di Vannina.

Un piatto per uno in mano, andarono verso la dépendance.

Vanina aprí la porta e accese la luce.

Si bloccò nell'anticamera atterrita da quello che vide.

– Madunnuzza santa, i ladri! – fece Bettina, bianca come un lenzuolo.

La casa era sottosopra come se ci fossero passati dentro con una ruspa. La collezione di dvd era sparsa sul pavimento del soggiorno, insieme al contenuto dei cassetti svuotati. Stesso scenario in camera da letto.

Patanè s'aggirò per la casa con la faccia da commissario in azione. Quella che invece a Vanina in quel momento mancava. Continuava a girare su sé stessa, confusa.

– Manca qualche cosa? – chiese il commissario.

A occhio non sembrava. Televisore, computer, tutto era spostato ma c'era. Vanina non possedeva granché di oggetti preziosi, e i pochi che aveva erano lí.

L'unica stanza che ancora mancava all'appello era la cucina, istintivamente si diressero lí.

Vanina accese la luce. Un senso di nausea le prese lo stomaco.

La fotografia incorniciata di suo padre era sul tavolo.

Poggiato davanti c'era un foglio A4.

Attaccato al foglio, un proiettile.

Ringraziamenti.

Per dipanare questa terza indagine di Vanina – come sempre interamente frutto della mia fantasia – ho disturbato con le mie domande un'enorme quantità di persone, che sento di dover ringraziare. Anche se licenze narrative e qualche volo pindarico in un romanzo sono sempre inevitabili – specie se si tratta di un «intrigo internazionale»! – le loro consulenze sono state preziose.

Ancora una volta cito per prima Rosalba Recupido, mio magistrato di riferimento e cara amica. Un grazie di cuore a Nello Cassisi, per la pazienza con cui si sottopone a telefonate fiume regalandomi indispensabili dritte poliziesche.

Grazie al dottor Marco Basile, il nuovo vero «Grande Capo» della Mobile di Catania, per l'accoglienza calorosa nei confronti di Vanina; a Tony Buffo, che ormai la considera come una collega virtuale, e a tutta la squadra che di tanto in tanto tollera le mie intrusioni.

Un ringraziamento speciale va al dottor Renato Cortese, questore di Palermo, per la sua grande disponibilità. Una «caccia al latitante», quantunque di pura invenzione, andava progettata per bene. Nessuno meglio di lui avrebbe potuto indicare a me e a Vanina la giusta strada. E mille grazie al dottor Virgilio Alberelli, suo capo di gabinetto, per la gentilezza e per l'entusiasmo.

Ringrazio il dottor Rodolfo Ruperti e tutta la Squadra Mobile di Palermo da lui diretta, che ho disturbato con i miei sopralluoghi letterari, e in particolare la dottoressa Carla Marino.

Paola Di Simone, Giuseppe Siano, che l'una da Palermo e l'altro da Catania hanno aiutato molto la mia Polizia Scientifica di carta. Veronica Arcifa, perché senza di lei Adriano Calí come medico legale non varrebbe nulla. Nazareno Santantonio, caro amico colonnello, perché nella sua collaborazione con l'Arma Vanina non poteva tro-

vare alleato migliore. Sebi La Ciura, perché qualche dritta in campo notarile serve sempre.

Leonardo Marini, che ormai conosce i miei personaggi meglio di me: i suoi spunti sono stati preziosi.

Maria Paola Romeo, grande agente e insuperabile consigliera, e tutta l'agenzia Grandi & Associati, con menzione speciale a Elena Tafuni.

Un grazie immenso a Paolo Repetti, il mio grande editore, e a Francesco Colombo, che crede sempre in me piú di quanto non faccia io. A Rosella Postorino, Roberta Pellegrini, Daniela La Rosa, Chiara Ferrero, Maria Ida Cartoni e tutta la redazione di Einaudi Stile Libero. A Paola Novarese, Stefania Cammillini, Chiara Crosetti e tutto l'ufficio stampa, e a Stefano Jugo il super web specialist. All'intera casa editrice Einaudi perché essere una vostra autrice è un onore.

A tutti gli amici cui ho rubato case, giardini, frasi, abitudini e passioni per regalarle ai miei personaggi.

Alla mia fantastica famiglia, che vive sempre con me tutte le grandi emozioni che un nuovo libro riesce a darmi.

Infine come sempre il ringraziamento piú grande è per Maurizio, perché ogni nuovo libro è come un viaggio, ma se non ci fosse lui ad accompagnarmi con amore io sarei ancora ferma alla partenza.